は　じ　め　に

技能検定は、労働者の有する技能を一定の基準によって検定し、これを公証する国家検定制度であり、技能に対する社会一般の評価を高め、働く人々の技能と地位の向上を図ることを目的として、職業能力開発促進法に基づいて1959年（昭和34年）から実施されています。

当研究会では、1975年（昭和50年）から技能検定試験受検者の学習に資するため、過去に出題された学科試験問題（１・２級）に解説を付して、「学科試験問題解説集」を発行しております。

このたびさらに、令和３・４・５年度に出題された学科試験問題、ならびに令和５年度の実技試験問題（計画立案等作業試験は令和３・４・５年度を収録）を「技能検定試験問題集（正解表付き）」として発行することになりました。

本問題集が１級・２級の技能士を目指して技能検定試験を受検される多くの方々にご利用いただき、大きな成果が上がることを祈念いたします。

令和６年４月

一般社団法人 雇用問題研究会

目　　次

技 能 検 定 の 概 要

1　技能検定試験の等級区分

技能検定試験は合格に必要な技能の程度を等級ごとに次のとおりに区分しています。

特　　級：検定職種ごとの管理者又は監督者が通常有すべき技能及びこれに関する知識の程度

1　　級：検定職種ごとの上級の技能労働者が通常有すべき技能及びこれに関する知識の程度

2　　級：検定職種ごとの中級の技能労働者が通常有すべき技能及びこれに関する知識の程度

3　　級：検定職種ごとの初級の技能労働者が通常有すべき技能及びこれに関する知識の程度

単一等級：検定職種ごとの上級の技能労働者が通常有すべき技能及びこれに関する知識の程度

※これらの他に外国人実習生等を対象とした基礎級があります。

2　検定試験の基準

技能検定は、実技試験及び学科試験によって行われています。

実技試験は、実際に作業などを行わせて、その技量の程度を検定する試験であり、学科試験は、技能の裏付けとなる知識について行う試験です。

実技試験及び学科試験は、検定職種の等級ごとに、それぞれの試験科目及びその範囲が職業能力開発促進法施行規則により、また、その具体的な細目が厚生労働省人材開発統括官通知により定められています。

(1)　実技試験

実技試験は、実際に作業（物の製作、組立て、調整など）を行わせて試験する、製作等作業試験が中心となっており、検定職種の大部分のものについては、その課題が試験日に先立って公表されています。

試験時間は、１級、２級及び単一等級については原則として５時間以内、３級については3時間以内が標準となっています。

また、検定職種によっては、製作等作業試験の他、実際的な能力を試験するため、次のような判断等試験又は計画立案等作業試験が併用されることがあります。

① 判断等試験

判断等試験は、製作等作業試験のみでは技能評価が困難な場合又は検定職種の性格や試験実施技術等の事情により製作等作業試験の実施が困難な場合に用いられるもので、例えば技能者として体得していなければならない基本的な技能について、原材料、模型、写真などを受検者に提示し、判別、判断などを行わせ、その技能を評価する試験です。

② 計画立案等作業試験

製作等作業試験、判断等試験の一方又は双方でも技能評価が不足する場合に用いられるもので、現場における実際的、応用的な課題を、表、グラフ、文章などにより設問したものを受検者に提示し、計算、計画立案、予測などを行わせることにより技能の程度を評価する試験です。

(2) 学科試験

学科試験は、単に学問的な知識を試験するものではなく、作業の遂行に必要な正しい判断力及び知識の有無を判定することに主眼がおかれています。また、それぞれの等級における試験の概要は次表のとおりです。

この中で、真偽法は一つの問題文の正誤を解答する形式であり、五肢択一法及び四肢択一法は一つの問題文について複数の選択肢の中から一つを選択して解答する形式です。

■学科試験の概要

等級区分	試験の形式	問題数	試験時間
特　　級	五肢択一法	50 題	2 時間
1　　級	真偽法及び四肢択一法	50 題	1 時間 40 分
2　　級	真偽法及び四肢択一法	50 題	1 時間 40 分
3　　級	真偽法	30 題	1 時間
単一等級	真偽法及び四肢択一法	50 題	1 時間 40 分

3　技能検定の受検資格

技能検定を受検するには、原則として検定職種に関する実務の経験が必要で、その年数は職業訓練歴、学歴等により異なっています（別表1参照）。

この実務の経験の範囲には、現場での作業のみならず管理、監督、訓練、教育及び研究の業務や訓練又は教育を受けた期間が含まれます。

4　試験の実施日程

技能検定試験は職種ごとに前期、後期に分かれていますが、日程の概要は次のとおりです。

項	前　期	後　期
受付期間	4月上旬～中旬	10月上旬～中旬
実技試験	6月上旬～9月上旬 9月中旬～11月中旬※	12月上旬～翌年2月中旬
学科試験	8月下旬～9月上旬の日曜日 3級は7月上旬～中旬の日曜日	翌年1月下旬～2月上旬の日曜日
合格発表	10月上旬、3級は8月下旬 10月中旬～11月下旬※	翌年3月中旬

※暑熱対応のため延期する場合（造園職種・とび職種に限る）

・日程の詳細については都道府県職業能力開発協会（連絡先等は別表2参照）にお問い合わせ下さい。

5　技能検定の実施体制

技能検定は厚生労働大臣が定めた、実施計画に基づいて行うものですが、その実施業務は、厚生労働大臣、都道府県知事、中央職業能力開発協会、都道府県職業能力開発協会等の間で分担されており、受検の受付及び試験の実施については、都道府県職業能力開発協会が行っています。

6　技能検定試験受検手数料

技能検定試験の受検手数料は「実技試験：18,200円」及び「学科試験：3,100円」を標準額として、職種ごとに各都道府県で決定しています（令和6年4月1日現在、都道府県知事が実施する111職種）。

なお、25歳未満の在職者の方は、2級又は3級の実技試験の受検手数料が最大9,000円減額されます。詳しくは都道府県職業能力開発協会にお問い合わせ下さい。

7　技能検定の合格者

技能検定の合格者には、厚生労働大臣名（特級、1級、単一等級）又は都道府県知事名等（2級、3級）の合格証明が交付され、技能士と称することができます。

別表1

技能検定の受検に必要な実務経験年数一覧

（都道府県知事が実施する検定職種）

（単位：年）

<table>
<tr><td colspan="2" rowspan="2">受　検　対　象　者
（※1）</td><td>特級</td><td colspan="3">1　級</td><td colspan="2">2　級</td><td rowspan="2">3
級
（※6）</td><td rowspan="2">基礎級
（※6）</td><td rowspan="2">単一等級</td></tr>
<tr><td>1　級
合格後</td><td></td><td>2　級
合格後</td><td>3　級
合格後</td><td>（※6）</td><td>3　級
合格後</td></tr>
<tr><td colspan="2">実務経験のみ</td><td rowspan="15">5</td><td>7</td><td rowspan="10">2</td><td rowspan="10">4</td><td>2</td><td rowspan="13">0</td><td>0 ※7</td><td>0 ※7</td><td>3</td></tr>
<tr><td colspan="2">専門高校卒業　※2
専修学校（大学入学資格付与課程に限る）卒業</td><td>6</td><td>0</td><td>0</td><td>0</td><td>1</td></tr>
<tr><td colspan="2">短大・高専・高校専攻科卒業　※2
専門職大学前期課程修了
専修学校（大学編入資格付与課程に限る）卒業</td><td>5</td><td>0</td><td>0</td><td>0</td><td>0</td></tr>
<tr><td colspan="2">大学卒業（専門職大学前期課程修了者を除く）　※2
専修学校（大学院入学資格付与課程に限る）卒業</td><td>4</td><td>0</td><td>0</td><td>0</td><td>0</td></tr>
<tr><td rowspan="3">専修学校　※3
又は各種学校卒業
（厚生労働大臣が指定したものに限る。）</td><td>800時間以上</td><td>6</td><td>0</td><td>0 ※8</td><td>0 ※8</td><td>1</td></tr>
<tr><td>1600時間以上</td><td>5</td><td>0</td><td>0 ※8</td><td>0 ※8</td><td>1</td></tr>
<tr><td>3200時間以上</td><td>4</td><td>0</td><td>0 ※8</td><td>0 ※8</td><td>0</td></tr>
<tr><td>短期課程の普通職業訓練修了 ※4 ※9</td><td>700時間以上</td><td>6</td><td>0</td><td>0 ※5</td><td>0 ※5</td><td>1</td></tr>
<tr><td rowspan="2">普通課程の普通職業訓練修了 ※4 ※9</td><td>2800時間未満</td><td>5</td><td>0</td><td>0</td><td>0</td><td>1</td></tr>
<tr><td>2800時間以上</td><td>4</td><td>0</td><td>0</td><td>0</td><td>0</td></tr>
<tr><td colspan="2">専門課程又は特定専門課程の高度職業訓練修了 ※4 ※9</td><td>3</td><td>1</td><td>2</td><td>0</td><td>0</td><td>0</td><td>0</td></tr>
<tr><td colspan="2">応用課程又は特定応用課程の高度職業訓練修了 ※9</td><td colspan="3">1</td><td>0</td><td>0</td><td>0</td><td>0</td></tr>
<tr><td colspan="2">指導員養成課程の指導員養成訓練修了 ※9</td><td colspan="3">1</td><td>0</td><td>0</td><td>0</td><td>0</td></tr>
<tr><td colspan="2">職業訓練指導員免許取得</td><td colspan="3">1</td><td>—</td><td>—</td><td>—</td><td>—</td><td>0</td></tr>
<tr><td colspan="2">高度養成課程の指導員養成訓練修了 ※9</td><td colspan="3">0</td><td>0</td><td>0</td><td>0</td><td>0</td><td>0</td></tr>
</table>

※ 1：検定職種に関する学科、訓練科又は免許職種に限る。

※ 2：学校教育法による大学、短期大学又は高等学校と同等以上と認められる外国の学校又は他法令学校を卒業した者並びに独立行政法人大学改革支援・学位授与機構により学士の学位を授与された者は学校教育法に基づくそれぞれのものに準ずる。

※ 3：大学入学資格付与課程、大学編入資格付与課程及び大学院入学資格付与課程の専修学校を除く。

※ 4：職業訓練法の一部を改正する法律（昭和53年法律第40号）の施行前に、改正前の職業訓練法に基づく高等訓練課程又は特別高等訓練課程の養成訓練を修了した者は、それぞれ改正後の職業能力開発促進法に基づく普通課程の普通職業訓練又は専門課程の高度職業訓練を修了したものとみなす。また、職業能力開発促進法の一部を改正する法律（平成4年法律第67号）の施行前に、改正前の職業能力開発促進法に基づく専門課程の養成訓練を修了した者は、専門課程の高度職業訓練を修了したものとみなし、改正前の職業能力開発促進法に基づく普通課程の養成訓練又は職業転換課程の能力再開発訓練（いずれも800時間以上のものに限る。）を修了した者はそれぞれ改正後の職業能力開発促進法に基づく普通課程又は短期課程の普通職業訓練を修了したものとみなす。

※ 5：総訓練時間が700時間未満のものを含む。

※ 6：3級（前期又は後期の期間にかかわらず随時実施するものは除く。）の技能検定については、上記のほか、検定職種に関する学科に在学する者及び検定職種に関する訓練科において職業訓練を受けている者等も受検できる。また、工業高等学校に在学する者等であって、かつ、工業高等学校の教員等による検定職種に係る講習を受講し、当該講習の責任者から技能検定試験受検に際して安全衛生上の問題等がないと判定されたものも受検できる。また、基礎級の技能検定については技能実習生のみが、3級（前期又は後期の期間にかかわらず随時実施するものに限る。）は基礎級（旧基礎1級及び基礎2級を含む）に合格した者のみが、2級（前期又は後期の期間にかかわらず随時実施するものに限る。）は基礎級（旧基礎1級及び基礎2級を含む）及び当該検定職種に係る3級の実技試験に合格した者のみが、受検できる。

※ 7：検定職種に関し実務の経験を有する者について、受検資格を認めることとする。

※ 8：当該学校が厚生労働大臣の指定を受けたものであるか否かに関わらず、受検資格を付与する。

※ 9：職業能力開発促進法第92条に規定する職業訓練又は指導員訓練に準ずる訓練の修了者においても、修了した職業訓練又は指導員訓練の訓練課程に応じ、受検資格を付与する。

別表２

都道府県及び中央職業能力開発協会所在地一覧

（令和６年４月現在）

協　会　名	郵便番号	所　在　地	電話番号
北海道職業能力開発協会	003-0005	札幌市白石区東札幌５条 1-1-2　北海道立職業能力開発支援センター内	011-825-2386
青森県職業能力開発協会	030-0122	青森市大字野尻字今田 43-1　青森県立青森高等技術専門校内	017-738-5561
岩手県職業能力開発協会	028-3615	紫波郡矢巾町大字南矢幅 10-3-1　岩手県立産業技術短期大学校内	019-613-4620
宮城県職業能力開発協会	981-0916	仙台市青葉区青葉町 16-1	022-271-9917
秋田県職業能力開発協会	010-1601	秋田市向浜 1-2-1　秋田県職業訓練センター内	018-862-3510
山形県職業能力開発協会	990-2473	山形市松栄 2-2-1　県立山形職業能力開発専門校内３階	023-644-8562
福島県職業能力開発協会	960-8043	福島市中町 8-2　福島県自治会館５階	024-525-8681
茨城県職業能力開発協会	310-0005	水戸市水府町 864-4　茨城県職業人材育成センター内	029-221-8647
栃木県職業能力開発協会	320-0032	宇都宮市昭和 1-3-10　栃木県庁舎西別館	028-643-7002
群馬県職業能力開発協会	372-0801	伊勢崎市宮子町 1211-1	0270-23-7761
埼玉県職業能力開発協会	330-0074	さいたま市浦和区北浦和 5-6-5　埼玉県浦和合同庁舎５階	048-829-2802
千葉県職業能力開発協会	261-0026	千葉市美浜区幕張西 4-1-10	043-296-1150
東京都職業能力開発協会	101-8527	千代田区内神田 1-1-5　東京都産業労働局神田庁舎５階	03-6631-6052
神奈川県職業能力開発協会	231-0026	横浜市中区寿町 1-4　かながわ労働プラザ６階	045-633-5419
新潟県職業能力開発協会	950-0965	新潟市中央区新光町 15-2　新潟県公社総合ビル４階	025-283-2155
富山県職業能力開発協会	930-0094	富山市安住町 7-18　安住町第一生命ビル２階	076-432-9887
石川県職業能力開発協会	920-0862	金沢市芳斉 1-15-15　石川県職業能力開発プラザ３階	076-262-9020
福井県職業能力開発協会	910-0003	福井市松本 3-16-10　福井県職員会館ビル４階	0776-27-6360
山梨県職業能力開発協会	400-0055	甲府市大津町 2130-2	055-243-4916
長野県職業能力開発協会	380-0836	長野市大字南長野南県町 688-2　長野県婦人会館３階	026-234-9050
岐阜県職業能力開発協会	509-0109	各務原市テクノプラザ 1-18　岐阜県人材開発支援センター内	058-260-8686
静岡県職業能力開発協会	424-0881	静岡市清水区楠 160	054-345-9377
愛知県職業能力開発協会	451-0035	名古屋市西区浅間 2-3-14　愛知県職業訓練会館内	052-524-2034
三重県職業能力開発協会	514-0004	津市栄町 1-954　三重県栄町庁舎４階	059-228-2732
滋賀県職業能力開発協会	520-0865	大津市南郷 5-2-14	077-533-0850
京都府職業能力開発協会	612-8416	京都市伏見区竹田流池町 121-3　京都府立京都高等技術専門校２階	075-642-5075
大阪府職業能力開発協会	550-0011	大阪市西区阿波座 2-1-1　大阪本町西第一ビルディング６階	06-6534-7510
兵庫県職業能力開発協会	650-0011	神戸市中央区下山手通 6-3-30　兵庫勤労福祉センター１階	078-371-2091
奈良県職業能力開発協会	630-8213	奈良市登大路町 38-1　奈良県中小企業会館２階	0742-24-4127
和歌山県職業能力開発協会	640-8272	和歌山市砂山南 3-3-38　和歌山技能センター内	073-425-4555
鳥取県職業能力開発協会	680-0845	鳥取市富安 2-159　久本ビル５階	0857-22-3494
島根県職業能力開発協会	690-0048	松江市西嫁島 1-4-5　SP ビル２階	0852-23-1755
岡山県職業能力開発協会	700-0824	岡山市北区内山下 2-3-10　アマノビル３階	086-225-1547
広島県職業能力開発協会	730-0052	広島市中区千田町 3-7-47　広島県情報プラザ５階	082-245-4020
山口県職業能力開発協会	753-0051	山口市旭通り 2-9-19　山口建設ビル３階	083-922-8646
徳島県職業能力開発協会	770-8006	徳島市新浜町 1-1-7	088-663-2316
香川県職業能力開発協会	761-8031	高松市郷東町 587-1　地域職業訓練センター内	087-882-2854
愛媛県職業能力開発協会	791-8057	松山市大可賀 2-1-28　アイテムえひめ内	089-993-7301
高知県職業能力開発協会	781-5101	高知市布師田 3992-4	088-846-2300
福岡県職業能力開発協会	813-0044	福岡市東区千早 5-3-1　福岡人材開発センター２階	092-671-1238
佐賀県職業能力開発協会	840-0814	佐賀市成章町 1-15	0952-24-6408
長崎県職業能力開発協会	851-2127	西彼杵郡長与町高田郷 547-21	095-894-9971
熊本県職業能力開発協会	861-2202	上益城郡益城町田原 2081-10　電子応用機械技術研究所内	096-285-5818
大分県職業能力開発協会	870-1141	大分市大字下宗方字古川 1035-1　大分職業訓練センター内	097-542-3651
宮崎県職業能力開発協会	889-2155	宮崎市学園木花台西 2-4-3	0985-58-1570
鹿児島県職業能力開発協会	892-0836	鹿児島市錦江町 9-14	099-226-3240
沖縄県職業能力開発協会	900-0036	那覇市西 3-14-1	098-862-4278
中央職業能力開発協会	160-8327	新宿区西新宿 7-5-25　西新宿プライムスクエア 11 階	03-6758-2859

金属熱処理

実技試験問題

令和5年度 技能検定
2級 金属熱処理（一般熱処理作業）
実技試験 問題概要

実技試験は、次の判断等試験と計画立案等作業試験により行う。

1 判断等試験

1.1 試験実施日

令和5年8月27日(日)

1.2 試験時間

問題ごとの試験時間は、次表のとおりである。

問題番号	1	2	3	4	5
試験時間	5分	5分	5分	5分	5分

1.3 問題の概要

問題		概要
問題1	火花試験	提示された写真及び図を基に火花試験等を判定する。
問題2	組織判定	提示された顕微鏡による組織写真を基に試験片の組織を判定する。
問題3	温度測定の構成機器	提示された写真を基に温度測定に関する構成機器等を判定する。
問題4	変形測定	提示された測定に関する写真を基に変形測定に関する作業等を判定する。
問題5	硬さ試験	提示された写真を基に硬さ試験等を判定する。

1.4 持参用具等

品名	寸法又は規格	数量	備考
筆記用具	鉛筆、消しゴム等	一式	

2　計画立案等作業試験

2.1　試験実施日
令和5年8月20日(日)

2.2　試験時間
50分

2.3　問題の概要
作業条件の設定、作業段取り、設備の調整等について行う。

2.4　持参用具等

品　名	寸法又は規格	数　量	備　考
筆記用具	鉛筆、消しゴム等	一式	

3　注意事項

(1)　判断等試験問題は、試験当日配付され、当日回収される。

(2)　使用用具等は、指定したもの以外のものは使用しないこと。

(3)　試験中は、用具等の貸し借りを禁止する。

(4)　**この問題概要に書込みしたものを持ち込まないこと。また試験中に他の用紙にメモしたものや参考書等を参照することは禁止とする。**

(5)　試験中は、携帯電話、スマートフォン、ウェアラブル端末等の使用(電卓機能の使用を含む)を禁止とする。

令和5年度 技能検定
2級 金属熱処理（一般熱処理作業）
実技試験（計画立案等作業試験）問題

1 試験時間

50分

2 注意事項

（1） 係員の指示があるまで、この表紙はあけないでください。

（2） 解答用紙に、受検番号及び氏名を必ず記入してください。

（3） 係員の指示に従って、この試験問題が表紙を含めて9ページであることを確認してください。それらに異常がある場合は、黙って手を挙げてください。

（4） 試験開始の合図で始めてください。

（5） 解答は、解答用紙の解答欄に記入してください。
なお、要求している解答以外は記入しないでください。

（6） 試験中は、携帯電話、スマートフォン、ウェアラブル端末等の使用(電卓機能の使用を含む。)を禁止とします。

（7） 試験中、質問があるときは、黙って手を挙げてください。ただし、試験問題の内容、漢字の読み方等に関する質問にはお答えできません。

（8） 試験終了時刻前に解答ができあがった場合は、黙って手を挙げて、係員の指示に従ってください。

（9） 試験中に手洗いに立ちたいときは、黙って手を挙げて、係員の指示に従ってください。

(10) 試験終了の合図があったら、筆記用具を置き、係員の指示に従ってください。

(11) 試験終了後、解答用紙を提出してください。

(12) 計算等は、問題用紙の余白又は裏面を使用して行ってください。

3 試験に使用できる用具等一覧

品　名	寸法又は規格	数量	備　考
筆記用具等	鉛筆、消しゴム等	一式	

問題1

下図に示す熱間鍛造用金型を熱処理する場合について、次の各設問に答えなさい。なお、解答は解答用紙の解答欄に記号で記入すること。

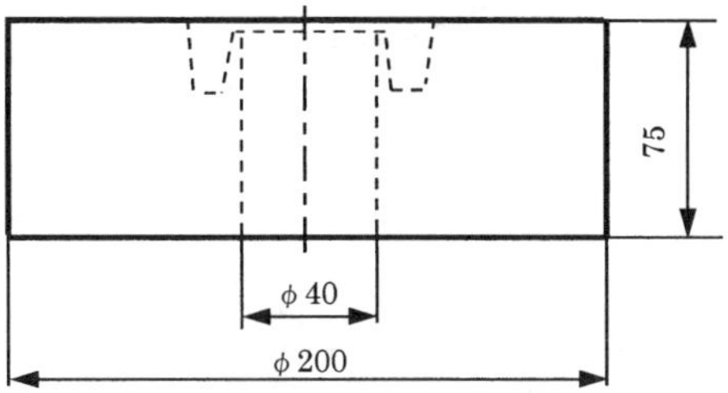

単位：mm

(注)　1　鋼種：SKD61
　　　2　指定硬さ：55±2HRC
　　　3　製造工程：鍛造 → 焼なまし → 機械加工 → 焼入焼戻し
　　　4　焼入加熱炉及び焼戻加熱炉：真空炉

設問1　日本産業規格(JIS)に規定されているSKD61の化学成分として、正しいものを一つ選びなさい。

化学成分(mass%)

	C	Si	Mn	P	S	Ni	Cr	Mo	V
ア	1.40～ 1.60	0.40 以下	0.60 以下	0.030 以下	0.030 以下	―	11.00～ 13.00	0.80～ 1.20	0.20～ 0.50
イ	0.50～ 0.60	0.10～ 0.40	0.60～ 0.90	0.030 以下	0.020 以下	1.50～ 1.80	0.80～ 1.20	0.35～ 0.55	0.05～ 0.15
ウ	0.35～ 0.42	0.80～ 1.20	0.25～ 0.50	0.030 以下	0.020 以下	―	4.80～ 5.50	1.00～ 1.50	0.80～ 1.15

設問2　下記の焼なまし熱処理線図における(　A　)～(　C　)内に当てはまる最も適切なものを、語群から一つずつ選びなさい。

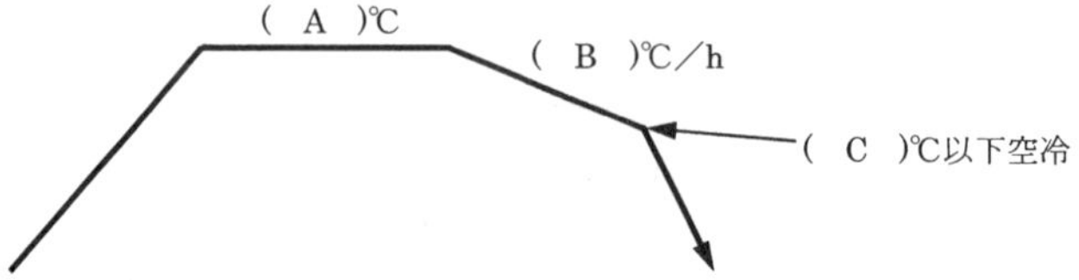

語群

A	ア　650	イ　750	ウ　850	エ　950
B	ア　5	イ　20	ウ　50	エ　100
C	ア　600	イ　700	ウ　800	エ　900

設問3　下記の焼入焼戻し熱処理線図の(　A　)～(　E　)内に当てはまる最も適切なものを、語群から一つずつ選びなさい。ただし、この鋼材の焼戻硬さ曲線は、下記の図1によるものとする。

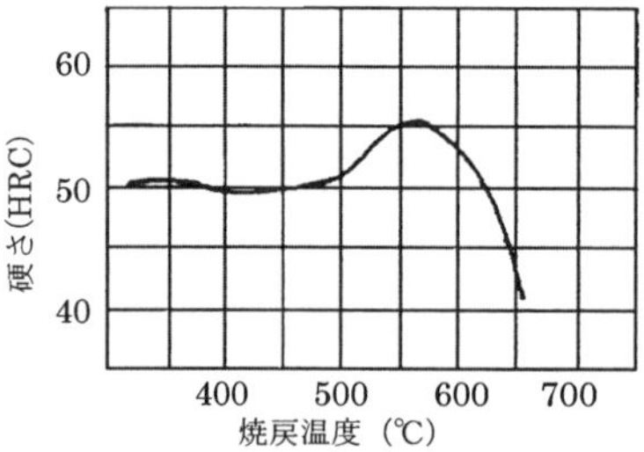

図１　SKD61の焼戻硬さ曲線

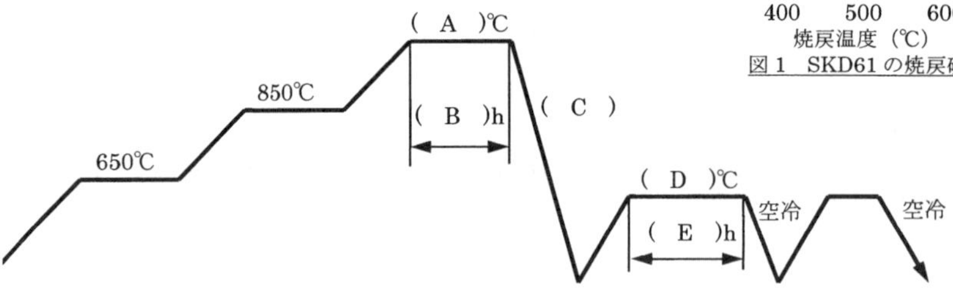

語群

A	ア　980	イ　1020	ウ　1060
B	ア　0.2	イ　1.5	ウ　3
C	ア　水冷	イ　油冷	ウ　ガス冷却
D	ア　450	イ　500	ウ　550
E	ア　1	イ　3	ウ　6

問題 2

下図に示す部品の調質及び後工程について、次の各設問に答えなさい。なお、解答は解答用紙の解答欄に記号で記入すること。

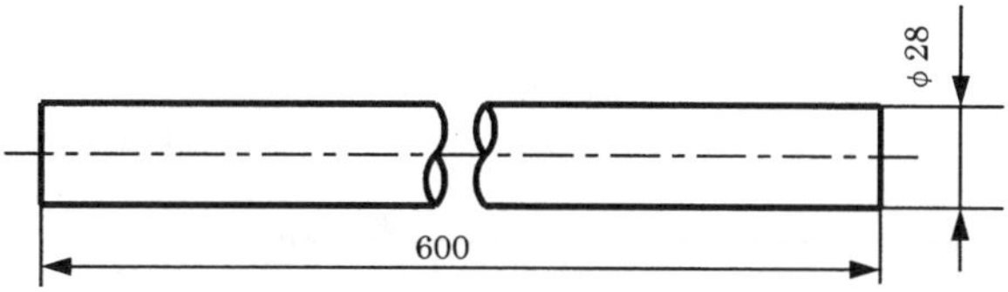

単位：mm

（注）1　鋼種：SNCM439
　　　2　指定硬さ：293～352HBW
　　　3　曲がりの許容値：両端支持で 0.3mm 以内

設問1　下記の調質熱処理線図の(　A　)～(　B　)内に当てはまる最も適切なものを、語群から一つずつ選びなさい。

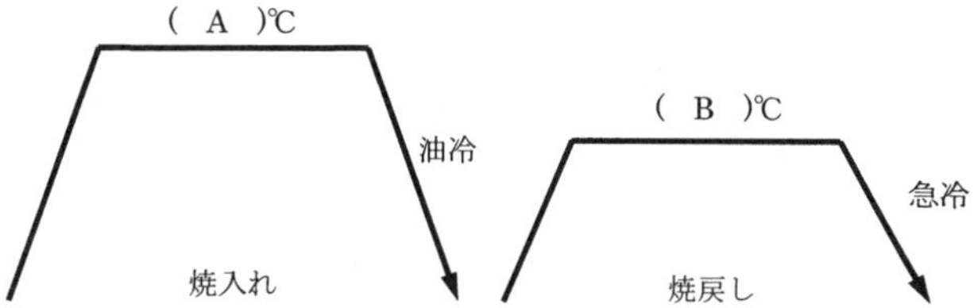

語群

A	ア　850	イ　900	ウ　950
B	ア　620	イ　690	ウ　750

設問2　設問1による調質後の部品の曲がりを下図のように測定したとき、ダイヤルゲージの読みが0.30〜2.30mmとなった。このときの曲がり量として、適切なものを一つ選びなさい。

ア　1.00mm
イ　1.30mm
ウ　2.00mm
エ　2.30mm

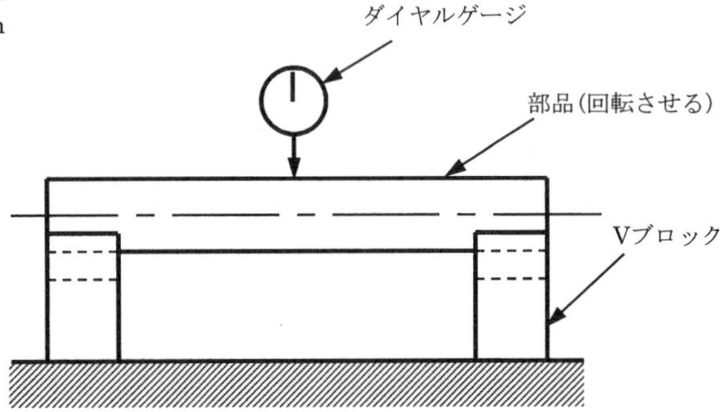

設問3　下記は、設問1による調質後、曲がりを矯正した部品の応力除去焼なまし熱処理線図である。図中の(　A　)〜(　B　)内に当てはまる最も適切なものを、語群から一つずつ選びなさい。

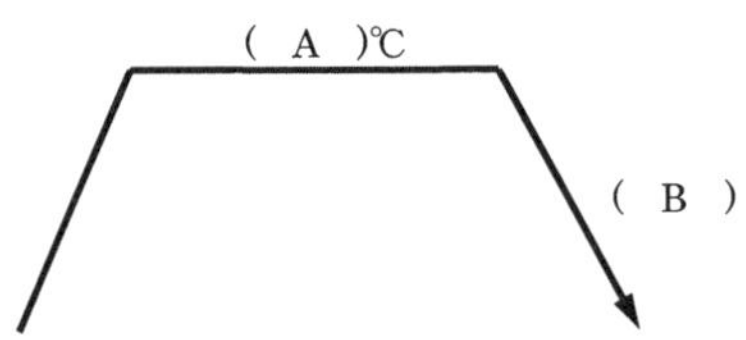

語群

A	ア　490	イ　590	ウ　690
B	ア　空冷	イ　油冷	ウ　水冷

問題3

下図に示すテーパーゲージを熱処理する場合について、次の各設問に答えなさい。なお、解答は解答用紙の解答欄に記号で記入すること。

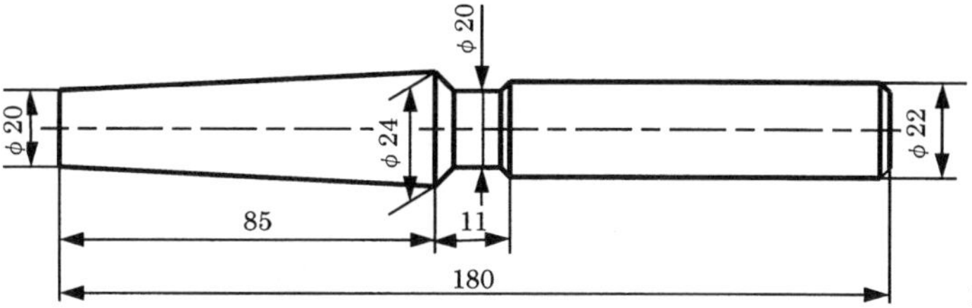

単位：mm

（注） 1 鋼種：SKS93
2 製造工程：
鍛造 → 焼なまし → 機械加工 → 焼入焼戻し
3 指定硬さ：62HRC以上
4 経年変形を防止すること。

設問1　鍛造後の焼なまし方法として、適切なものを一つ選びなさい。

ア　球状化焼なまし
イ　応力除去焼なまし
ウ　完全焼なまし
エ　拡散焼なまし

設問2　焼入れの熱処理線図として、下図の(　　)内に当てはまる最も適切なものを、語群からそれぞれ一つずつ選びなさい。

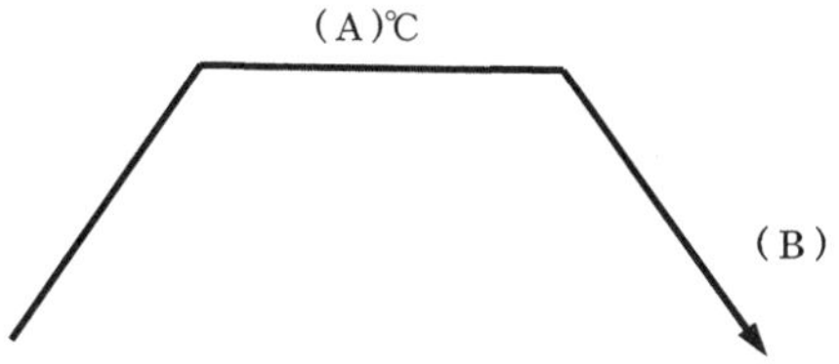

語群

（A）	ア　780	イ　820	ウ　870	エ　920
（B）	ア　ガス冷	イ　油冷	ウ　水冷	

設問3　経年変形を防止するための、焼入後の処理方法として、適切なものを一つ選びなさい。

ア　150℃で焼戻しを行う。
イ　250℃で焼戻しを行う。
ウ　150℃で焼戻し後、サブゼロ処理を行う。
エ　サブゼロ処理し、180℃で焼戻しを行う。

設問4　焼入焼戻し後の予想される顕微鏡組織として、適切なものを一つ選びなさい。

ア　焼戻マルテンサイト
イ　焼戻マルテンサイト ＋ 未固溶炭化物
ウ　焼戻マルテンサイト ＋ 残留オーステナイト
エ　焼戻マルテンサイト ＋ 網状炭化物

問題4

下図に示す冷間鍛造用加工素材を球状化焼なましする場合について、次の各設問に答えなさい。なお、解答は解答用紙の解答欄に記号で記入すること。

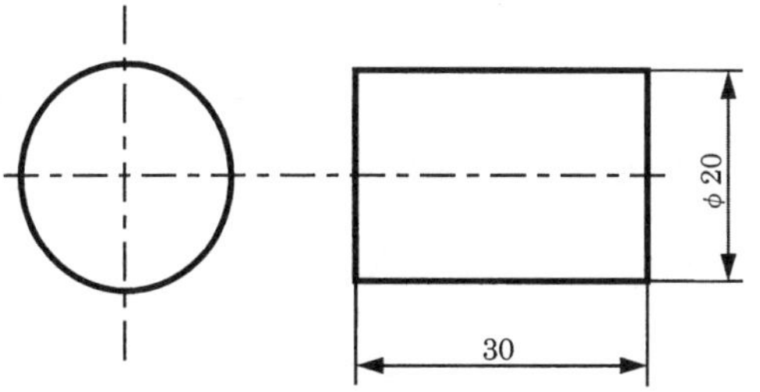

単位：mm

（注）1　鋼種：S35C
　　　2　指定硬さ：70～75HRB(120～135HBW)
　　　3　加熱炉：ピット形炉
　　　4　球状化焼なましの熱処理線図：下図

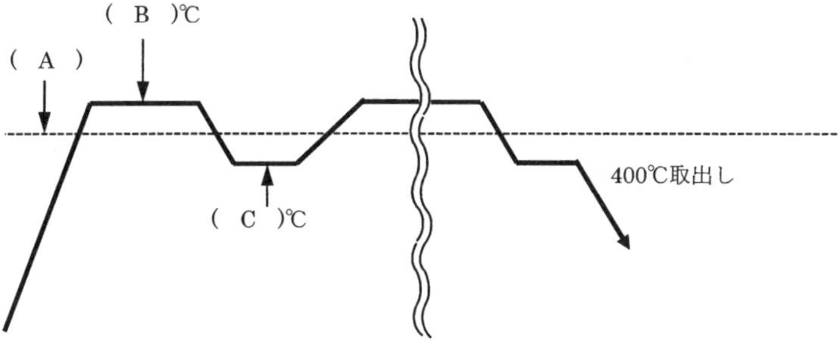

設問1　熱処理線図における（ A ）の変態点の名称として、適切なものを一つ選びなさい。

ア　A_{cm}変態点
イ　A_1変態点
ウ　A_2変態点
エ　A_3変態点

設問2　Bの加熱保持温度として、適切なものを一つ選びなさい。

ア　650
イ　700
ウ　750
エ　800

設問3　Cの加熱保持温度として、適切なものを一つ選びなさい。

ア　600
イ　640
ウ　690
エ　740

設問4　球状化焼なまし後に得られる生地組織として、適切なものを一つ選びなさい。

ア　ベイナイト
イ　パーライト
ウ　ソルバイト
エ　フェライト

令和4年度 技能検定
2級 金属熱処理（一般熱処理作業）
実技試験（計画立案等作業試験）問題

1 試験時間

50分

2 注意事項

（1） 係員の指示があるまで、この表紙はあけないでください。

（2） 解答用紙に、受検番号及び氏名を必ず記入してください。

（3） 係員の指示に従って、この試験問題が表紙を含めて9ページであることを確認してください。
それらに異常がある場合は、黙って手を挙げてください。

（4） 試験開始の合図で始めてください。

（5） 解答は、解答用紙の解答欄に記入してください。
なお、要求している解答以外は記入しないでください。

（6） 試験中は、携帯電話、スマートフォン、ウェアラブル端末等の使用（電卓機能の使用を含む。）を禁止とします。

（7） 試験中、質問があるときは、黙って手を挙げてください。ただし、試験問題の内容、漢字の読み方等に関する質問にはお答えできません。

（8） 試験終了時刻前に解答ができあがった場合は、黙って手を挙げて、係員の指示に従ってください。

（9） 試験中に手洗いに立ちたいときは、黙って手を挙げて、係員の指示に従ってください。

（10） 試験終了の合図があったら、筆記用具を置き、係員の指示に従ってください。

（11） 試験終了後、解答用紙を提出してください。

（12） 計算等は、問題用紙の余白又は裏面を使用して行ってください。

3 試験に使用できる用具等一覧

品　名	寸法又は規格	数量	備　考
筆記用具等	鉛筆、消しゴム等	一式	

問題1

下図に示す部品を固溶化熱処理する場合について、次の各設問に答えなさい。ただし、解答は解答用紙の解答欄に記号で記入すること。

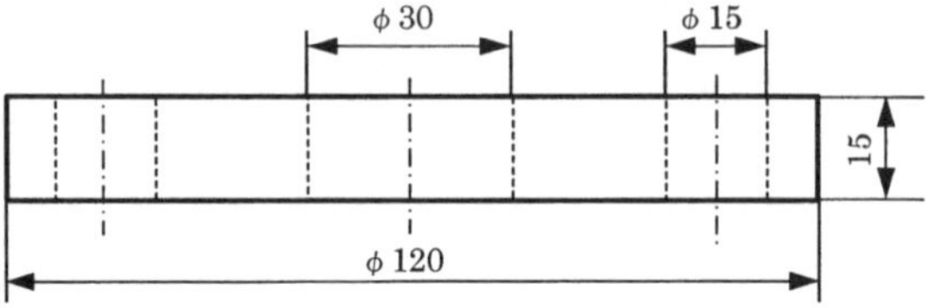

（単位：mm）

（注）　1　鋼種：SUS316

　　　　2　固溶化熱処理硬さ：187HBW以下

設問1　日本産業規格(JIS)に規定されているSUS316の化学成分として、正しいものを一つ選びなさい。

記号	化　学　成　分　(%)							
	C	Si	Mn	P	S	Ni	Cr	Mo
ア	0.08以下	1.00以下	2.00以下	0.045以下	0.030以下	10.00～14.00	16.00～18.00	2.00～3.00
イ	0.38～0.43	0.15～0.35	0.60～0.90	0.030以下	0.030以下	0.25以下	0.90～1.20	0.15～0.30
ウ	0.12～0.18	0.15～0.35	0.35～0.65	0.030以下	0.030以下	3.00～3.50	0.60～1.00	—

設問2　SUS316に関する記述として、誤っているものを一つ選びなさい。

ア　熱伝導率が低い。
イ　耐食性に優れる。
ウ　熱処理後、硬化しない。
エ　強磁性である。

設問3　固溶化熱処理線図として、最も適切なものを一つ選びなさい。

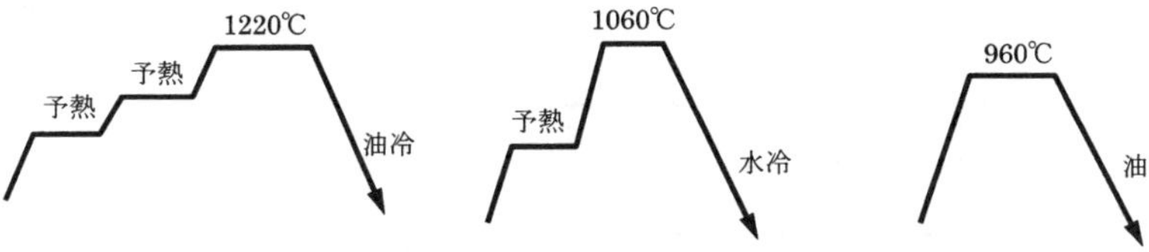

ア　イ　ウ

設問4　固溶化熱処理後に得られる組織として、最も適切なものを一つ選びなさい。

ア　オーステナイト
イ　ソルバイト
ウ　フェライト
エ　マルテンサイト

問題2

下図の機械部品を製作する場合について、次の各設問に答えなさい。ただし、解答は解答用紙の解答欄に記号で記入すること。

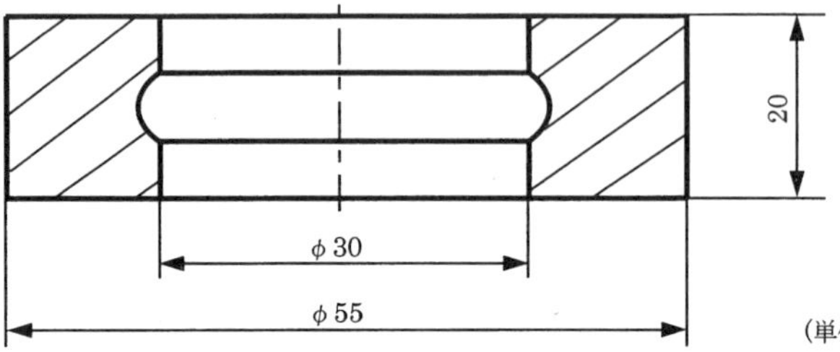

(単位:mm)

(注) 1　鋼種：SUJ2
2　製造工程：鍛造 → 球状化焼なまし → 旋削加工 → 熱処理 → 研削加工
3　指定硬さ：61～64HRC
4　経年変形を極力防止する。

設問1　球状化焼なましとして、最も適切なものを一つ選びなさい。

ア　780℃まで昇温、5時間保持 → 600℃まで10℃／hで冷却 → 空冷
イ　700℃まで昇温、5時間保持 → 空冷
ウ　700℃まで昇温、5時間保持 → 炉冷
エ　850℃まで昇温、5時間保持 → 炉冷

設問2　適正な焼入温度を決定するための予備試験として、800～900℃間において20℃間隔の温度からそれぞれ焼入れを行い、顕微鏡組織と硬さを調査した。調査結果として、最も適切なものを一つ選びなさい。

ア　焼入温度が高くなるほど、硬さが高くなる。
イ　焼入温度が変化しても、顕微鏡組織は同一である。
ウ　焼入温度が高くなるほど、ベイナイト組織がでやすい。
エ　焼入温度が高くなると焼入れ後の炭化物量が少なく、残留オーステナイト量が多くなる。

設問3　旋削加工後の熱処理として、次のうち最も適切なものを一つ選びなさい。

ア　820℃から油焼入れ → −80℃でサブゼロ処理 → 160℃で焼戻し
イ　820℃から水焼入れ → 160℃で焼戻し → −80℃でサブゼロ処理
ウ　860℃から油焼入れ → 200℃で焼戻し
エ　860℃から水焼入れ → 200℃で焼戻し

設問4　焼戻し後の予想される顕微鏡組織として、最も適切なものを一つ選びなさい。

ア　焼戻マルテンサイト
イ　焼戻マルテンサイト＋球状炭化物
ウ　焼戻マルテンサイト＋網状炭化物
エ　ソルバイト

問題3

下図のリングギヤ素材の熱処理について、次の各設問に答えなさい。ただし、解答は解答用紙の解答欄に記号で記入すること。

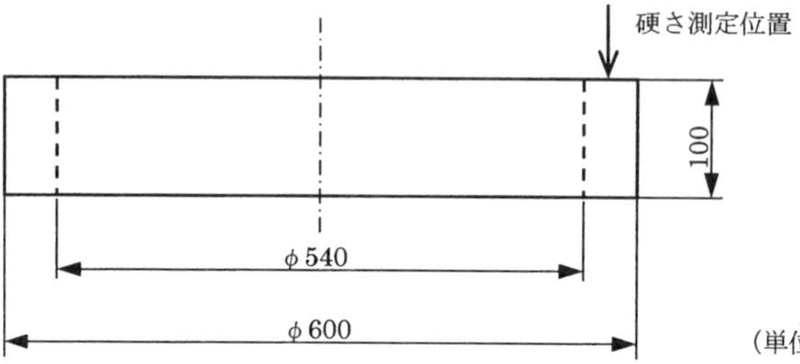

(単位：mm)

（注）　1　鋼種：S48C

2　製造工程：熱間鍛造 → 焼ならし → ショットブラスト → 機械加工 → 調質 → 仕上げ加工→高周波焼入焼戻し

3　調質指定硬さ：212～277HBW

設問1　下記の焼ならし温度及び冷却方法のうち、焼ならし条件として最も適切なものをそれぞれ一つずつ選びなさい。

焼ならし温度

ア　880 ℃
イ　820 ℃
ウ　780 ℃
エ　680 ℃

冷却方法

ア　炉冷
イ　空冷
ウ　油冷
エ　水冷

設問2　焼ならし後の硬さの管理値として、次のうち最も適切なものを一つ選びなさい。

ア　179～235HBW
イ　149～207HBW
ウ　123～183HBW
エ　109～156HBW

設問3　下記の焼入加熱温度及び冷却方法のうち、調質の焼入条件として最も適切なものをそれぞれ一つずつ選びなさい。

焼入加熱温度

ア　930 ℃
イ　880 ℃
ウ　830 ℃
エ　780 ℃

冷却方法

ア　炉冷
イ　空冷
ウ　水冷

設問4　調質の焼戻温度として、次のうち最も適切なものを一つ選びなさい。

ア　620 ℃
イ　530 ℃
ウ　500 ℃
エ　180 ℃

設問5　ブリネル硬さ試験方法に関する記述として、誤っているものを一つ選びなさい。

ア　圧子は、超硬合金球である。
イ　試験は、通常、周囲温度10～35℃の範囲内で行う。
ウ　くぼみの中心から試料（試験片）の縁までの距離は4d以上とする。
エ　試料（試験片）の厚さは、少なくともくぼみの8倍とする。

問題4

下図に示す部品の焼入焼戻しについて、次の各設問に答えなさい。ただし、解答は解答用紙の解答欄に記号で記入すること。

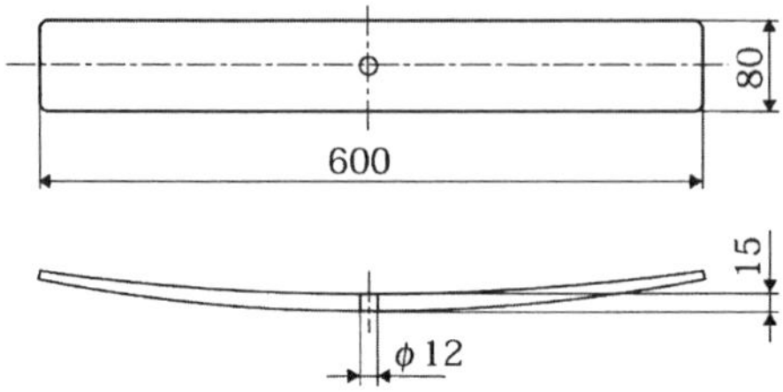

（単位：mm）

（注）1　鋼種：SUP 6
　　　2　焼入焼戻硬さ：363〜429HBW

設問1　次のうち、鋼種がSUP6であるものを一つ選びなさい。

ア　マンガンクロム鋼鋼材
イ　クロムバナジウム鋼鋼材
ウ　シリコンマンガン鋼鋼材

設問2　次の焼入焼戻しの熱処理線図中の(　　)内に当てはまる語句として、最も適切なものを語群からそれぞれ一つずつ選びなさい。

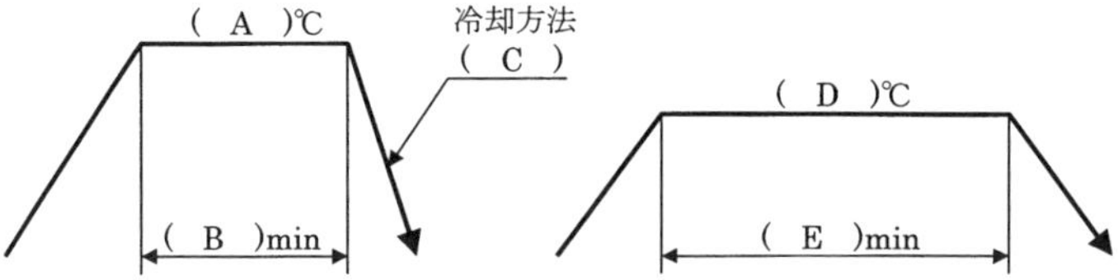

語群

ア　30	イ　120	ウ　240	エ　500	オ　550	カ　600
キ　750	ク　800	ケ　850	コ　水冷	サ　油冷	シ　空冷

設問3　焼入焼戻し後に予想される顕微鏡組織として、最も適切なものを一つ選びなさい。

ア　マルテンサイト＋残留オーステナイト
イ　マルテンサイト
ウ　パーライト
エ　ソルバイト

令和3年度 技能検定
2級 金属熱処理（一般熱処理作業）
実技試験（計画立案等作業試験）問題

1 試験時間

50分

2 注意事項

（1） 係員の指示があるまで、この表紙はあけないでください。

（2） 解答用紙に、受検番号及び氏名を必ず記入してください。

（3） 係員の指示に従って、この試験問題が表紙を含めて6) ページであることを確認してください。それらに異常がある場合は、黙って手を挙げてください。

（4） 試験開始の合図で始めてください。

（5） 解答は、解答用紙の解答欄に記入してください。
なお、要求している解答以外は記入しないでください。

（6） 試験中は、携帯電話、スマートフォン、ウェアラブル端末等の使用(電卓機能の使用を含む。)を禁止とします。

（7） 試験中、質問があるときは、黙って手を挙げてください。ただし、試験問題の内容、漢字の読み方等に関する質問にはお答えできません。

（8） 試験終了時刻前に解答ができあがった場合は、黙って手を挙げて、係員の指示に従ってください。

（9） 試験中に手洗いに立ちたいときは、黙って手を挙げて、係員の指示に従ってください。

(10) 試験終了の合図があったら、筆記用具を置き、係員の指示に従ってください。

(11) 試験終了後、解答用紙を提出してください。

(12) 計算等は、問題用紙の余白又は裏面を使用して行ってください。

3 試験に使用できる用具等一覧

品　　名	寸法又は規格	数量	備　　　　考
筆記用具等	鉛筆、消しゴム等	一式	

問題1

下図に示すリングゲージを熱処理する場合について、次の各設問に答えなさい。ただし、解答は解答用紙の解答欄に記号で記入すること。

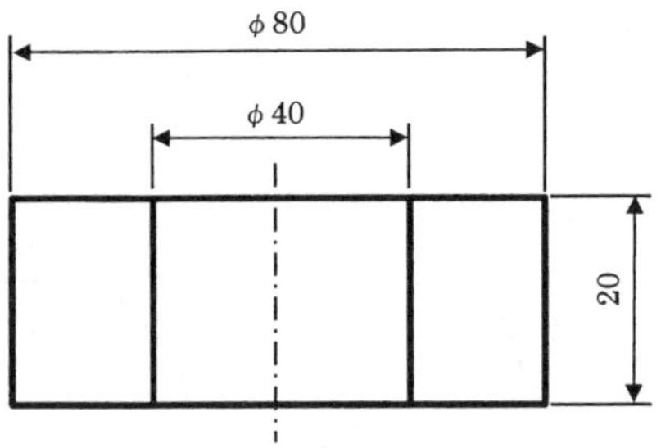

(単位：mm)

(注)

1 鋼種：SKS3
2 製造工程：
　鍛造 → 球状化焼なまし → 機械加工 → 焼入れ → 湯戻し → サブゼロ → 焼戻し
3 指定硬さ：60HRC 以上
4 使用炉（焼入れ）：真空炉

設問1 球状化焼なましを徐冷法にて行う場合の加熱温度として、次の熱処理線図中の（　　）内に当てはまる最も適切なものを語群から一つ選びなさい。

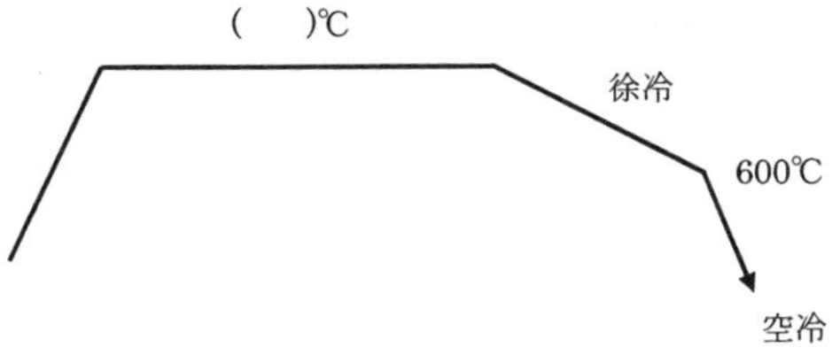

語群

イ 650	ロ 700	ハ 760	ニ 820

設問2　焼入れ・サブゼロ・焼戻しの熱処理線図中の（A）～（E）に当てはまる語句として、最も適切なものを語群からそれぞれ一つずつ選びなさい。

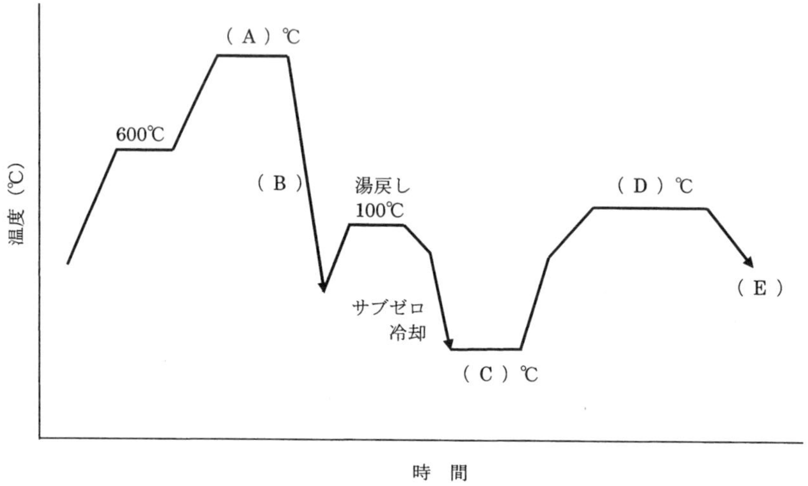

語群

(A)　(C)　(D)	イ　−80　　ロ　−20　　ハ　180　　ニ　250　　ホ　790　　ヘ　830
(B)　(E)	イ　水冷　　ロ　油冷　　ハ　空冷　　ニ　炉冷

設問3　設問2の熱処理後に予想される顕微鏡組織として、最も適切なものを一つ選びなさい。

イ　トルースタイト
ロ　ソルバイト
ハ　パーライト
ニ　焼戻マルテンサイト＋未固溶炭化物

問題2

下図の歯車素材を熱処理する場合について、次の各設問に答えなさい。ただし、解答は解答用紙の解答欄に記号で記入すること。

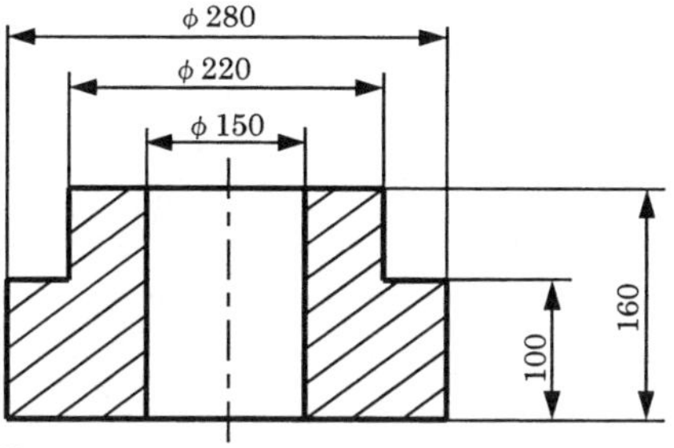

（単位：mm）

（注）1　鋼種：SCM440
2　焼入焼戻し後の硬さ：285～352HBW
3　製造工程：熱間鍛造 → 素材の焼なまし → 旋削荒加工(加工代片肉2mm)
→ 焼入焼戻し → 旋削仕上げ加工 → 歯切り加工
→ 歯部高周波焼入焼戻し

設問1　鍛造後の素材の焼なまし方法として、最も適切なものを一つ選びなさい。

イ　完全焼なまし
ロ　球状化焼なまし
ハ　応力除去焼なまし
ニ　拡散焼なまし

設問2　鍛造後の素材の焼なまし加熱温度として、最も適切なものを一つ選びなさい。

イ　770℃
ロ　800℃
ハ　830℃
ニ　860℃

設問3　焼入れの熱処理線図中の（Ａ）及び（Ｂ）に当てはまる語句として、最も適切なものを語群からそれぞれ一つずつ選びなさい。

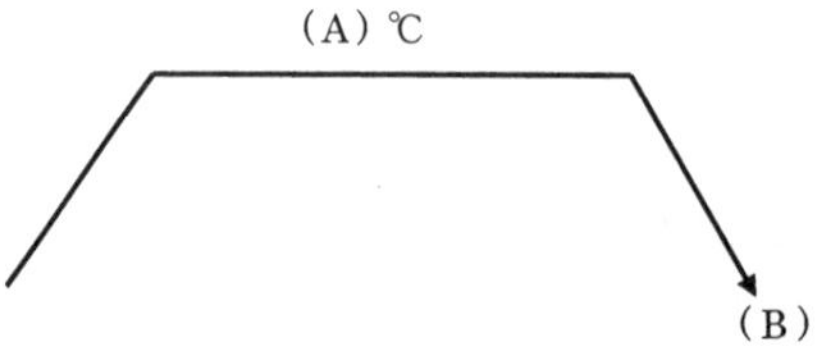

語群

(A)	イ　820℃　　ロ　860℃　　ハ　900℃
(B)	イ　水冷　　ロ　油冷　　ハ　空冷

設問4　焼入焼戻しにおける焼戻温度として、最も適切なものを一つ選びなさい。

イ　400℃
ロ　500℃
ハ　600℃
ニ　700℃

設問5　焼入焼戻し後の顕微鏡組織として、最も適切なものを一つ選びなさい。

イ　フェライト＋パーライト
ロ　パーライト
ハ　トルースタイト
ニ　ソルバイト

問題3

焼ならしについて、次の各設問に答えなさい。ただし、解答は解答用紙の解答欄に記号で記入すること。

設問1　次の焼ならし熱処理線図中の（　）内に当てはまる語句として、最も適切なものを語群から一つ選びなさい。

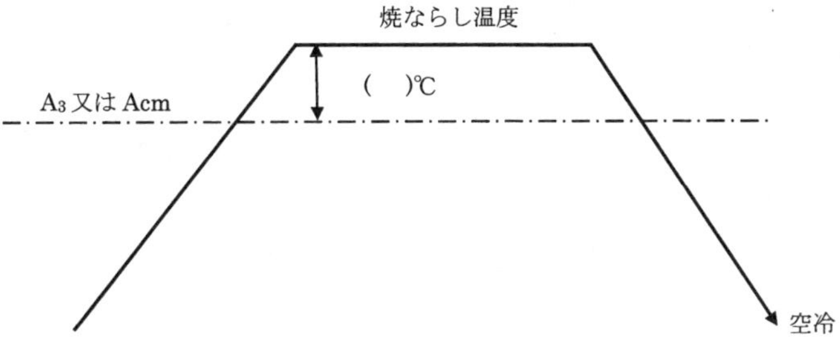

語群

イ　20～30	ロ　40～60	ハ　80～100

設問2　S40C材の焼ならし温度として、最も適切なものを一つ選びなさい。

イ　820℃
ロ　860℃
ハ　900℃

設問3　次の焼ならしの加熱昇温線図中における（A）～（D）に当てはまる語句として、最も適切なものを語群から一つずつ選びなさい。ただし、同一記号を重複して使用しないこと。

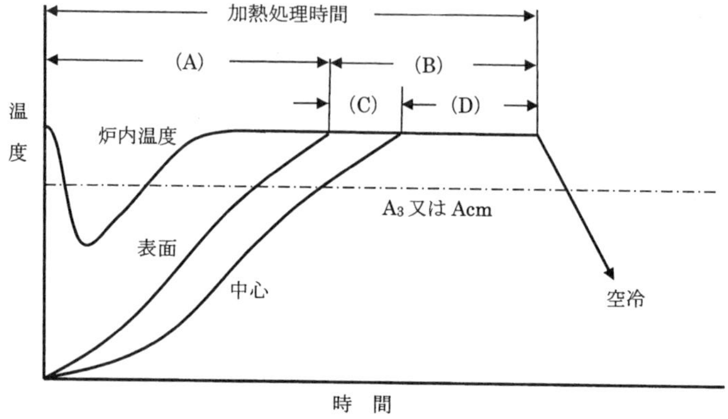

語群

イ　均熱時間	ロ　保持時間	ハ　昇温時間	ニ　有効保持時間

設問4　焼ならしに関する記述として、誤っているものを一つ選びなさい。

イ　ノルテンとは焼ならし焼戻しのことである。

ロ　0.2%以下の低炭素鋼は、焼入れによる強化が期待できないため焼ならしが有効である。

ハ　軸受鋼では、球状化焼なましの前処理として焼ならしが行われる。

ニ　大型鍛鋼品は、質量効果の点から焼ならしして使用するよりも、焼入焼戻しを行って使用する場合が多い。

問題4

下図に示す金型材を熱処理する場合について、次の各設問に答えなさい。ただし、解答は解答用紙の解答欄に記号で記入すること。

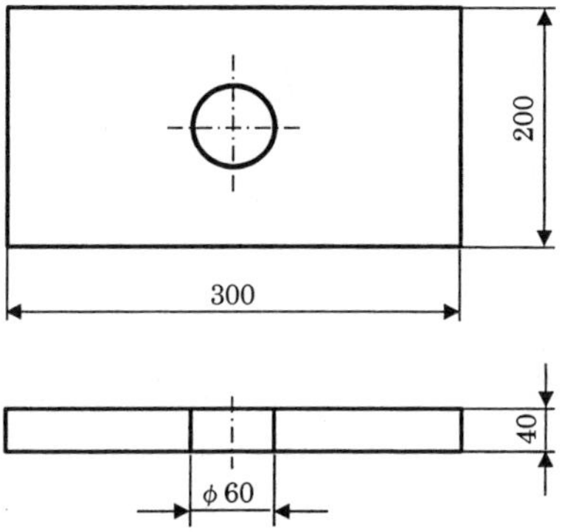

単位（mm）

（注）1　鋼種：SKD11
2　熱処理：焼入焼戻し
3　焼入焼戻し後の硬さ：58HRC以上
4　要求特性：じん性の向上を重視する

設問1　日本産業規格(JIS G 4404)に規定されているSKD11の化学成分として、正しいものを下表の中から一つ選びなさい。

記号	化学成分 (%)								
	C	Si	Mn	P	S	Ni	Cr	Mo	V
イ	0.38～0.43	0.15～0.35	0.60～0.90	0.030以下	0.030以下	0.25以下	0.90～1.20	0.15～0.30	–
ロ	0.35～0.42	0.80～1.20	0.25～0.50	0.030以下	0.020以下	–	4.80～5.50	1.00～1.50	0.80～1.15
ハ	1.40～1.60	0.40以下	0.60以下	0.030以下	0.030以下	–	11.00～13.00	0.80～1.20	0.20～0.50

設問2　焼入焼戻し熱処理線図中の（A）～（E）に当てはまる語句として、最も適切なものを語群からそれぞれ一つずつ選びなさい。ただし、焼戻しは2回繰り返して行うこととする。

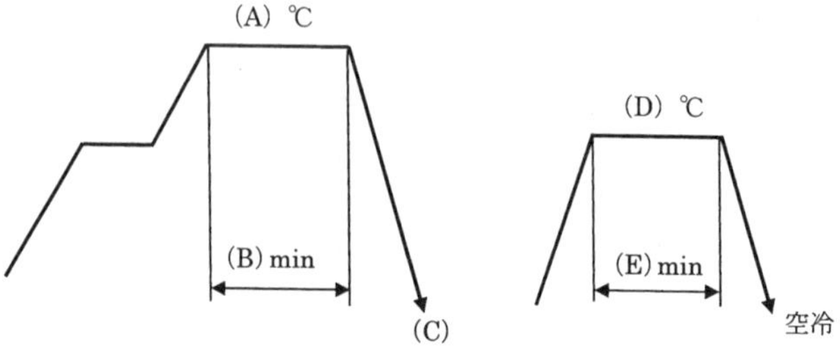

語群

(A)　(D)	イ　180　ロ　520　ハ　620　ニ　950　ホ　1030　ヘ　1100
(B)　(E)	イ　15　ロ　30　ハ　60　ニ　120
(C)	イ　水冷　ロ　空冷　ハ　炉冷

設問3　焼入焼戻し後の顕微鏡組織として、最も適切なものを一つ選びなさい。

イ　ソルバイト
ロ　トルースタイト
ハ　焼戻マルテンサイト＋未固溶炭化物
ニ　マルテンサイト

令和5年度 技能検定
1級 金属熱処理（一般熱処理作業）
実技試験（製作等作業試験）問題

1 試験時間

課　題	試験時間
〔課題1〕組織判定	5分
〔課題2〕全脱炭層深さ測定	7分
〔課題3〕硬さ試験	7分

2 注意事項

(1) 試験実施日に、本試験問題を持参すること。

(2) 解答は、各課題の解答用紙の解答欄に、それぞれ記入すること。

(3) 解答用紙の各ページに、受検番号・氏名を記入すること。

(4) 課題の実施順序は、技能検定委員からの指示に従うこと。

(5) 各課題の終了ごとに、当該課題の解答用紙を切り離し、技能検定委員に提出すること。

(6) 試験用設備は、事前に整備をしてあります。

(7) 作業時の服装等は、安全性、かつ作業に適したものであること。
なお、作業時の服装等が著しく不適切であり、受検者の安全管理上、重大なけが・事故につながる等試験を受けさせることが適切でないと技能検定委員が判断した場合、試験を中止(失格)とする場合がある。

(8) **この問題には、事前に書込みをしないこと。また、試験中に他の用紙にメモをしたものや参考書等を参照することは禁止する。**

(9) 試験中は、携帯電話、スマートフォン、ウェアラブル端末等の使用(電卓機能等の使用を含む。)を禁止とする。

(10) 試験用設備、試験用試料等の取扱い等について、そのまま継続すると試験用設備、試験用試料等の破損やけがを招くおそれがある危険な行為であると技能検定委員が判断した場合、試験中にその旨を注意することがある。
さらに、当該注意を受けてもなお、危険な行為を続けた場合は、試験を中断し、技能検定委員全員が試験継続不可と判断した場合は、失格とする。ただし、緊急性を伴うと判断された場合は、注意を挟まず、即中止（失格）とすることがある。

〔課題1〕組織判定

注意事項に従って、与えられた試験片の組織を判定しなさい。

● 注意事項

(1) 金属顕微鏡は、焦点微調整以外は操作をしないこと。

(2) 試験片は、あらかじめ研磨、腐食をしてあります。

(3) 検鏡倍率は、400倍(又は500倍)としてあります。

〔課題2〕全脱炭層深さ測定

注意事項に従って、与えられた試験片の全脱炭層深さを測定しなさい。

● 注意事項

(1) 金属顕微鏡は、焦点微調整以外は操作をしないこと。

(2) 試験片は、あらかじめ研磨、腐食をしてあります。

(3) 検鏡倍率は、100倍としてあります。

〔課題3〕硬さ試験

注意事項に従って、与えられた試験片についてロックウェル硬さ試験を少なくとも3回行い、硬さを測定しなさい。

● 注意事項

(1) 硬さ試験機(ロックウェル硬さ試験)※のスケールは、Cになります。
(※機種や仕様については、事前に公表されます。)

(2) 曲面の補正は含まないこと。

(3) 試験片を試験する箇所(範囲)は、当日の指示に従うこと。

1級 金属熱処理(一般熱処理作業) 実技試験 使用工具等一覧表

1 受検者が持参するもの

品 名	寸法又は規格	数 量	備 考
作業服等	作業時の服装等は、作業に適したものであること。 ただし、次のものは着用しないこと。 ・短パン、スカート ・ハイヒール ・つま先又はかかとが露出している履き物（サンダル等）	一式	
筆記用具		一式	

2 試験場に準備してあるもの

(数量欄の数字で特にことわりのないものは、受検者1人当たりの数量を示す。)

区 分	品 名	数 量	備 考
〔課題1〕 組織判定	組織判定用試験片	1	
	金属顕微鏡	1式	接眼鏡を通して判定ができるもの（接眼鏡でなくモニターで判定することは不可）。
〔課題2〕 全脱炭層深さ測定	全脱炭層深さ測定用試験片	1	
	金属顕微鏡	1式	読取り寸法のある接眼鏡を通して測定ができるもの（接眼鏡でなくモニターで測定することは不可）。
〔課題3〕 硬さ試験	硬さ試験用試験片	1	
	硬さ試験機 (ロックウェル硬さ試験)	1式	
	V型アンビル (センタリング用Vブロック)	1	

実技試験（計画立案等作業試験）について

1　試験実施日

令和5年8月20日(日)

2　試験時間

60分

3　問題の概要

作業条件の設定、作業段取り、設備の調整等について行う。

4　持参用具等

品　名	寸法又は規格	数量	備　考
筆記用具等	鉛筆、消しゴム等	一式	
電子式卓上計算機	電池式(太陽電池式含む)	1	関数電卓可（プログラム機能付きのものは不可）
定規	150mm程度	1	

5　その他

試験中は、携帯電話、スマートフォン、ウェアラブル端末等の使用(電卓機能の使用を含む。)は禁止とする。

令和5年度 技能検定
1級 金属熱処理（一般熱処理作業）
実技試験（計画立案等作業試験）問題

1 試験時間

60分

2 注意事項

（1） 係員の指示があるまで、この表紙はあけないでください。

（2） 解答用紙に、受検番号及び氏名を必ず記入してください。

（3） 係員の指示に従って、この試験問題が表紙を含めて 14 ページであることを確認してください。それらに異常がある場合は、黙って手を挙げてください。

（4） 試験開始の合図で始めてください。

（5） 解答は、解答用紙の解答欄に記入してください。
なお、要求している解答以外は記入しないでください。

（6） 試験中は、携帯電話、スマートフォン、ウェアラブル端末等の使用(電卓機能の使用を含む。)を禁止とします。

（7） 試験中、質問があるときは、黙って手を挙げてください。ただし、試験問題の内容、漢字の読み方等に関する質問にはお答えできません。

（8） 試験終了時刻前に解答ができあがった場合は、黙って手を挙げて、係員の指示に従ってください。

（9） 試験中に手洗いに立ちたいときは、黙って手を挙げて、係員の指示に従ってください。

(10) 試験終了の合図があったら、筆記用具を置き、係員の指示に従ってください。

(11) 試験終了後、解答用紙を提出してください。

(12) 計算等は、問題用紙の余白又は裏面を使用して行ってください。

3 試験に使用できる用具等一覧

品　　名	寸法又は規格	数量	備　　　　考
筆記用具等	鉛筆、消しゴム等	一式	
電子式卓上計算機	電池式(太陽電池式含む)	1	関数電卓可(ただし、プログラム機能付きのものは不可)
定規	150mm程度	1	

問題 1

図のつば付きシャフト素材を熱処理する場合、次の各設問に答えなさい。なお、解答は解答用紙の解答欄に記号で記入すること。

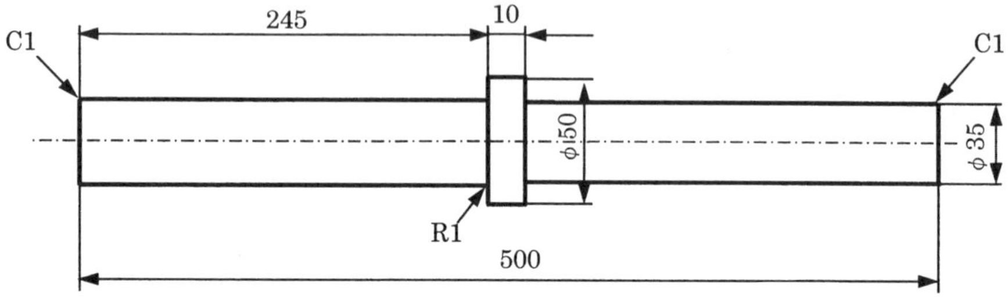

（単位：mm）

（注）1　鋼種：S45C

2　製造工程：熱間鍛造→焼入焼戻し→曲がり直し→応力除去焼なまし→出荷検査

3　焼入焼戻し後の指定硬さ：229～269HBW

設問 1　焼入れの条件（加熱温度及び冷却剤）として、次のうち最も適切なものを一つ選びなさい。

ア　820～840℃　水

イ　840～860℃　塩浴

ウ　860～880℃　水溶性冷却剤（濃度：油代替レベル）

エ　880～900℃　油

設問 2　焼戻しの加熱温度として、次のうち最も適切なものを一つ選びなさい。

ア　460～480℃

イ　520～540℃

ウ　580～600℃

エ　640～680℃

設問 3　曲がり直し後の応力除去焼なまし加熱温度として、次のうち最も適切なものを一つ選びなさい。

ア　焼戻温度より 30℃低い温度
イ　焼戻温度と同じ温度
ウ　焼戻温度より 30℃高い温度

設問 4　図の中から焼割れ発生率の最も高い場所を一つ選びなさい。

ア　①
イ　②
ウ　③

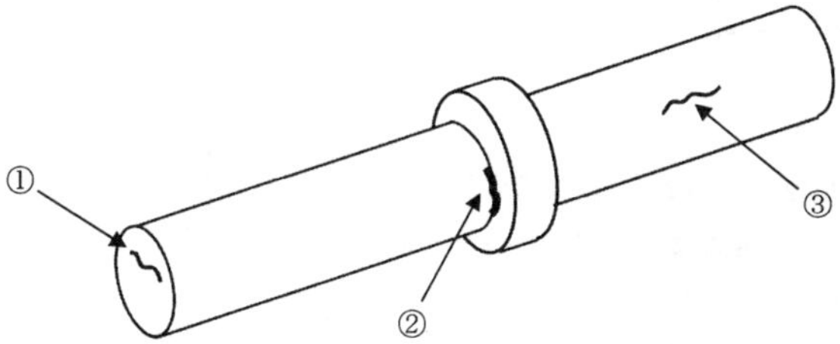

問題2

下図の部品を熱処理する場合、次の各設問に答えなさい。なお、解答は解答用紙の解答欄に記号で記入すること。

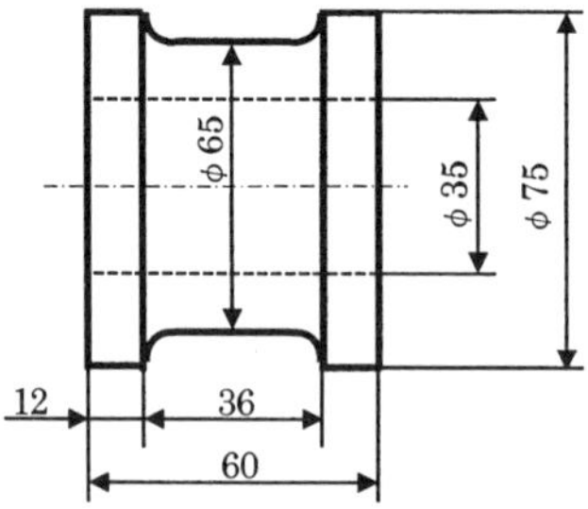

（単位：mm）

（注）

1. 鋼種：SUS420J2
2. 製造工程：鍛造 → 焼なまし → 切削加工 → 焼入焼戻し
3. 焼なまし後の硬さ：235HBW以下
4. 焼入焼戻し後の硬さ：217HBW以上
5. 指定衝撃値：シャルピー衝撃値　29J/cm²以上

設問1　鍛造後に行う組織調整及び被削性向上のための焼なまし条件として、次のうち最も適切なものを一つ選びなさい。

ア　650℃から空冷
イ　850℃から徐冷
ウ　950℃から徐冷
エ　1050℃から空冷

設問２　下図の焼入焼戻しの熱処理線図（A）～（C）内に当てはまる最も適切なものを、語群からそれぞれ一つずつ選びなさい。

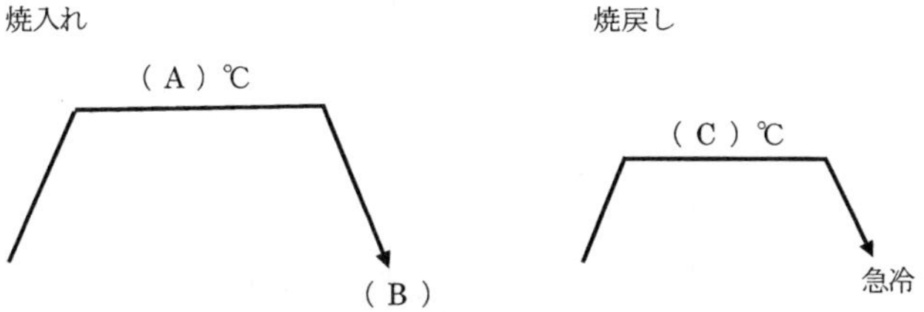

語群

（Ａ）（Ｃ）	ア 550　　イ 700　　ウ 830　　エ 950　　オ 1030　　カ 1150
（Ｂ）	ア 水冷　　イ 油冷　　ウ 空冷

設問３　次の文中の（Ａ）～（Ｄ）内に当てはまる最も適切なものを、語群からそれぞれ一つずつ選びなさい。ただし、同じ記号は重複して使用しないこと。

SUS420J2 は、焼入れのままでは強度及び耐食性は高いが、じん性が低いので必ず焼戻しを施す。焼戻しには内部ひずみの緩和を目的に刃物などに行う（Ａ）と強じん性を目的に部品などに行う（Ｂ）の２種類がある。ただし、約（Ｃ）℃の焼戻しでは（Ｄ）と耐食性が低下するので、一般的にこの温度付近での焼戻しは行わない。

語群

ア　高温焼戻し	イ　耐摩耗性	ウ　衝撃値	エ　低温焼戻し
オ　350	カ　500	キ　650	

問題3

下図は焼入状態の共析炭素鋼を、常温から徐々に加熱して焼戻ししたときの長さの変化を模式的に示したものである。次の文中の（ A ）～（ J ）内に当てはまる最も適切なものを、数値群及び語群からそれぞれ一つずつ選びなさい。なお、解答は解答用紙の解答欄に記号で記入すること。

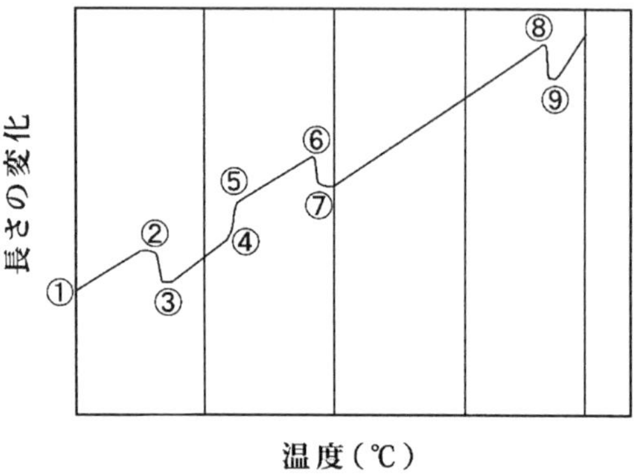

共析炭素鋼の焼戻しにおける長さの変化

焼入れした鋼は①を起点として加熱すると、図に示すように長さの変化が生じる。

【第1過程】

（ A ）℃における②～③の収縮：焼戻しの第1過程と呼ばれ、（ B ）%以上のCを固溶したマルテンサイトが存在する時にのみ認められる。高炭素のマルテンサイトが低炭素のマルテンサイトと（ C ）になる変化である。

【第2過程】

（ D ）℃における④～⑤の膨張：焼戻しの第2過程と呼ばれ、残留オーステナイトが（ E ）に分解するために生じる。

【第3過程】

（ F ）℃における⑥～⑦の収縮：焼戻しの第3過程と呼ばれ、低炭素マルテンサイトが（ G ）と（ H ）に分解し、（ C ）は消失して安定な（ H ）として析出する。

⑧～⑨の収縮：（ I ）変態が生じ、均一な（ J ）の状態になる。

数値群〔カッコ内の記号：A　B　D　F　〕

ア　50〜80	イ　100〜200	ウ　230〜270	エ　270〜430
オ　470〜530	カ　530〜630	キ　0.30	ク　0.50

語群〔カッコ内の記号：C　E　G　H　I　J　〕

ア　オーステナイト	イ　フェライト	ウ　ベイナイト	エ　ε炭化物
オ　マルテンサイト	カ　グラファイト	キ　パーライト	ク　Fe_3C
ケ　残留オーステナイト	コ　A_1	サ　A_3	

問題4

表1に示す鋼材について、次の設問に答えなさい。ただし、解答は解答用紙の解答欄に数値で記入すること。なお、鋼材には表1に示す以外の焼入性に影響を及ぼす合金元素は含まれないものとする。

また、解答するに当たって、基本鋼の理想臨界直径 D_I に及ぼす炭素量と結晶粒度の影響については図1を、合金元素の量と焼入性倍数の関係については図2を、理想臨界直径 D_I, 臨界直径 D_C, 急冷度 H の関係については図3を使用すること。

表1

結晶粒度	化学成分（%）				
8	C	Si	Mn	Cr	Mo
	0.40	0.20	0.60	0.60	0.20

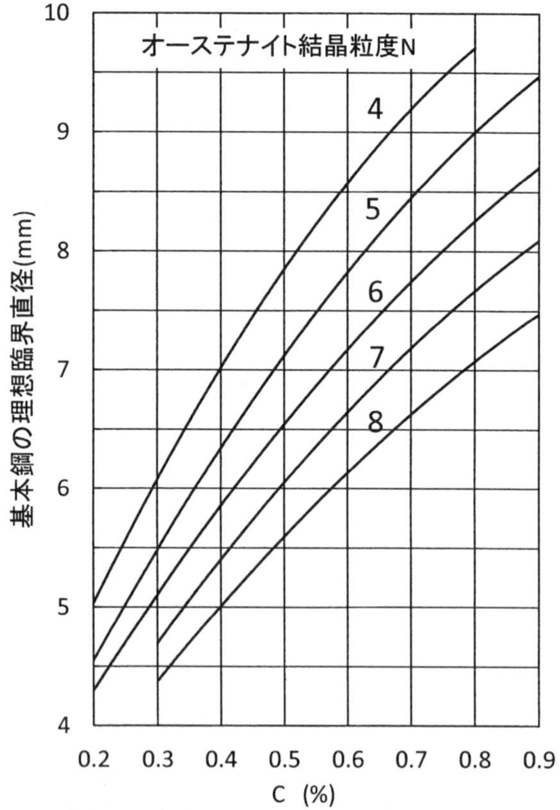

図1　基本鋼の理想臨界直径 D_I に及ぼす炭素量と結晶粒度の影響

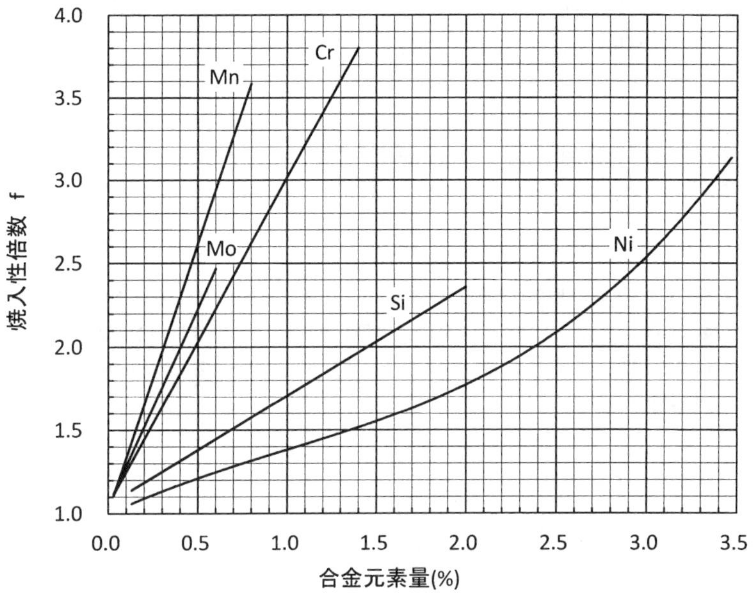

図2　合金元素及びその量と焼入性倍数の関係

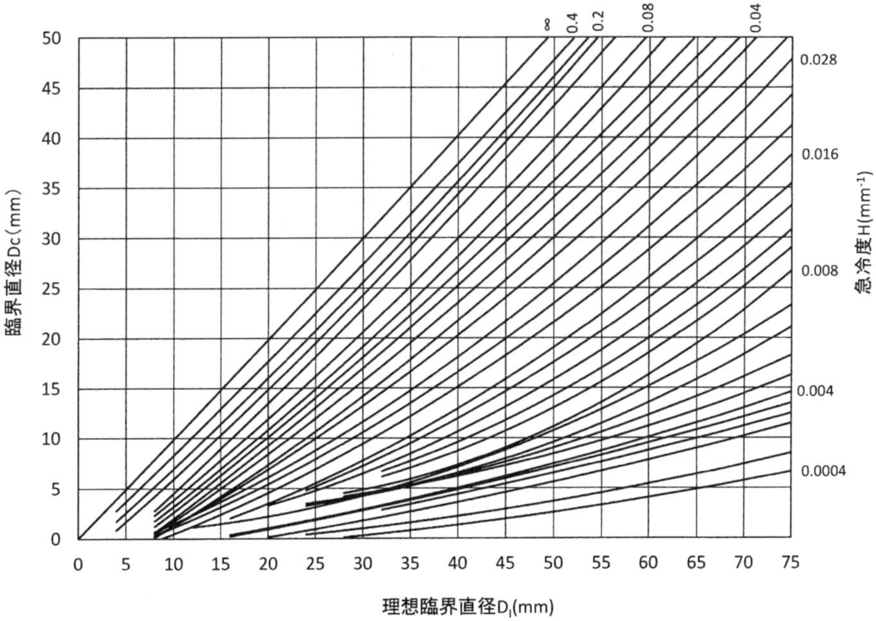

図3　理想臨界直径 D_I, 臨界直径 D_C, 急冷度 H の関係

設問 1　この鋼材の理想臨界直径 D_I を求めなさい。ただし、解答は mm 単位とし、小数第 1 位を四捨五入して整数値で解答すること。

設問 2　この鋼材を中程度の油攪拌《かくはん》・急冷度 H=0.016mm^{-1} で焼入れした場合の臨界直径 Dc を求めなさい。ただし、解答は mm 単位とし、小数第 1 位を四捨五入して整数値で解答すること。

設問 3　この鋼材に Ni を添加し、理想臨界直径が 1.25 倍となる鋼材を作製することを計画した。鋼材の結晶粒度と Ni 以外の化学成分は元の鋼材と全く同じとし、作製する鋼材の Ni 添加量として適切な値を求めなさい。ただし、解答は%単位とし、小数第 2 位を四捨五入して小数第 1 位までの数値で解答すること。

問題5

下表は、各鋼種における熱処理、加熱温度、冷却及び顕微鏡組織を示している。表中の(　　)内に当てはまる語句として、最も適切なものを語群からそれぞれ一つずつ選びなさい。なお、解答は解答用紙の解答欄に記号で記入すること。ただし、同じ記号は重複して使用しないこと。

鋼種	熱処理	加熱温度(℃)	冷却	顕微鏡組織
S45C	焼入れ	850	水冷	(①)
SCM420	焼ならし	920	空冷	(②)
SUS304	固溶化熱処理	1100	水冷	(③)
SK120	焼入れ	1100	油冷	(④)
SKD11	焼入れ	1030	空冷	(⑤)

顕微鏡組織　語群

ア　ソルバイト
イ　フェライト
ウ　オーステナイト
エ　ベイナイト
オ　マルテンサイト
カ　フェライト＋パーライト
キ　フェライト＋マルテンサイト
ク　マルテンサイト＋未固溶炭化物
ケ　セメンタイト＋パーライト
コ　マルテンサイト＋残留オーステナイト

問題6

次の各設問に答えなさい。ただし、設問1及び設問2の解答は、解答用紙の解答欄に記号で記入すること。また、設問4の解答は、解答用紙の解答欄に数値で記入すること。

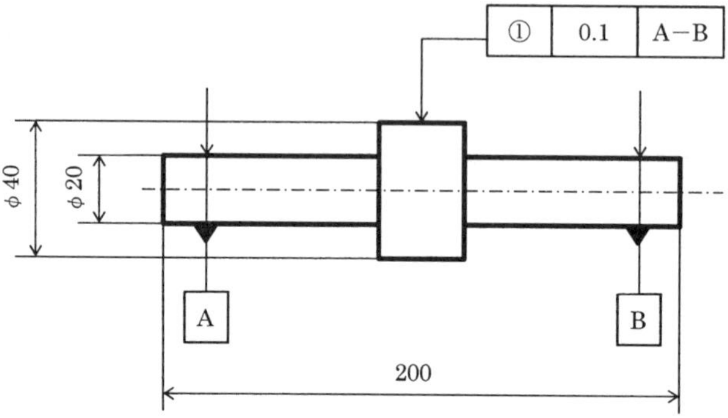

単位：mm

設問1　上図の①に当てはまる幾何特性である「円周振れ」の記号を、語群から選びなさい。

語群

ア　○	イ　↗	ウ　◎

設問2　文中の(　　)内に当てはまる語句として最も適切なものを、語群からそれぞれ一つずつ選びなさい。

日本産業規格(JIS)では、上図に示す幾何公差について「実際の円周振れは、共通データム軸直線A−B のまわりに（　①　）させる間に、任意の横断面において 0.1mm(　②　)でなければならない。」と規定している。

語群

ア　半回転	イ　1回転	ウ　2回転以上	エ　以下
オ　の 1／2 以下	カ　の 2 倍以下		

設問3　図に示す幾何公差を測定する際、Vブロック、定盤及び写真1の器具を使用した。写真1の器具の名称「(　　)ゲージ」において、(　　)内に当てはまるものを記入しなさい。ただし、解答はカタカナとし、名称は日本産業規格(JIS)に規定されたものとする。

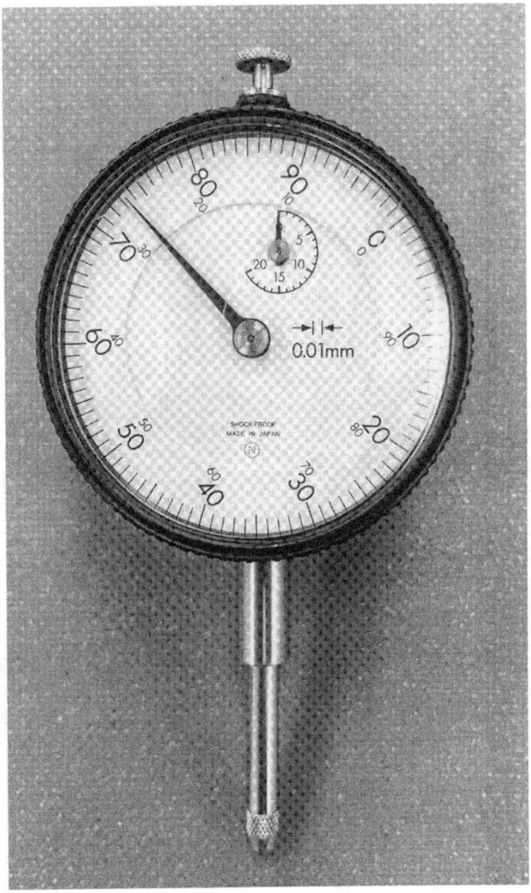

写真 1

設問4　次の写真A～Dは、図に示した幾何公差を計測した際のゲージ目盛値を含む写真である。これを基に図中の幾何公差を求めなさい。ただし、単位はmmとし、解答値は小数第3位を四捨五入して小数第2位までの数値で解答すること。

写真 A

写真 B

写真 C

写真 D

令和4年度 技能検定
1級 金属熱処理（一般熱処理作業）
実技試験（計画立案等作業試験）問題

1 試験時間

60分

2 注意事項

（1） 係員の指示があるまで、この表紙はあけないでください。

（2） 解答用紙に、受検番号及び氏名を必ず記入してください。

（3） 係員の指示に従って、この試験問題が表紙を含めて 13 ページであることを確認してください。それらに異常がある場合は、黙って手を挙げてください。

（4） 試験開始の合図で始めてください。

（5） 解答は、解答用紙の解答欄に記入してください。
なお、要求している解答以外は記入しないでください。

（6） 試験中は、携帯電話、スマートフォン、ウェアラブル端末等の使用(電卓機能の使用を含む。)を禁止とします。

（7） 試験中、質問があるときは、黙って手を挙げてください。ただし、試験問題の内容、漢字の読み方等に関する質問にはお答えできません。

（8） 試験終了時刻前に解答ができあがった場合は、黙って手を挙げて、係員の指示に従ってください。

（9） 試験中に手洗いに立ちたいときは、黙って手を挙げて、係員の指示に従ってください。

(10) 試験終了の合図があったら、筆記用具を置き、係員の指示に従ってください。

(11) 試験終了後、解答用紙を提出してください。

(12) 計算等は、問題用紙の余白又は裏面を使用して行ってください。

3 試験に使用できる用具等一覧

品　　名	寸法又は規格	数量	備　　　　考
筆記用具等	鉛筆、消しゴム等	一式	
電子式卓上計算機	電池式(太陽電池式含む)	1	関数電卓可(ただし、プログラム機能付きのものは不可)

問題 1

下図に示す金型部品を熱処理する場合について、次の各設問に答えなさい。ただし、解答は解答用紙の解答欄に記号で記入すること。

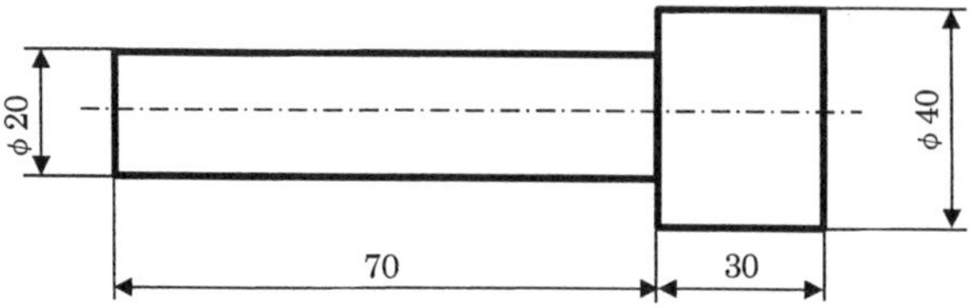

（単位：mm）

（注）1　鋼種：SKS93

2　焼入焼戻し後の硬さ：60HRC 以上

3　製造工程：素材 → 機械加工 → 焼入焼戻し → 旋削仕上げ加工

設問 1　日本産業規格(JIS)に規定されている SKS93 の化学成分として、正しいものを一つ選びなさい。

記号	化学成分（%）					
	C	Si	Mn	P	S	Cr
ア	0.33～0.38	0.15～0.35	0.60～0.90	0.030 以下	0.030 以下	0.90～1.20
イ	0.40～0.46	0.15～0.35	1.35～1.65	0.030 以下	0.030 以下	0.35～0.70
ウ	0.95～1.10	0.15～0.35	0.50 以下	0.025 以下	0.025 以下	1.30～1.60
エ	1.00～1.10	0.50 以下	0.80～1.10	0.030 以下	0.030 以下	0.20～0.60

設問２　次の焼入焼戻し熱処理線図の（Ａ）～（Ｄ）内に当てはまる最も適切なものを、数値群からそれぞれ一つずつ選びなさい。

なお、同じ記号は重複して使用しないこと。

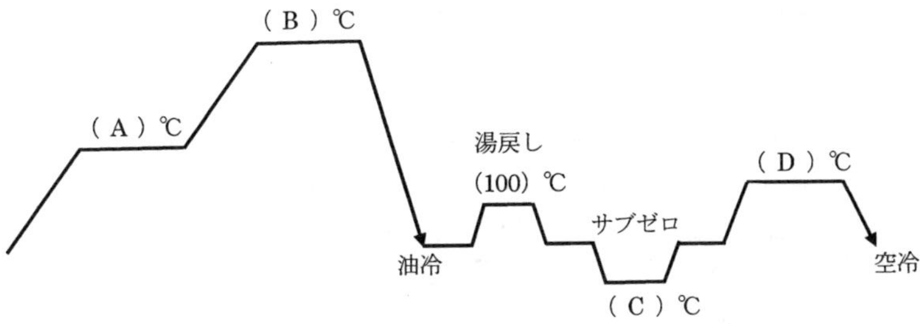

数値群

ア　−80	イ　−20	ウ　100	エ　180	オ　250
カ　400	キ　600	ク　750	ケ　830	コ　880

設問３　サブゼロ処理の目的として、最も適切なものを一つ選びなさい。

ア　焼入マルテンサイトからの炭化物析出

イ　焼戻しマルテンサイトの安定化

ウ　残留オーステナイトのマルテンサイト化

エ　残留オーステナイトの安定化

問題2

共析炭素鋼の焼入焼戻しを行う場合について、次の各設問に答えなさい。ただし、解答は解答用紙の解答欄に記号で記入すること。

設問1　下図は、等温変態線図（TTT図）と連続冷却変態線図（CCT図）を併記したものである。上部臨界冷却速度として適切なものを一つ選びなさい。

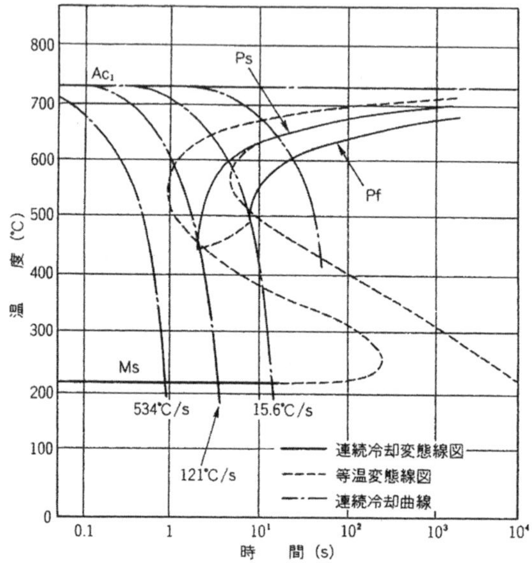

ア　534℃/s

イ　121℃/s

ウ　15.6℃/s

設問 2　下図は、焼入状態の常温から徐々に加熱して焼戻ししたときの長さの変化を模式的に図示したものである。また、図中のH点は焼入れのままのマルテンサイト組織を示している。このH点から焼戻温度の上昇によって変化する金属組織（A）～（E）内に当てはまる適切なものを語群からそれぞれ一つずつ選びなさい。

なお、同じ記号は重複して使用しないこと。

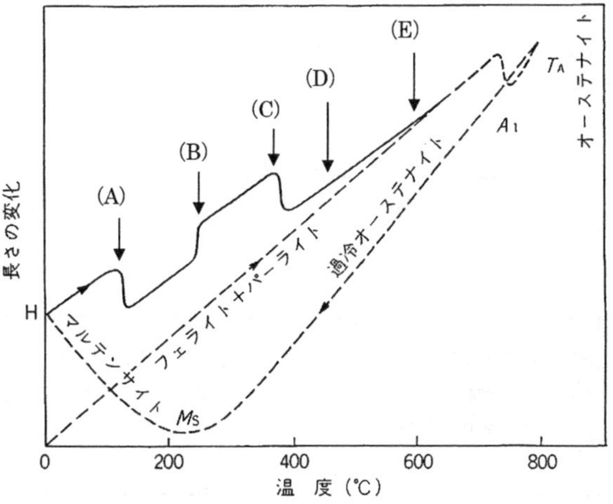

語群

ア　トルースタイト	イ　ベイナイトに分解	ウ　ε炭化物析出
エ　Fe_3C 出現	オ　ソルバイト	カ　残留オーステナイト

問題3

下記の記述は、ブタンガスによる吸熱型変成ガスを用いた雰囲気熱処理に関するものである。各設問の（ ① ）～（ ⑩ ）内に当てはまる適切なものを語群からそれぞれ一つずつ選びなさい。ただし、解答は解答用紙の解答欄に記号で記入すること。

なお、同じ記号は重複して使用しないこと。

設問1　吸熱型変成ガスはブタンガスと（ ① ）を混合し、（ ② ）℃に加熱された（ ③ ）触媒中で反応させ生成される。

語群

ア　窒素	イ　空気	ウ　950	エ　1050	オ　Ni	カ　Cr

設問2　下図は、設問1で生成された変成ガスの温度－CO_2－CPの関係を示している。この変成ガスを用いて、SCr430材を850℃で無酸化焼入処理するときのCO_2制御値は（ ④ ）%である。図中のA曲線は850℃より（ ⑤ ）であり、B曲線は（ ⑥ ）である。また、図中C曲線は、鉄－炭素系平衡状態図の（ ⑦ ）に相当する。

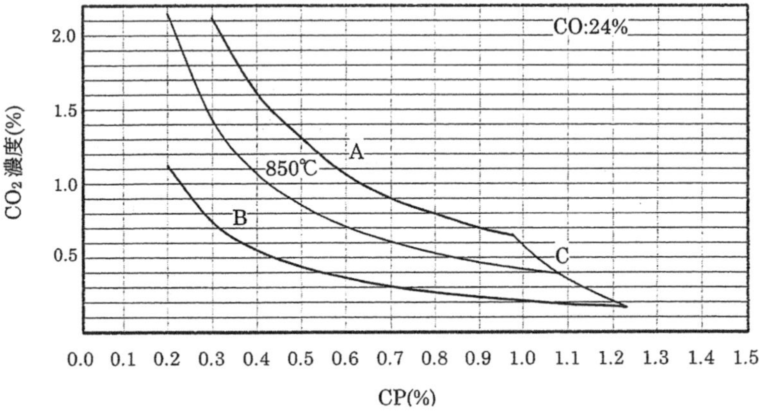

図　温度－CO_2－CP 曲線

語群

ア　1.00	イ　1.20	ウ　1.40	エ　高温	オ　低温
カ　A_1線	キ　A_3線	ク　Acm線		

設問 3　雰囲気組成を調節する方法として、ガス中の（ ⑧ ）を測定する露点法、赤外線を用いて（ ⑨ ）を測定する方法、センサーにて微量の（ ⑩ ）を測定する方法がある。

語群

ア　CO_2	イ　N_2	ウ　O_2	エ　H_2O	オ　CO

問題4

下図に示す部品を熱処理する場合について、次の各設問に答えなさい。ただし、解答は解答用紙の解答欄に記号で記入すること。

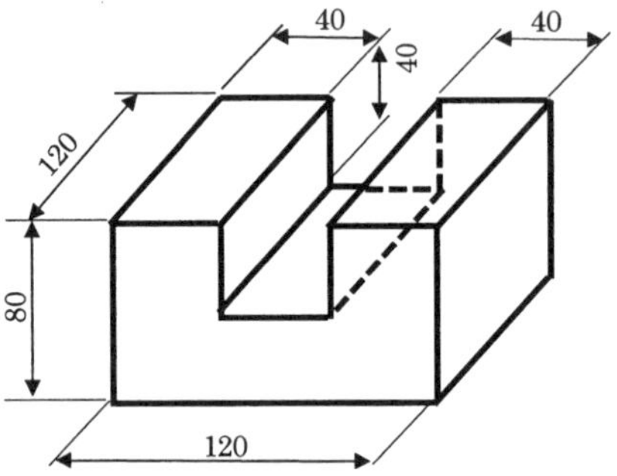

(単位：mm)

(注) 1　鋼種：SNCM439

2　製造工程：鍛造 → 完全焼なまし → 機械加工 → 焼入焼戻し → 旋削仕上げ加工

3　焼入焼戻し後の硬さ規格：293～352HBW

設問 1　製造工程における下記熱処理の加熱温度として、最も適切なものを数値群からそれぞれ一つずつ選びなさい。

数値群

	熱処理	加熱温度 (℃)			
A	完全焼なまし	ア　820	イ　850	ウ　880	エ　910
B	焼入れ	ア　800	イ　840	ウ　880	エ　920

設問 2　焼戻温度600℃、保持時間5hにて硬さ規格の中央値が得られた。保持時間を5h→2hに変更して同一硬さを得る場合の焼戻温度として、最も適切なものを数値群から一つ選びなさい。ただし、焼戻パラメータ、定数、及び常用対数値は下記とする。

焼戻パラメータ＝$T(C+\log t)$,　　$C=20$,　$\log 2=0.301$,　$\log 5=0.699$

数値群

焼戻温度 (℃)	ア　607	イ　617	ウ　627	エ　637

設問３　焼入焼戻し後に下図に示す割れが発見され、原因を調査することとなった。

下記は、焼割れの原因に関する記述である。文中の（　）内に当てはまるものとして、適切なものを語群からそれぞれ一つずつ選びなさい。

なお、同じ記号は重複して使用しないこと。

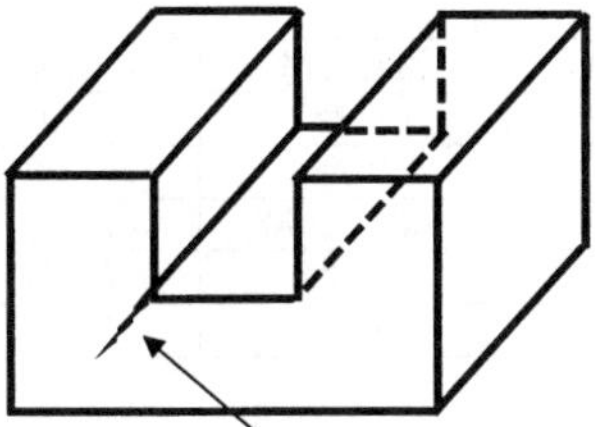

焼割れの原因は、急冷によって材料の内外部に生じた（ A ）による熱応力と、マルテンサイト変態による（ B ）応力である。材料的な原因として非金属介在物や（ C ）の多いもの、また、形状的にはシャープな角があり、肉厚の（ D ）がある場合に割れが発生しやすい。熱処理上の原因としては、加熱温度の（ E ）、保持時間の長過ぎ、（ F ）の冷却方法の不適切、焼入れから焼戻しまで長時間放置などがある。

語群

ア　不同部分	イ　時間差	ウ　引張	エ　収縮巣	オ　Ms 点以下
カ　圧縮	キ　高過ぎ	ク　温度差	ケ　Ms 点直上	コ　偏析
サ　連続部分	シ　低過ぎ			

問題5

下表は、各鋼種における熱処理、加熱温度、冷却方法及び顕微鏡組織を示している。表中の（　）内に当てはまる語句として最も適切なものを、語群からそれぞれ一つずつ選びなさい。
ただし、解答は解答用紙の解答欄に記号で記入すること。

なお、同じ記号は重複して使用しないこと。

鋼種	熱処理	加熱温度（℃）	冷却方法	顕微鏡組織
SK85	焼入れ	800	水冷	（ ① ）
S45C	完全焼なまし	810	炉冷	（ ② ）
SCM440	調質	850/600	油冷／急冷	（ ③ ）
SUS316	固溶化熱処理	1100	水冷	（ ④ ）
S45C	焼入れ	750	水冷	（ ⑤ ）

語群

ア　マルテンサイト＋初析セメンタイト
イ　マルテンサイト＋残留オーステナイト
ウ　マルテンサイト＋少量の未固溶炭化物
エ　マルテンサイト＋フェライト
オ　フェライト＋パーライト
カ　フェライト＋球状セメンタイト
キ　ベイナイト
ク　ソルバイト
ケ　オーステナイト
コ　マルテンサイト

問題6

図1に示すリング形状部品の内径寸法を測定する場合について、次の各設問に答えなさい。ただし、解答は解答用紙の解答欄に記入すること。

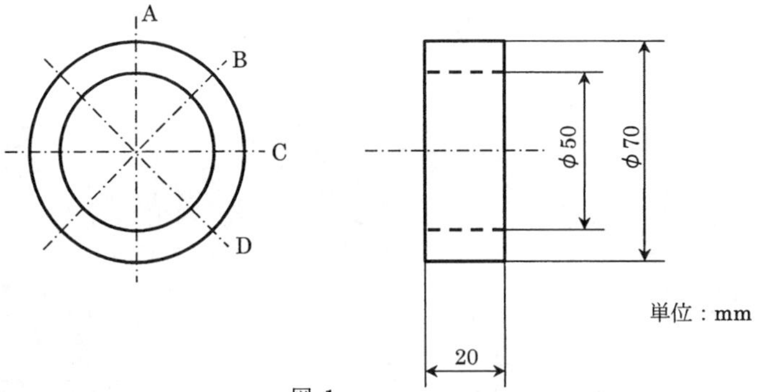

図 1

設問1　当該部品の内径を写真1に示す機器で測定した。この機器について日本産業規格(JIS)に定められた名称を記入しなさい。ただし、名称はカタカナ3文字とする。

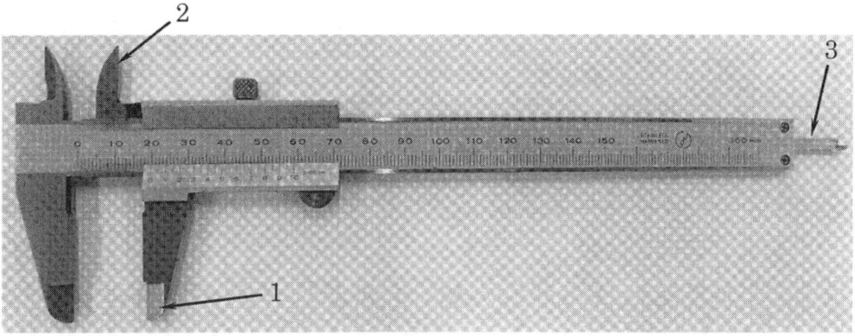

写真 1

設問2　写真1に示す機器で当該部品の内径を測定する場合に使用する部位を、写真中の番号1～3の中から一つ選びなさい。

設問3　提示された写真A～Dは、図1のφ50部の内径4か所A～Dを計測した際の目盛値を含む写真である。これを基に、次の①～③に答えなさい。ただし、単位はmmとし、②及び③の解答値は小数第2位までを0.05mmごとの値で解答すること。

① 内径が最大となる箇所の写真を選びなさい。

② 内径が最大となる箇所の写真における内径値を記入しなさい。

③ 写真A～Dの測定結果より最大値と最小値の差を記入しなさい。

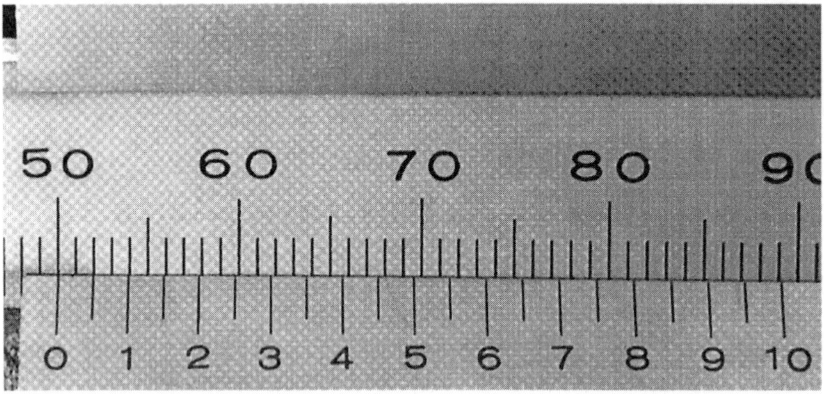

写真A

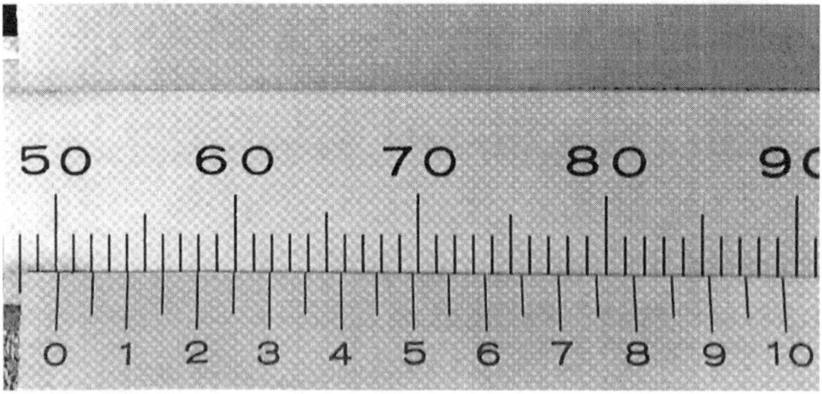

写真B

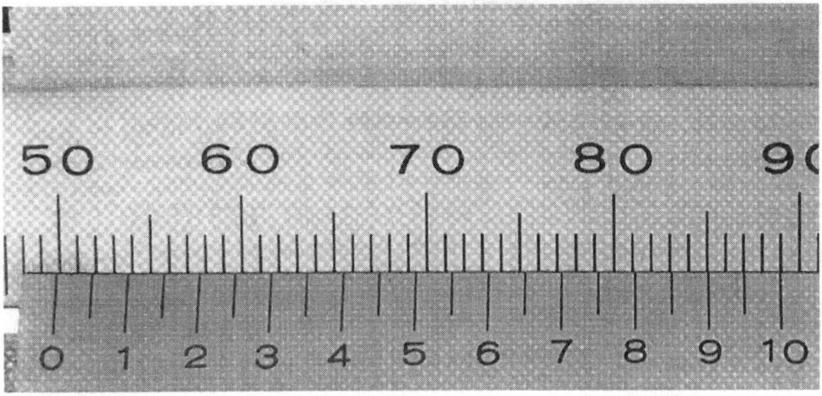

写真 C

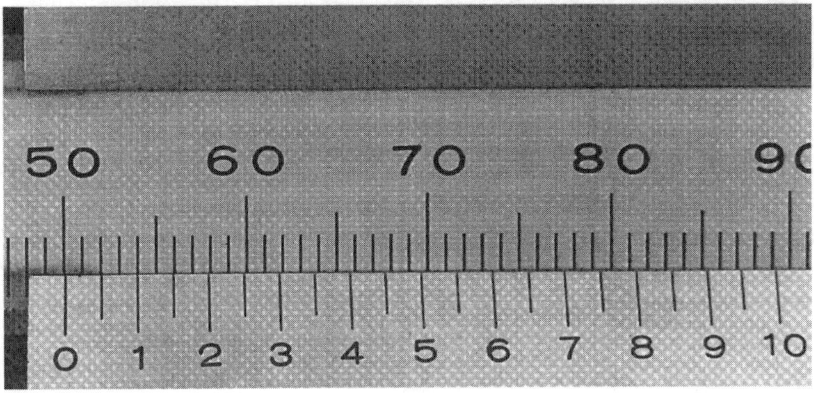

写真 D

令和3年度 技能検定
1級 金属熱処理（一般熱処理作業）
実技試験（計画立案等作業試験）問題

1 試験時間

60分

2 注意事項

（1） 係員の指示があるまで、この表紙はあけないでください。

（2） 解答用紙に、受検番号及び氏名を必ず記入してください。

（3） 係員の指示に従って、この試験問題が表紙を含めて 13 ページであることを確認してください。それらに異常がある場合は、黙って手を挙げてください。

（4） 試験開始の合図で始めてください。

（5） 解答は、解答用紙の解答欄に記入してください。
なお、要求している解答以外は記入しないでください。

（6） 試験中は、携帯電話、スマートフォン、ウェアラブル端末等の使用(電卓機能の使用を含む。)を禁止とします。

（7） 試験中、質問があるときは、黙って手を挙げてください。ただし、試験問題の内容、漢字の読み方等に関する質問にはお答えできません。

（8） 試験終了時刻前に解答ができあがった場合は、黙って手を挙げて、係員の指示に従ってください。

（9） 試験中に手洗いに立ちたいときは、黙って手を挙げて、係員の指示に従ってください。

(10) 試験終了の合図があったら、筆記用具を置き、係員の指示に従ってください。

(11) 試験終了後、解答用紙を提出してください。

(12) 計算等は、問題用紙の余白又は裏面を使用して行ってください。

3 試験に使用できる用具等一覧

品　　名	寸法又は規格	数量	備　　　　考
筆記用具等	鉛筆、消しゴム等	一式	

問題1

下記に示す図1の冷間鍛造用加工素材を、図2の球状化焼なまし熱処理線図にしたがって球状化焼なましする場合について、次の各設問に答えなさい。ただし、解答は解答用紙の解答欄に記号で記入すること。

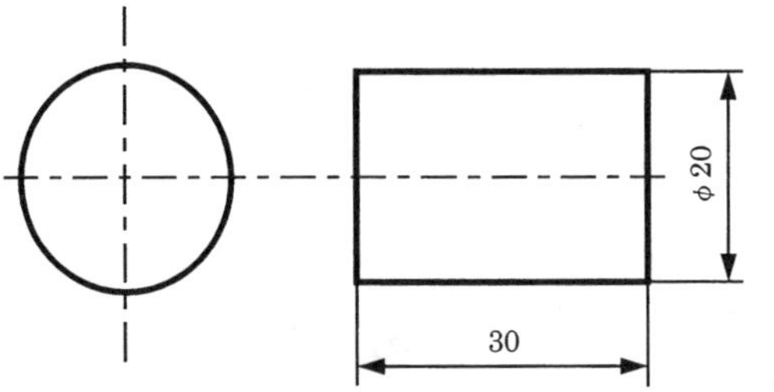

(単位:mm)

図 1

(注) 1 鋼種：S38C
2 指定硬さ：70～75HRB (120～135HBW)
3 球状化焼なまし炉：ピット形炉

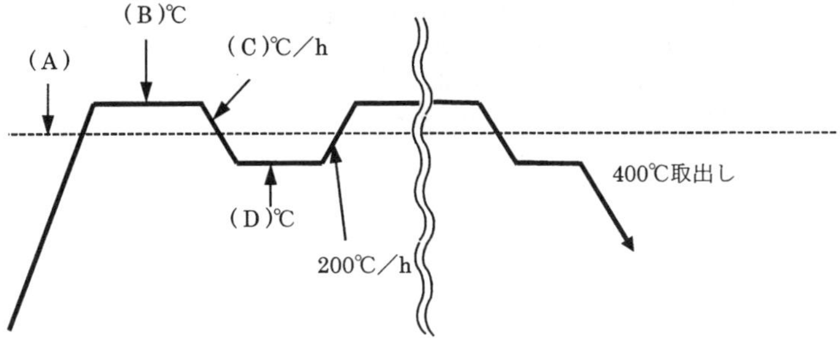

図 2

設問1 (A)の変態点の名称として、最も適切なものを一つ選びなさい。

イ A_0
ロ A_1
ハ A_2
ニ A_3

設問2 (B)の加熱保持温度として、最も適切なものを一つ選びなさい。

イ 550
ロ 650
ハ 750
ニ 850

設問3 （C）の降温速度として、最も適切なものを一つ選びなさい。

イ　20

ロ　80

ハ　120

ニ　200

設問4 （D）の加熱保持温度として、最も適切なものを一つ選びなさい。

イ　480

ロ　580

ハ　680

ニ　780

設問5 均一な球状炭化物の組織を得るために必要な加熱冷却の最少繰返し回数として、最も適切なものを一つ選びなさい。

イ　1回

ロ　3回

ハ　5回

ニ　7回

設問6 球状化焼なまし後に予想される顕微鏡組織として、最も適切なものを一つ選びなさい。

イ　フェライトとセメンタイトの層状が十分に成長したパーライト組織

ロ　フェライト地に粒状の炭化物が分散した組織

ハ　フェライト地にグラファイトが分散した組織

ニ　層状パーライトと粒状になった初析セメンタイトの混合組織

問題2

下図の射出成形用金型を焼入焼戻しする場合について、次の各設問に答えなさい。ただし、解答は解答用紙の解答欄に記号で記入すること。

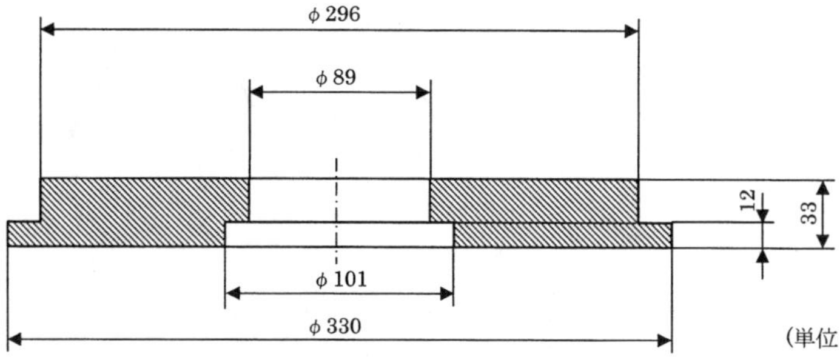

（単位：mm）

（注） 1 鋼種：SUS420J2
2 焼入焼戻し硬さ：40～45HRC
3 製造工程：切断→機械加工→応力除去焼なまし→焼入れ→サブゼロ処理→焼戻し→研削・ポリシング
4 焼入焼戻しには、真空炉を用いる。

設問1 日本産業規格(JIS)によれば、SUS420J2の分類として、最も適切なものを一つ選びなさい。
- イ マルテンサイト系
- ロ フェライト系
- ハ オーステナイト系
- ニ 析出硬化系

設問2 日本産業規格(JIS)に規定されているSUS420J2の化学成分として、該当するものを一つ選びなさい。

記号	化学成分（%）							
	C	Si	Mn	P	S	Ni	Cr	Mo
イ	0.15 以下	0.5 以下	1.00 以下	0.040 以下	0.030 以下	—	11.50 ～13.00	—
ロ	0.60 ～0.75	1.00 以下	1.00 以下	0.040 以下	0.030 以下	—	16.00 ～18.00	—
ハ	0.08 以下	1.50 以下	2.00 以下	0.045 以下	0.030 以下	19.00 ～22.00	24.00 ～26.00	—
ニ	0.26～ 0.40	1.00 以下	1.00 以下	0.040 以下	0.030 以下	—	12.00 ～14.00	—

設問3　焼入焼戻しを行う際、高い焼入硬さを得るために下図の条件で熱処理を行った。この熱処理線図の(Ａ)~(Ｄ)に当てはまるものとして、最も適切なものを語群からそれぞれ一つずつ選びなさい。

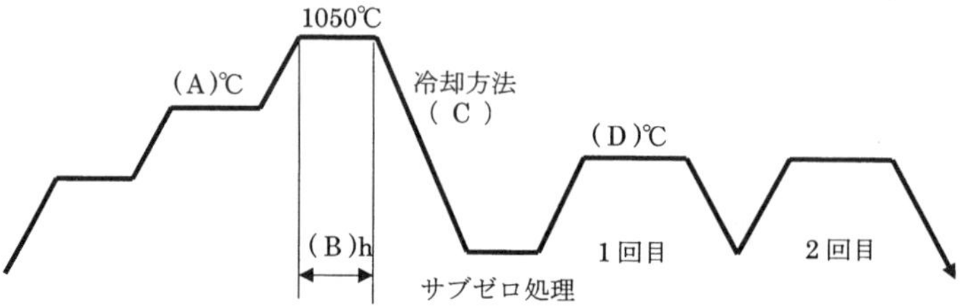

語群

イ	0.5	ロ	3	ハ	5
ニ	180	ホ	520	ヘ	850
ト	炉冷	チ	ガス冷	リ	水冷

設問4　製造工程におけるサブゼロ処理の目的として、最も適切なものを一つ選びなさい。

イ　残留オーステナイトの安定化

ロ　残留オーステナイトのマルテンサイト化

ハ　焼戻マルテンサイトの安定化

ニ　焼入マルテンサイトからの炭化物の析出

問題3

下図に示すプレス金型を熱処理する場合について、次の各設問に答えなさい。ただし、解答は解答用紙の解答欄に記号で記入すること。

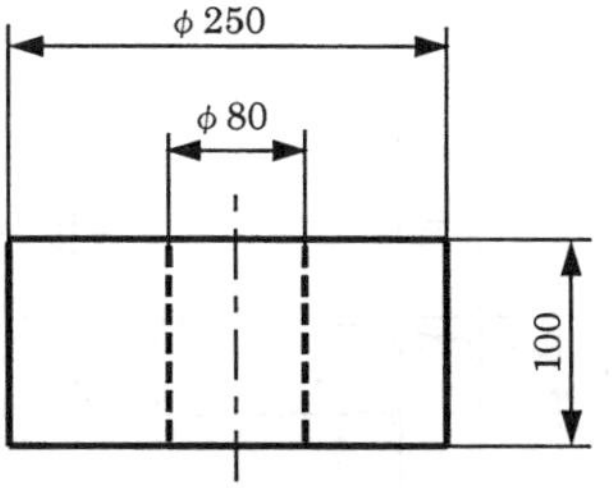

(単位:mm)

(注) 1　鋼種：SKD61
　　 2　素材：鍛造品
　　 3　指定硬さ：48～52HRC

設問1　鍛造後の熱処理方法として、最も適切なものを一つ選びなさい。

イ　完全焼なまし
ロ　球状化焼なまし
ハ　応力除去焼なまし
ニ　拡散焼なまし

設問2　下図の焼入焼戻し熱処理線図中の(A)～(C)に当てはまる語句として、最も適切なものを語群からそれぞれ一つずつ選びなさい。

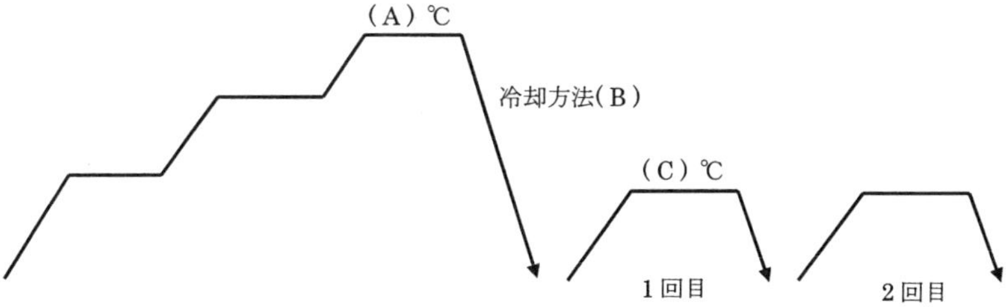

語群

イ　炉冷	ロ　水冷	ハ　空冷又はガス冷		ニ　150
ホ　400	ヘ　550	ト　750	チ　850	リ　1030

設問3　焼入れ後の１回目の焼戻温度と、外径の寸法変化の関係について調査したところ、下図に示す結果となった。500℃付近で急激に寸法が変化した原因として、最も適切なものを一つ選びなさい。

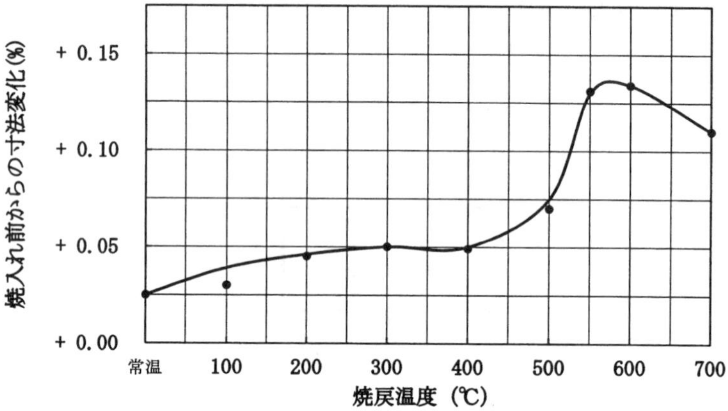

イ　残留オーステナイトがマルテンサイトに変化したため。
ロ　マルテンサイトがオーステナイトに変化したため。
ハ　マルテンサイトがベイナイトに変化したため。
ニ　マルテンサイトがソルバイトに変化したため。

設問4　焼戻しの目的として、当てはまらないものを一つ選びなさい。
イ　残留オーステナイトのマルテンサイト変態による二次硬化
ロ　残留オーステナイトの安定化
ハ　炭化物の析出による二次硬化
ニ　焼入マルテンサイトの焼戻マルテンサイト化

問題4

図1の丸棒を図2の熱処理線図にしたがって焼入焼戻した場合について、次の各設問に答えなさい。ただし、解答は解答用紙の解答欄に記号で記入すること。

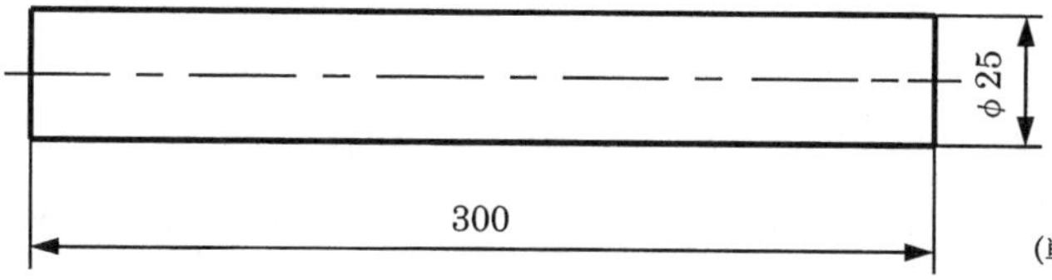

(単位：mm)

図1

(注) 1　鋼種：SCM440
　　 2　焼入焼戻し硬さ：285～352HBW

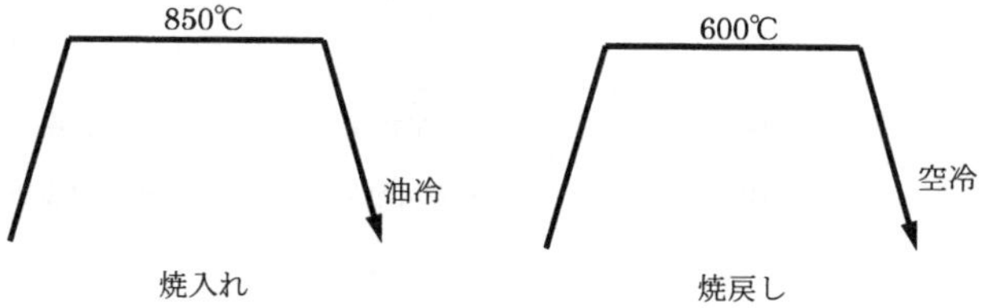

図2

設問1　この熱処理条件で得られる顕微鏡組織として、最も適切なものを一つ選びなさい。

イ　マルテンサイト＋フェライト
ロ　マルテンサイト
ハ　ソルバイト
ニ　ベイナイト

設問2　この熱処理条件で得られる機械的性質として、(　　)内に当てはまる最も適切な値を、語群からそれぞれ一つずつ選びなさい。ただし、同じ記号は重複して使用しないこと。

引張強さ	（ A ）N/mm^2 (MPa)
シャルピー衝撃値	（ B ）J/cm^2

語群

イ　15	ロ　50	ハ　100
ニ　320	ホ　480	ヘ　640
ト　800	チ　1060	

設問3　次の記述は、熱処理後、硬さが低いものが発見されたため組織観察を行った際に観察された現象と、その発生原因について述べたものである。文中の(　A　)～(　H　)に当てはまる語句として、最も適切なものを語群からそれぞれ一つずつ選びなさい。ただし、同じ記号は重複して使用しないこと。

組織観察したところ、最表面近傍にフェライトがみられた。これは、(　A　)現象であり、母材の炭素濃度(　B　)より雰囲気炭素濃度が(　C　)雰囲気で加熱したためである。

さらに、結晶粒度試験を行い全体の組織を観察したところ、結晶粒度 №7～8 に №2～3 のものが多く散在していた。このような状態の組織を、(　D　)という。この組織は、機械的性質の(　E　)に影響を及ぼすことが考えられる。また、この原因としては、熱処理前の(　F　)における(　G　)の違いにより、(　H　)以上の加熱で生じたものと考えられる。

語群

イ　高い	ロ　低い	ハ　耐食性	ニ　耐衝撃性
ホ　加工率	ヘ　加工速度	ト　冷間塑性加工	チ　熱間塑性加工
リ　浸炭	ヌ　窒化	ル　4.0%	ヲ　0.4%
ワ　混粒組織	カ　再結晶温度	ヨ　結晶粒粗大化	タ　脱炭

問題5

下表は、各鋼種における熱処理、加熱温度、冷却及び顕微鏡組織を示している。表中の(　　)内に当てはまる語句として最も適切なものを、語群からそれぞれ一つずつ選びなさい。ただし、解答は解答用紙の解答欄に記号で記入すること。また、同じ記号は重複して使用しないこと。

鋼種	熱処理	加熱温度(℃)	冷却	顕微鏡組織
SK120	完全焼なまし	950	炉冷	（ ① ）
SCM420	焼ならし	920	空冷	（ ② ）
SKD11	焼入れ	（ ③ ）	空冷	マルテンサイト＋未固溶炭化物
SUS304	固溶化熱処理	1080	水冷	（ ④ ）
SCM445	焼入れ	（ ⑤ ）	油冷	マルテンサイト

加熱温度　語群

イ　800	ロ　850	ハ　900
ニ　1030	ホ　1100	ヘ　1170

顕微鏡組織　語群

ト　マルテンサイト＋少量の未固溶炭化物
チ　初析セメンタイト＋パーライト
リ　フェライト＋球状セメンタイト
ヌ　フェライト＋パーライト
ル　オーステナイト
ヲ　ベイナイト
ワ　フェライト

問題6

次の各設問に答えなさい。ただし、設問1及び設問3の解答は、解答用紙の解答欄に記号で記入すること。また、設問2、設問4及び設問5の解答は、解答用紙の解答欄に語句又は数値で記入すること。

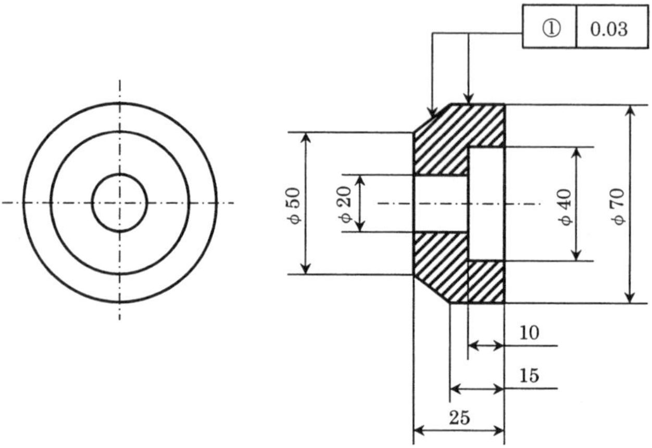

（単位：mm）

図 1

幾何公差の説明：円筒及び円すい表面の任意の横断面において、
実際の（再現した）半径方向の線は半径距離で 0.03 だけ
離れた共通平面上の同軸の二つ円の間になければならない。

設問1　図1の①に当てはまる幾何特性の記号として、最も適切なものを語群から一つ選びなさい。

語群

イ ○	ロ ▱	ハ ↗	ニ ◎

設問2　設問1で答えた幾何特性の名称を記入しなさい。

設問3　図1における①の幾何公差を測定する際に外側マイクロメータを使用した。この測定器において、下図に示す番号1～4に当てはまる名称として、最も適切なものを語群からそれぞれ一つずつ選びなさい。ただし、同じ記号は重複して使用しないこと。

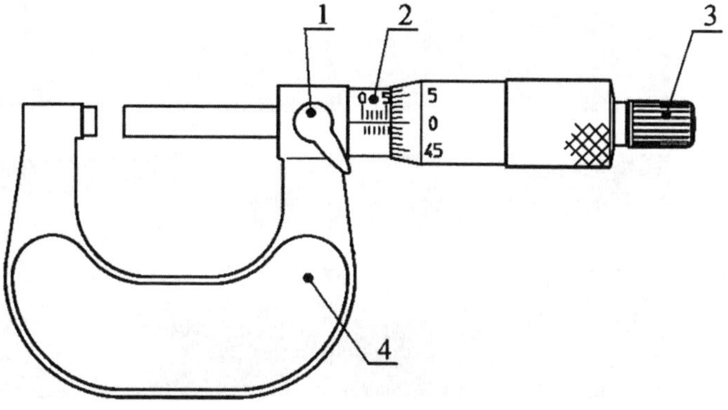

外側マイクロメータ

語群

イ　送りつまみ	ロ　スピンドル	ハ　アンビル	ニ　フレーム
ホ　防熱板	ヘ　クランプ	ト　シンブル	チ　スリーブ

設問4　提示された写真A～Dは、図1のφ70部について、外形を4等分しながら外径(直径)を計測した際の目盛値を含む写真である。この写真A～Dの読み取り数値を記入しなさい。ただし、単位はmmとし、解答値は小数第3位を二捨三入・七捨八入して小数第3位までの数値で解答すること。
（読み取り数値が10の場合、“10.000”と解答すること）

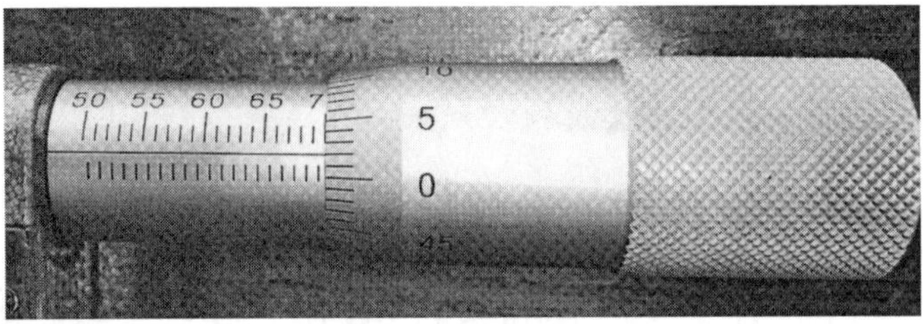

写真 A

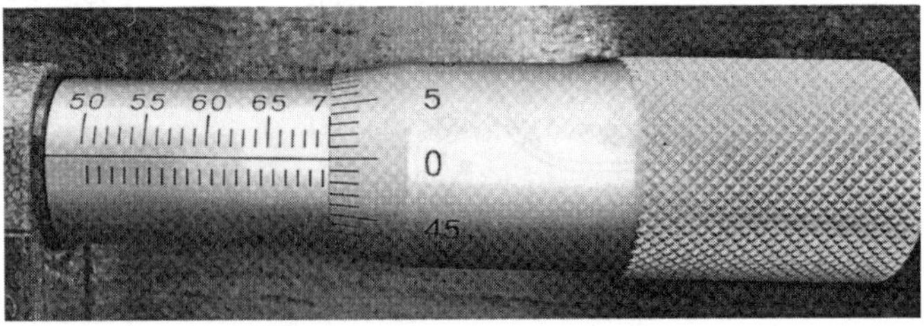

写真 B

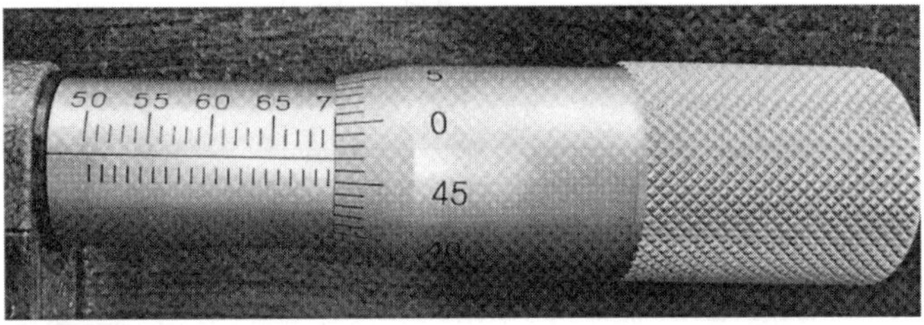

写真 C

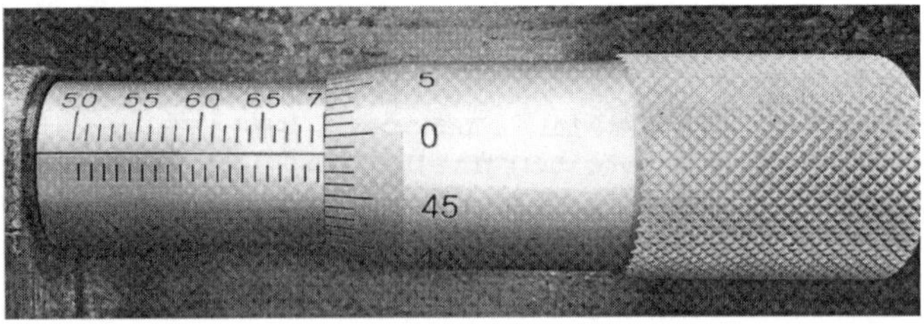

写真 D

設問5　設問4で提示された写真A～Dを基に、図1における①の幾何公差を求めなさい。ただし、単位はmmとし、解答値は小数第4位を四捨五入して小数第3位までの数値で解答すること。

令和5年度 技能検定
2級 金属熱処理（浸炭・浸炭窒化・窒化処理作業）
実技試験 問題概要

実技試験は、次の判断等試験と計画立案等作業試験により行う。

1 判断等試験

1.1 試験実施日

令和5年8月27日(日)

1.2 試験時間

問題ごとの試験時間は、次表のとおりである。

問題番号	1	2	3	4	5
試験時間	5分	5分	5分	5分	5分

1.3 問題の概要

問題		概要
問題1	火花試験	提示された写真及び図を基に火花試験等を判定する。
問題2	組織判定	提示された顕微鏡による組織写真を基に試験片の組織を判定する。
問題3	温度測定の構成機器	提示された写真を基に温度測定に関する構成機器等を判定する。
問題4	変形測定	提示された測定に関する写真を基に変形測定に関する作業等を判定する。
問題5	硬さ試験	提示された写真を基に硬さ試験等を判定する。

1.4 持参用具等

品名	寸法又は規格	数量	備考
筆記用具	鉛筆、消しゴム等	一式	

2　計画立案等作業試験

2.1　試験実施日

令和5年8月20日(日)

2.2　試験時間

50分

2.3　問題の概要

作業条件の設定、作業段取り、設備の調整等について行う。

2.4　持参用具等

品　名	寸法又は規格	数　量	備　考
筆記用具	鉛筆、消しゴム等	一式	

3　注意事項

(1)　判断等試験問題は、試験当日配付され、当日回収される。

(2)　使用用具等は、指定したもの以外のものは使用しないこと。

(3)　試験中は、用具等の貸し借りを禁止する。

(4)　**この問題概要に書込みしたものを持ち込まないこと。また試験中に他の用紙にメモしたものや参考書等を参照することは禁止とする。**

(5)　試験中は、携帯電話、スマートフォン、ウェアラブル端末等の使用(電卓機能の使用を含む)を禁止とする。

令和5年度 技能検定
2級 金属熱処理（浸炭・浸炭窒化・窒化処理作業）
実技試験（計画立案等作業試験）問題

1 試験時間

50分

2 注意事項

(1) 係員の指示があるまで、この表紙はあけないでください。

(2) 解答用紙に、受検番号及び氏名を必ず記入してください。

(3) 係員の指示に従って、この試験問題が表紙を含めて9ページであることを確認してください。それらに異常がある場合は、黙って手を挙げてください。

(4) 試験開始の合図で始めてください。

(5) 解答は、解答用紙の解答欄に記入してください。
なお、要求している解答以外は記入しないでください。

(6) 試験中は、携帯電話(電卓機能の使用を含む。)等の使用を禁止とします。

(7) 試験中、質問があるときは、黙って手を挙げてください。ただし、試験問題の内容、漢字の読み方等に関する質問にはお答えできません。

(8) 試験終了時刻前に解答ができあがった場合は、黙って手を挙げて、係員の指示に従ってください。

(9) 試験中に手洗いに立ちたいときは、黙って手を挙げて、係員の指示に従ってください。

(10) 試験終了の合図があったら、筆記用具を置き、係員の指示に従ってください。

(11) 試験終了後、解答用紙を提出してください。

(12) 計算等は、問題用紙の余白又は解答用紙の裏面を使用して行ってください。

3 試験に使用できる用具等一覧

品　名	寸法又は規格	数量	備　考
筆記用具等	鉛筆、消しゴム等	一式	

問題1

下図に示す歯車をガス浸炭焼入焼戻しする場合について、次の各設問に答えなさい。なお、解答は解答用紙の解答欄に記号で記入すること。

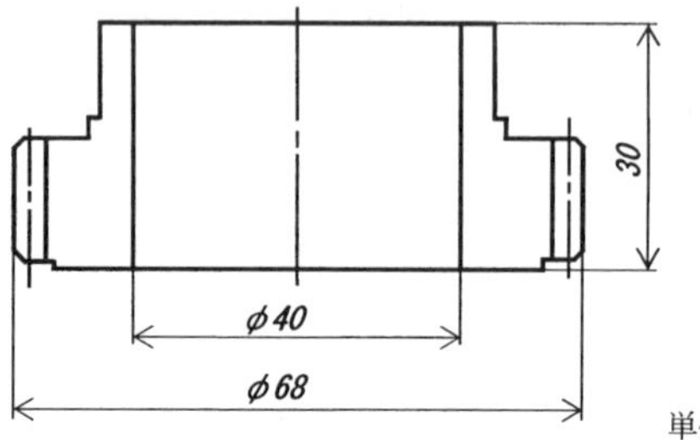

単位：mm

(注)1　鋼種：SCr420H
2　指定表面硬さ：60～64HRC
3　全硬化層深さ狙い値：1.1mm(ピッチ円上)
4　変成ガス：次式のプロパンガス変成反応による吸熱型変成ガスを使用
$C_3H_8+15/2(1/5O_2+4/5N_2)=3CO+4H_2+6N_2$
5　熱処理ひずみは極力小さくすること。

設問1　吸熱型変成炉で変成ガスを19.5m^3/h発生させるのに必要なプロパンガス流量として、適切なものを一つ選びなさい。

ア　0.5 m^3/h
イ　1.0 m^3/h
ウ　1.5 m^3/h
エ　2.0 m^3/h

設問2　下図は、ガス浸炭焼入れの熱処理線図を示す。(A)~(E)内に当てはまる最も適切なものを語群からそれぞれ一つずつ選びなさい。

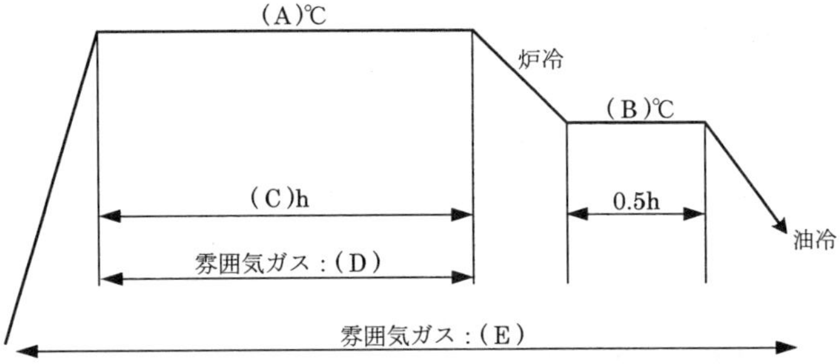

語群

温度 (A) (B)	ア　800 エ　920	イ　850 オ　980	ウ　880
時間 (C)	ア　0.2 エ　2	イ　0.5 オ　3	ウ　1
雰囲気ガス (D) (E)	ア　キャリアガス エ　CO_2ガス	イ　エンリッチガス オ　NH_3ガス	ウ　O_2ガス

設問3　この歯車のガス浸炭焼入焼戻し後、歯部について日本産業規格(JIS)に基づき浸炭硬化層深さの測定を実施した。その時の記述として、(A)~(D)内に当てはまる最も適切なものを語群からそれぞれ一つずつ選びなさい。

(A)硬さ試験機を用いて、硬化層の表面から限界硬さ(B)(C)の位置までの距離について測定して有効硬化層深さを検査したところ、歯車のピッチ円と歯元R部の有効硬化層深さの関係は(D)。

語群

(A)	ア　ビッカース	イ　ブリネル	ウ　ロックウェル
(B)	ア　500	イ　550	ウ　600
(C)	ア　HRC	イ　HBW	ウ　HV
(D)	ア　ピッチ円の方が歯元R部より浅かった。 イ　ピッチ円、歯元R部とも同一であった。 ウ　ピッチ円の方が歯元R部より深かった。		

問題2

下図の部品をガス軟窒化する場合について、次の各設問に答えなさい。なお、解答は解答用紙の解答欄に記号で記入すること。

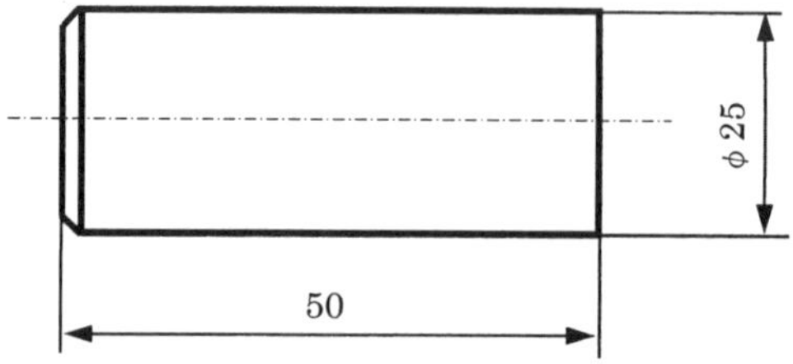

単位：mm

（注）1　鋼種：S45C
　　　2　指定表面硬さ：500HV 以上
　　　3　化合物層の深さ：10～15 μm

設問1　この部品のガス軟窒化において、前処理として焼入焼戻しを行う場合、その焼入温度として、次のうち最も適切なものを一つ選びなさい。

ア　700℃
イ　780℃
ウ　850℃
エ　900℃

設問2　ガス軟窒化処理条件として、次のうち最も適切なものを一つ選びなさい。

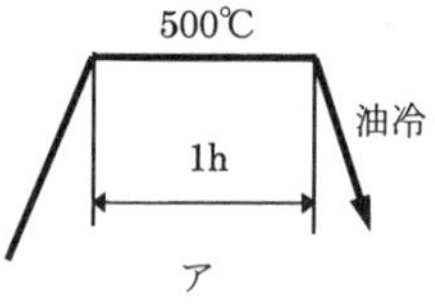

ア

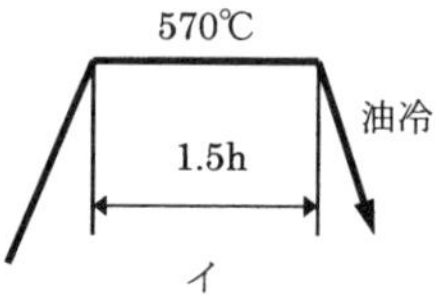

イ

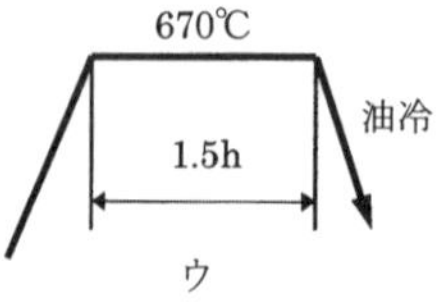

ウ

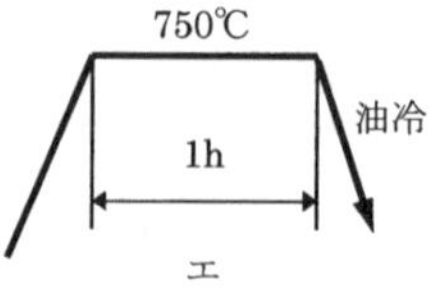

エ

設問3　下図はガス軟窒化層の断面図である。図中の(　A　)〜(　B　)内に当てはまる層名として適切なものを、ア〜エからそれぞれ一つずつ選びなさい。

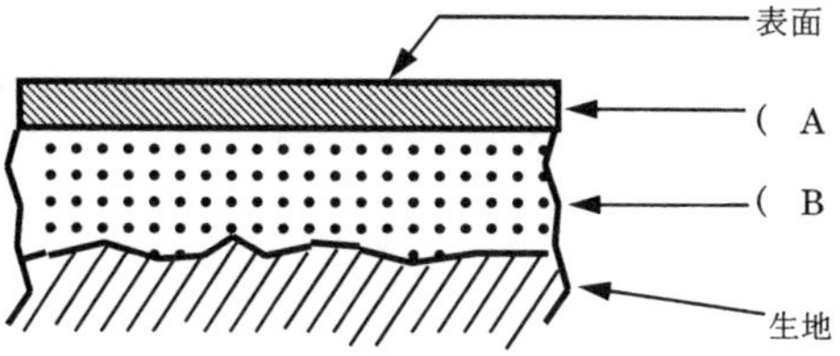

ア　残留オーステナイト層
イ　化合物層
ウ　拡散層
エ　マルテンサイト層

設問4　耐摩耗性を向上させるために表面硬さを高めたい。この場合の対処方法として、適切なものを一つ選びなさい。

ア　処理温度を上げる。
イ　処理時間を長くする。
ウ　材質をAl、Crなどの合金元素が添加された鋼にする。
エ　空冷にする。

問題3

次の各設問に答えなさい。なお、解答は解答用紙の解答欄に記号で記入すること。

設問1　ガス浸炭窒化処理を説明した次の文中の(　A　)～(　D　)内に当てはまる語句又は数値として最も適切なものを、語群の中からそれぞれ一つずつ選びなさい。

ガス浸炭窒化処理とは、浸炭性ガスに（　A　）を添加して、鋼部品の表面より炭素と窒素を侵入拡散させる処理をいい、処理温度としては(　B　)であり、浸炭処理に比べて（　C　）温度で焼入れが可能になる。その理由は、侵入窒素の影響によって（　D　）ためである。

語群

（ A ）	ア　酸素	イ　窒素	ウ　アンモニア
（ B ）	ア　900～950℃	イ　750～850℃	ウ　480～600℃
（ C ）	ア　高い	イ　低い	ウ　同じ
（ D ）	ア　A_1変態点が低くなる	イ　A_1変態点が高くなる	ウ　A_1変態点が変化しない

設問2　ガス浸炭処理の際に生じるスーティングについて説明した文中の(　A　)～(　D　)内に当てはまる語句として、適切なものを語群の中からそれぞれ一つずつ選びなさい。

ガス浸炭処理の際に浸炭炉内で起こるスーティング現象とは、浸炭処理炉内に多量の(　A　)を添加した場合に発生する(　B　)が炉内雰囲気中に浮遊し、処理品や炉内壁などに付着する現象である。この発生した(　B　)を適当量の(　C　)を送入し燃焼除去させることを(　D　)という。

語群

ア　キャリアガス	イ　窒素ガス	ウ　エンリッチガス
エ　すす	オ　オイルミスト	カ　空気
キ　アンモニアガス	ク　シーズニング	ケ　バーンアウト

設問3　吸熱型変成ガスを浸炭炉内に導入するときの炉内温度として、次のうち最も適切なものを一つ選びなさい。

ア　200℃
イ　500℃
ウ　800℃
エ　950℃

問題4

熱処理装置について、次の各設問に答えなさい。なお、解答は解答用紙の解答欄に記号で記入すること。

設問1　下図は連続ガス浸炭炉の断面を示している。図中のA～Dに当てはまる名称として適切なものを、下記の語群からそれぞれ一つずつ選びなさい。ただし、同じ記号は重複して使用しないこと。

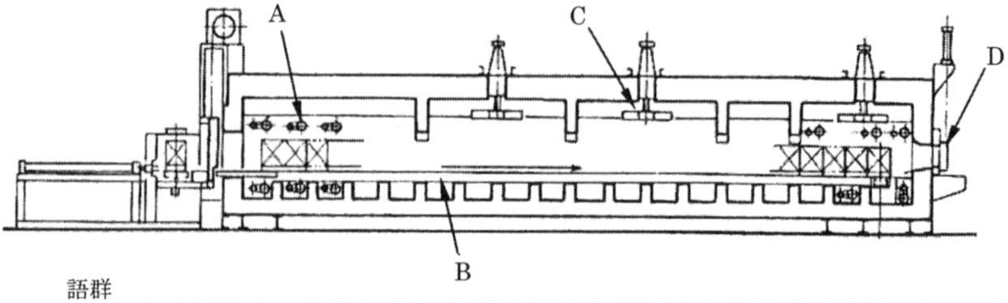

語群

ア　ドロップアーチ	イ　スキッドレール	ウ　装入扉	エ　循環ファン
オ　ラジアントチューブ	カ　装入プッシャ	キ　中間扉	ク　スロット扉

設問2　一般的なガス浸炭炉における炉内の温度測定に通常使用される熱電対の種類として、適切なものを一つ選びなさい。

ア　R熱電対
イ　B熱電対
ウ　K熱電対
エ　T熱電対

設問3　炉内温度制御について説明した次の文中の(　　)内に当てはまる語句として、適切なものを語群の中から一つ選びなさい。

測定値(現在値)を目標値(設定値)に到達させ、行き過ぎがなく、温度サイクリング(ハンチング)を起こさず、オフセットがないように調整をする動作を(　　　)という。

語群

ア　オンオフ動作	イ　P動作	ウ　PID動作

設問4　下図はガス燃焼用ラジアントチューブの代表的な形式例を示している。次のうち最も省エネルギータイプのものを一つ選びなさい。

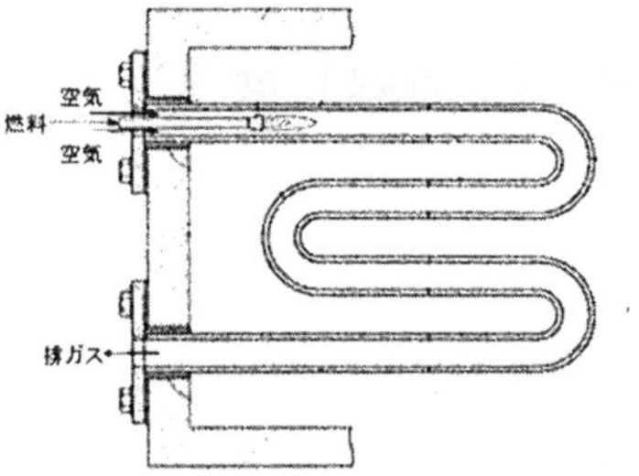

ア

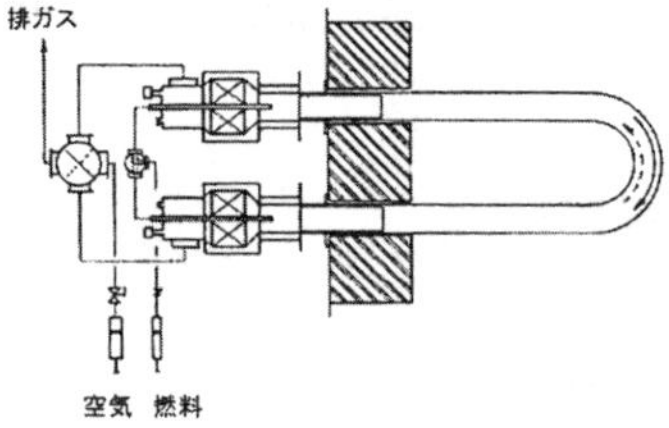

イ

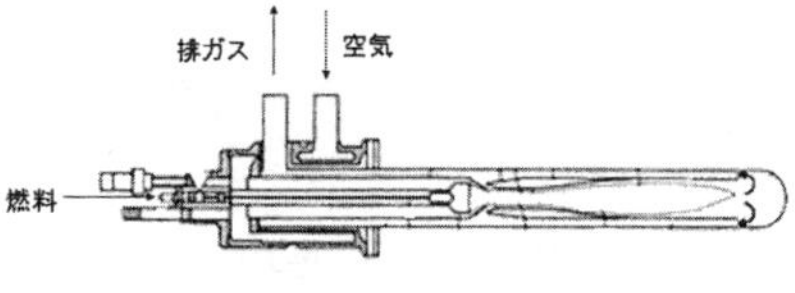

ウ

令和４年度 技能検定
２級 金属熱処理（浸炭・浸炭窒化・窒化処理作業）
実技試験（計画立案等作業試験）問題

1 試験時間

50 分

2 注意事項

（1） 係員の指示があるまで、この表紙はあけないでください。

（2） 解答用紙に、受検番号及び氏名を必ず記入してください。

（3） 係員の指示に従って、この試験問題が表紙を含めて 10 ページであることを確認してください。それらに異常がある場合は、黙って手を挙げてください。

（4） 試験開始の合図で始めてください。

（5） 解答は、解答用紙の解答欄に記入してください。
なお、要求している解答以外は記入しないでください。

（6） 試験中は、携帯電話、スマートフォン、ウェアラブル端末等の使用(電卓機能の使用を含む。)を禁止とします。

（7） 試験中、質問があるときは、黙って手を挙げてください。ただし、試験問題の内容、漢字の読み方等に関する質問にはお答えできません。

（8） 試験終了時刻前に解答ができあがった場合は、黙って手を挙げて、係員の指示に従ってください。

（9） 試験中に手洗いに立ちたいときは、黙って手を挙げて、係員の指示に従ってください。

(10) 試験終了の合図があったら、筆記用具を置き、係員の指示に従ってください。

(11) 試験終了後、解答用紙を提出してください。

(12) 計算等は、問題用紙の余白又は解答用紙の裏面を使用して行ってください。

3 試験に使用できる用具等一覧

品　　名	寸法又は規格	数量	備　　　　考
筆記用具等	鉛筆、消しゴム等	一式	

問題1

下図に示す歯車部品をガス浸炭焼入焼戻しする場合について、次の各設問に答えなさい。ただし、解答は解答用紙の解答欄に記号で記入すること。

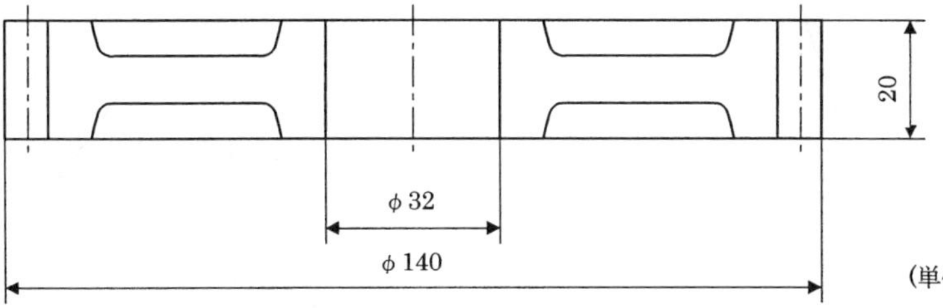

(単位：mm)

(注)1　鋼種：SCM420
2　歯車のモジュール：4
3　表面硬さ：58～62HRC
4　歯面の全硬化層深さ：1.2mm狙い
5　ショットピーニングを行う

設問1　次に示す工程順の(　　)内に当てはまる語句として、最も適切なものを語群からそれぞれ一つずつ選びなさい。ただし、同じ記号は重複して使用しないこと。

[工程順]
(　①　)→(　②　)→(　③　)→(　焼戻し　)→(　④　)

語群

ア　前洗浄	イ　後洗浄	ウ　浸炭焼入れ	エ　ショットピーニング

設問2　下図は、ガス浸炭焼入れの熱処理線図を示す。図中の(A)～(F)に当てはまる最も適切なものを語群の中からそれぞれ一つずつ選びなさい。

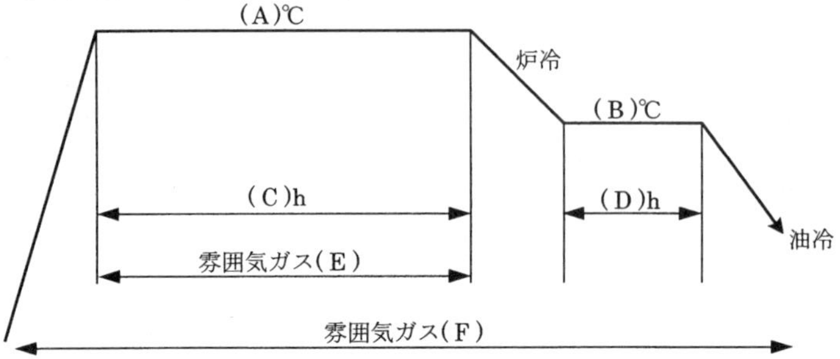

語群

(A)（B）	ア　800	イ　850	ウ　880
	エ　930	オ　980	
(C)（D）	ア　0.2	イ　0.5	ウ　1
	エ　2.5	オ　3.5	
(E)（F）	ア　エンリッチガス	イ　キャリアガス	ウ　O_2ガス
	エ　CO_2ガス	オ　NH_3ガス	

設問3　下図に示すガス浸炭焼入焼戻し後の断面硬さ分布曲線について、硬さ分布測定位置の①、②に該当する硬さ分布曲線として、適切なものを分布曲線中のA、Bからそれぞれ一つずつ選びなさい。

また、①、②の位置における有効硬化層深さ(限界硬さ550HV)として適切なものを、ア～エからそれぞれ一つずつ選びなさい。

硬さ分布測定位置

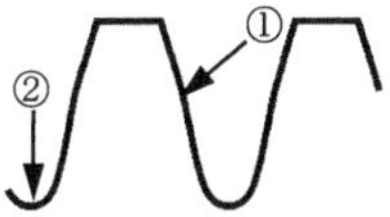

①　歯面の硬さ分布
②　歯底の硬さ分布

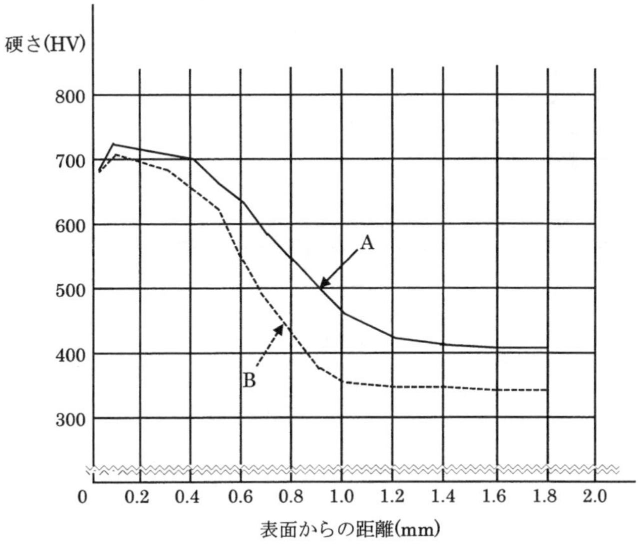

断面硬さ分布曲線

有効硬化層深さ
- ア　0.6 mm
- イ　0.7 mm
- ウ　0.8 mm
- エ　0.9 mm

設問4　設問3の断面硬さ分布曲線で表面から約0.1mmまで硬さの低下があるが、原因として考えられる組織を一つ選びなさい

- ア　マルテンサイト
- イ　フェライト
- ウ　脱炭
- エ　残留オーステナイト

問題2

下図の部品をガス浸炭窒化焼入焼戻しする場合について、次の各設問に答えなさい。ただし、解答は、解答用紙の解答欄に記号で記入すること。

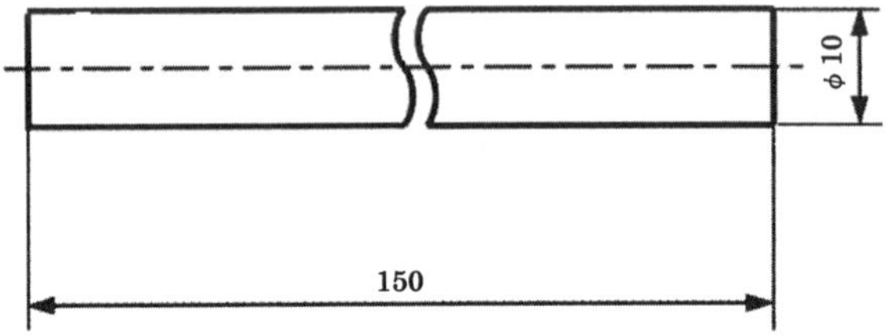

(単位：mm)

(注) 1 鋼種：S20C
2 指定表面硬さ：57～61HRC
3 全硬化層深さ：0.75mm狙い
4 曲がりを小さくすること

設問1 この部品をジグにセットする方法として、適切なものを一つ選びなさい。

ア 金網目内に立て置き
イ 敷金網上にバラ置き
ウ 敷金網上に横並べ置き

設問2 この部品のガス浸炭窒化焼入条件として、最も適切なものを一つ選びなさい。

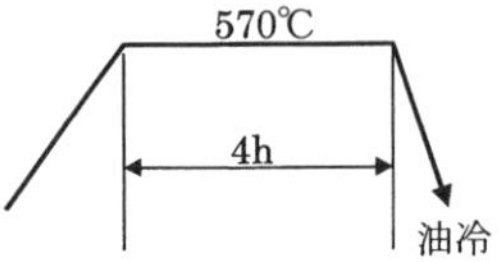

ア

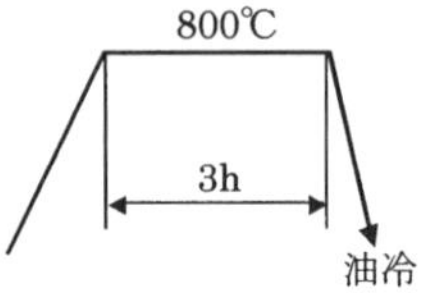

イ

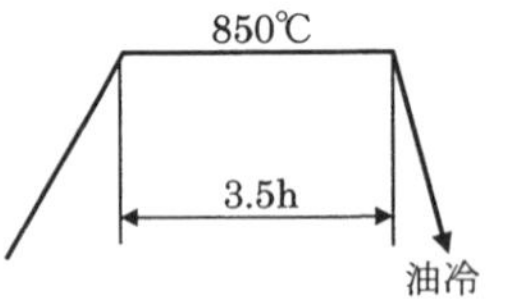

ウ

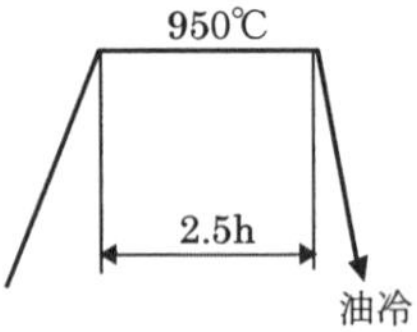

エ

設問3　指定表面硬さを満たすための焼戻条件として、最も適切なものを一つ選びなさい。

ア　450℃　×　2h　→　空冷
イ　350℃　×　2h　→　空冷
ウ　160℃　×　2h　→　空冷
エ　120℃　×　2h　→　空冷

設問4　ガス浸炭窒化焼入焼戻し後の表面硬さは規格を満足していた。予想される表面部の顕微鏡組織として、最も適切なものを一つ選びなさい。

ア　焼戻マルテンサイト ＋ 残留オーステナイト
イ　微細パーライト
ウ　ソルバイト
エ　焼戻マルテンサイト ＋ セメンタイト

設問5　ガス浸炭窒化焼入れにおける侵入窒素の特徴として、正しいものを一つ選びなさい。

ア　侵入窒素の影響によって焼入性が悪くなる。
イ　侵入窒素の量が多くなると、表面の焼入硬さが高くなる。
ウ　侵入窒素の影響によってA_1変態点が低くなる。

問題3

下図に示す金型用のノックアウトピンを吸熱型変成ガスを用いてガス軟窒化する場合について、次の各設問に答えなさい。ただし、解答は解答用紙の解答欄に記号で記入すること。

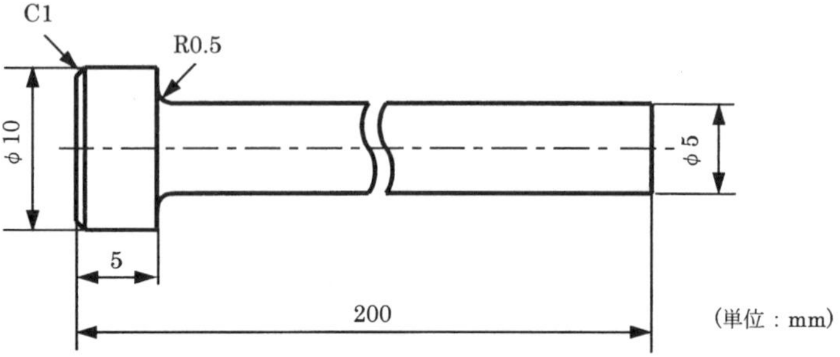

(注) 1 鋼種：SCM435
2 表面硬さ：650HV以上
3 化合物層深さ：10μm狙い
4 ガス軟窒化に使用する炉：冷却槽一体型

設問1 ガス軟窒化の前処理として、焼入焼戻しを行う場合の適切な焼入温度と焼戻温度を、数値群からそれぞれ一つずつ選びなさい。

数値群

焼入温度	ア 750℃ イ 850℃ ウ 950℃
焼戻温度	ア 180℃ イ 400℃ ウ 600℃

設問2 ガス軟窒化処理条件として、適切なものを一つ選びなさい。

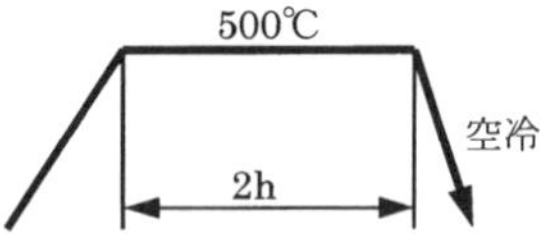

ア

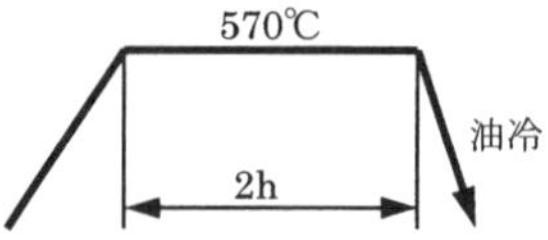

イ

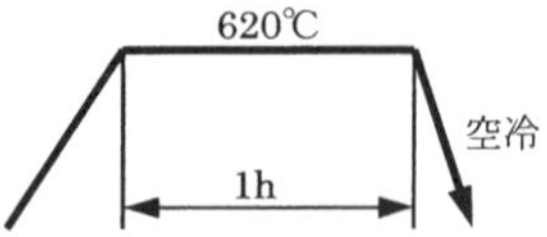

ウ

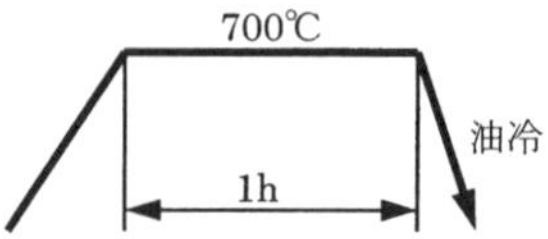

エ

設問3　ガス軟窒化のガス組成として、適切なものを一つ選びなさい。

	NH_3ガス	吸熱型変成ガス
ア	5%	95%
イ	50%	50%
ウ	95%	5%

設問4　ガス軟窒化層の断面図中の(Ａ)、(Ｂ)に当てはまる層名として適切なものを、語群の中からそれぞれ一つずつ選びなさい。

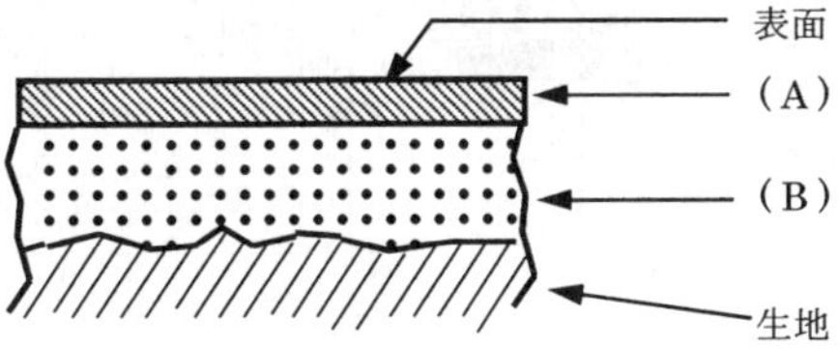

語群

記　号	層　　名
ア	残留オーステナイト層
イ	化合物層
ウ	拡 散 層
エ	マルテンサイト層

問題4

下図は、バッチ型ガス浸炭焼入炉の概略図を示す。次の設問に答えなさい。ただし、解答は解答用紙の解答欄に記号で記入すること。

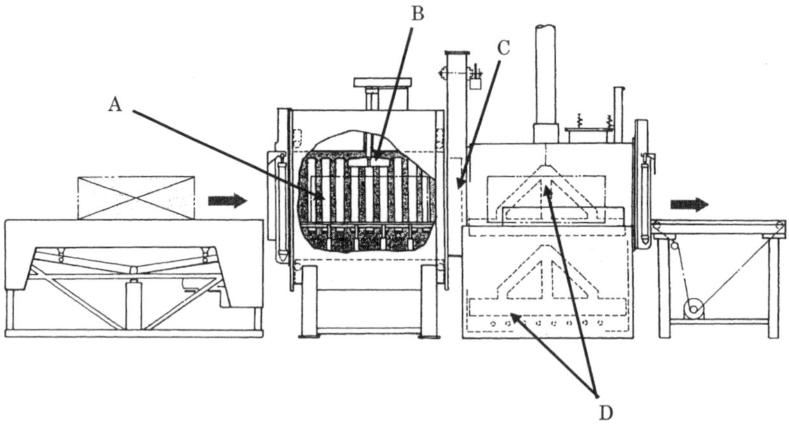

設問1　図中のA～Dの名称として、適切なものを語群からそれぞれ一つずつ選びなさい。

語群

記号	名称
ア	焼入油熱交換器
イ	RCファン
ウ	ガス流量計
エ	中間扉
オ	焼入れエレベータ
カ	ラジアントチューブ

設問2　変成ガスを浸炭炉内に導入開始する時の炉内温度として、次のうち適切なものを一つ選びなさい。

ア　200℃
イ　500℃
ウ　800℃
エ　950℃

設問3　ガス浸炭処理の際に生じるスーティングについて、文中の(　　)内に当てはまる語句として適切なものを、語群の中からそれぞれ一つずつ選びなさい。

ガス浸炭処理の際に浸炭炉内で起こるスーティング現象とは、浸炭処理炉内に過剰の(　a　)を添加した場合に発生する(　b　)が炉内雰囲気中に浮遊し、処理品や炉内壁などに付着する現象である。この発生した(　b　)を、適当量の(　c　)を送入し燃焼させることを(　d　)という。

語群

ア　キャリアガス	イ　窒素ガス	ウ　エンリッチガス
エ　すす	オ　オイルミスト	カ　空気
キ　アンモニアガス	ク　シーズニング	ケ　バーンアウト

令和3年度 技能検定
2級 金属熱処理（浸炭・浸炭窒化・窒化処理作業）
実技試験（計画立案等作業試験）問題

1 試験時間

50分

2 注意事項

（1） 係員の指示があるまで、この表紙はあけないでください。

（2） 解答用紙に、受検番号及び氏名を必ず記入してください。

（3） 係員の指示に従って、この試験問題が表紙を含めて８ページであることを確認してください。それらに異常がある場合は、黙って手を挙げてください。

（4） 試験開始の合図で始めてください。

（5） 解答は、解答用紙の解答欄に記入してください。
なお、要求している解答以外は記入しないでください。

（6） 試験中は、携帯電話、スマートフォン、ウェアラブル端末等の使用(電卓機能の使用を含む。）を禁止とします。

（7） 試験中、質問があるときは、黙って手を挙げてください。ただし、試験問題の内容、漢字の読み方等に関する質問にはお答えできません。

（8） 試験終了時刻前に解答ができあがった場合は、黙って手を挙げて、係員の指示に従ってください。

（9） 試験中に手洗いに立ちたいときは、黙って手を挙げて、係員の指示に従ってください。

(10) 試験終了の合図があったら、筆記用具を置き、係員の指示に従ってください。

(11) 試験終了後、解答用紙を提出してください。

(12) 計算等は、問題用紙の余白又は解答用紙の裏面を使用して行ってください。

3 試験に使用できる用具等一覧

品　名	寸法又は規格	数量	備　考
筆記用具等	鉛筆、消しゴム等	一式	

問題1

下図に示す歯車をガス浸炭焼入焼戻しする場合について、次の各設問に答えなさい。ただし、解答は解答用紙の解答欄に記号で記入すること。

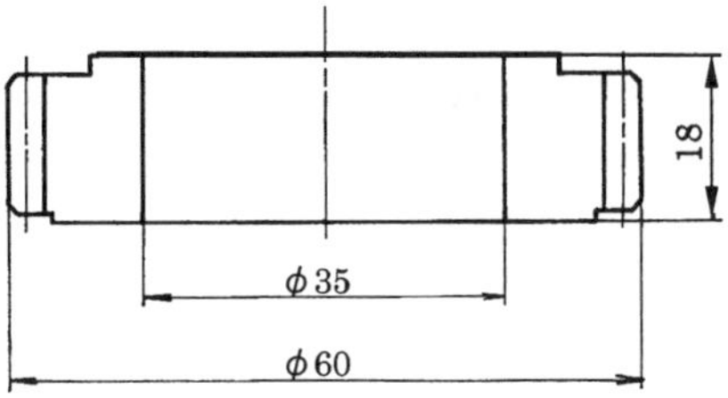

(単位:mm)

（注）1　鋼種：SCM420H
　　　2　表面硬さ：60 ～ 64HRC
　　　3　全硬化層深さ：ピッチ円(P.C.D)上で1.1mm狙い
　　　4　キャリアガス：ブタン変成吸熱型ガス
　　　5　ひずみを極力低減させる。

設問1　ブタン変成吸熱型ガスの発生炉の操業において1080℃で運転する場合、変成ガスのCO_2濃度として、最も適切な値を一つ選びなさい。

イ　0.31～0.38%
ロ　0.18～0.28%
ハ　0.11～0.16%
ニ　0.05～0.09%

設問2　下図のガス浸炭焼入れの熱処理線図中に示す(a)～(f)に当てはまる数値として、最も適切なものを語群からそれぞれ一つずつ選びなさい。

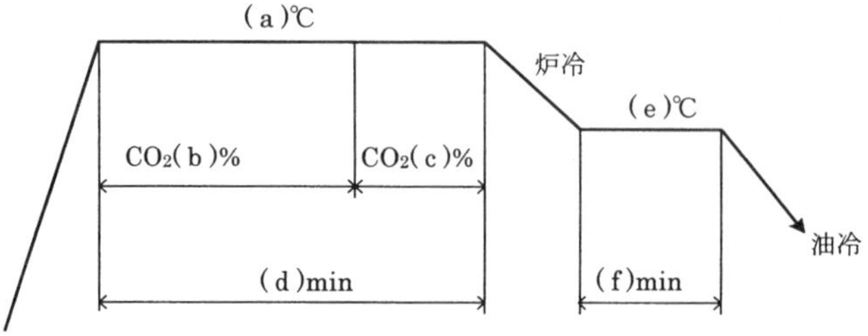

語群

温　度 (a)、(e)	イ　970	ロ　930	ハ　870	ニ　840	ホ　790
濃　度 (b)、(c)	イ　0.29	ロ　0.24	ハ　0.19	ニ　0.14	ホ　0.10
時　間 (d)、(f)	イ　240	ロ　180	ハ　120	ニ　60	ホ　30

設問3　ガス浸炭焼入れ作業の被処理品に関する次の文中の（a）～（c）に当てはまる語句として、最も適切なものを語群からそれぞれ一つずつ選びなさい。

ほとんどの浸炭部品は浸炭処理前に(　a　)されている。最近は精密な(　b　)で造られ、そのまま(　a　)せずに浸炭処理をする例も多くなった。いずれの場合であっても(　a　)時に使用する切削油や(　b　)時に使用する(　c　)が被処理品に付着している。浸炭処理前にはこれらの油分を洗浄除去する必要がある。

語群

イ　潤滑剤	ロ　浸炭防止剤	ハ　ロストワックス鋳造
ニ　冷間鍛造	ホ　機械加工	ヘ　水溶性切削油
ト　熱間鍛造		

問題2

下図の歯付部品をガス浸炭窒化焼入焼戻しする場合について、次の各設問に答えなさい。ただし、解答は解答用紙の解答欄に記号で記入すること。

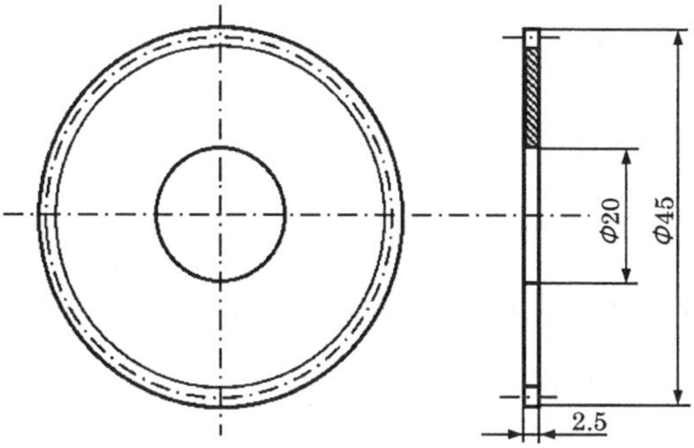

（単位：mm）

（注）1　鋼種：S20C
　　　2　指定表面硬さ：613～720HV
　　　3　全硬化層深さ：0.5mm狙い
　　　4　ひずみ：極力低減させること。

設問1　被処理品の段取り方法として、次のうち最も適切なものを一つ選びなさい。

イ　敷金網上に横並べ置き
ロ　敷金網上にばら置き
ハ　丸穴部に棒を通し、横吊り

設問2　ガス浸炭窒化焼入れの処理条件として、次のうち最も適切なものを一つ選びなさい。
（E：エンリッチガス、NH_3：アンモニアガス）

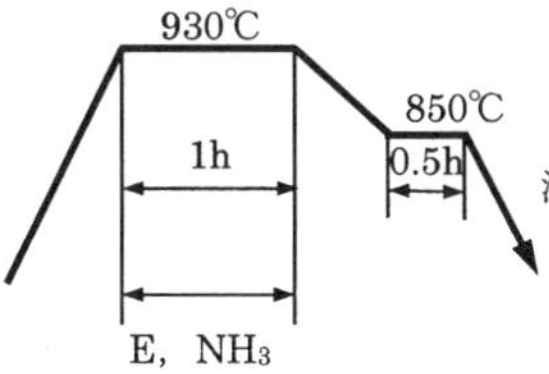

イ

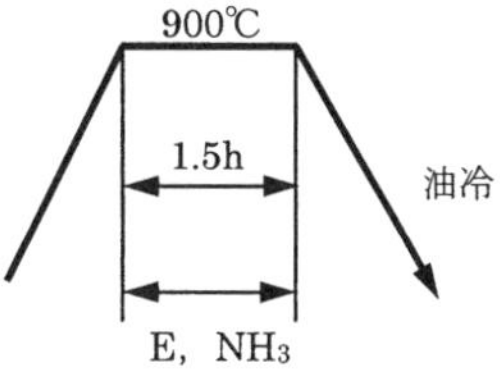

ロ

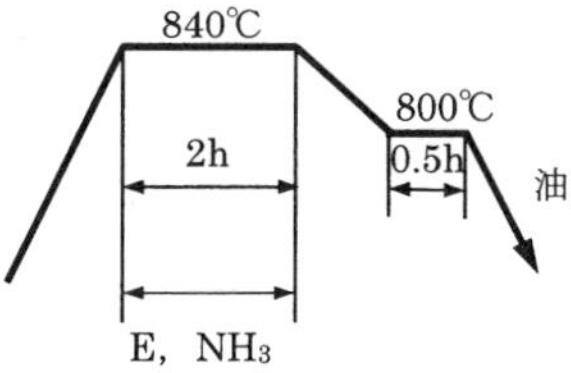

ハ

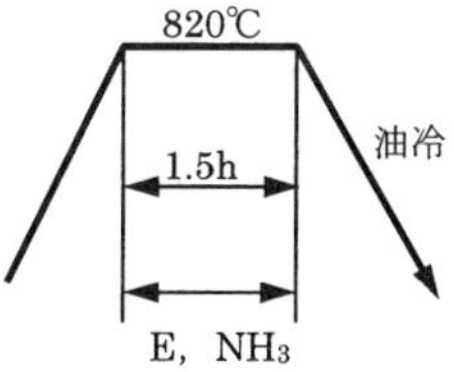

ニ

設問3　表面硬さの規格を満たす焼戻条件として、次のうち最も適切なものを一つ選びなさい。

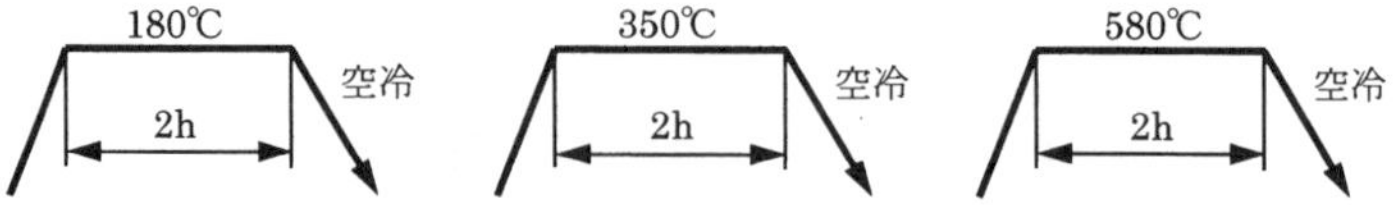

イ　　　　　ロ　　　　　ハ

設問4　ガス浸炭窒化処理作業に関する記述として、誤っているものを一つ選びなさい。

イ　設備はアンモニアが流量計を通して添加できる配管がある以外は、基本的にはガス浸炭炉とほぼ同じである。
ロ　処理部品は合金鋼の代わりに普通鋼の使用が可能となる。
ハ　窒素の侵入によって焼入変形が大きくなる。
ニ　アンモニア添加量は被処理品の総表面積に依存する。

設問5　ガス浸炭窒化焼入焼戻しにおける侵入窒素の影響に関する記述として、誤っているものを一つ選びなさい。

イ　表面硬さが低下することがある。
ロ　A_{C3}変態点が低下する。
ハ　焼入性が低下する。

問題3

下図の歯車をガス軟窒化する場合について、次の各設問に答えなさい。
なお、解答は解答用紙の解答欄に記号で記入すること。

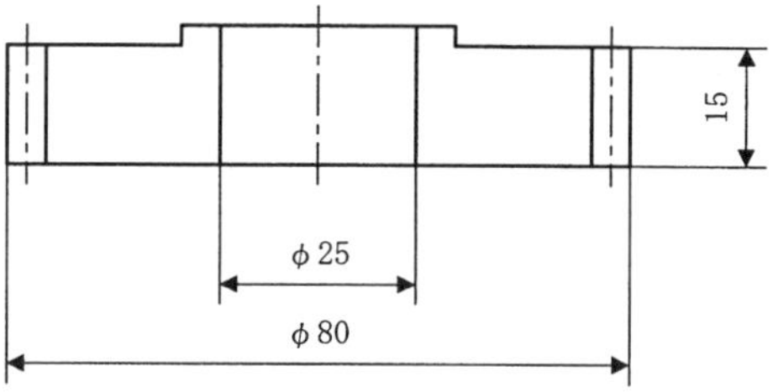

(単位：mm)

(注)1　鋼種：SCM435
　　2　調質後の表面硬さ：28～32HRC
　　3　化合物層深さ：12μm狙い
　　4　軟窒化後の指定表面硬さ：600HV以上

設問1　この部品のガス軟窒化の前処理として行う調質の処理条件として、最も適切なものを語群の中からそれぞれ一つずつ選びなさい。

語群

焼入温度 ℃	イ　900	ロ　850	ハ　800
焼戻温度 ℃	イ　600	ロ　500	ハ　400

設問2　この調質した部品を吸熱型変成ガスを使用してガス軟窒化処理する場合について、下図の処理条件の(a)～(d)に当てはまる語句として、最も適切なものを語群の中からそれぞれ一つずつ選びなさい。

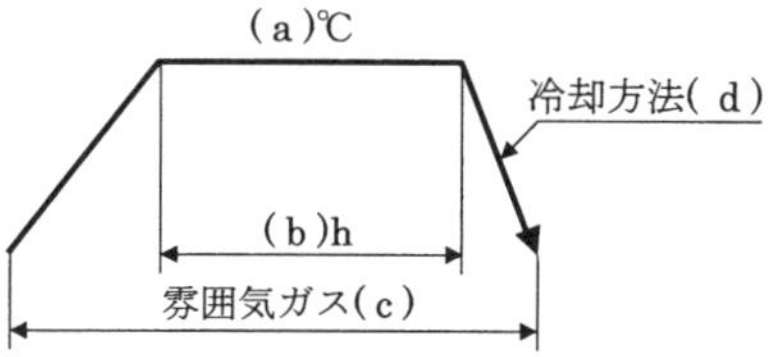

語群

(a)　温度（℃）	イ　770	ロ　670	ハ　570
(b)　時間（h）	イ　5	ロ　2.5	ハ　1
(c)　雰囲気ガス	イ　吸熱型変成ガス　＋　N_2 ロ　吸熱型変成ガス　＋　CO ハ　吸熱型変成ガス　＋　NH_3 ニ　吸熱型変成ガス　＋　H_2		
(d)　冷却方法	イ　油冷	ロ　空冷	ハ　炉冷

設問3　ガス軟窒化の雰囲気として吸熱型変成ガスを用いる場合、添加するガスとの混合割合として、最も標準的なものを一つ選びなさい。

イ　吸熱型変成ガス：添加ガス ＝ 20%：80%
ロ　吸熱型変成ガス：添加ガス ＝ 50%：50%
ハ　吸熱型変成ガス：添加ガス ＝ 80%：20%

設問4　下図は、ガス軟窒化した部品の表面近傍の断面の概念図である。図中の(ａ)及び(ｂ)に当てはまる層の名称として、最も適切なものを語群の中からそれぞれ一つずつ選びなさい。

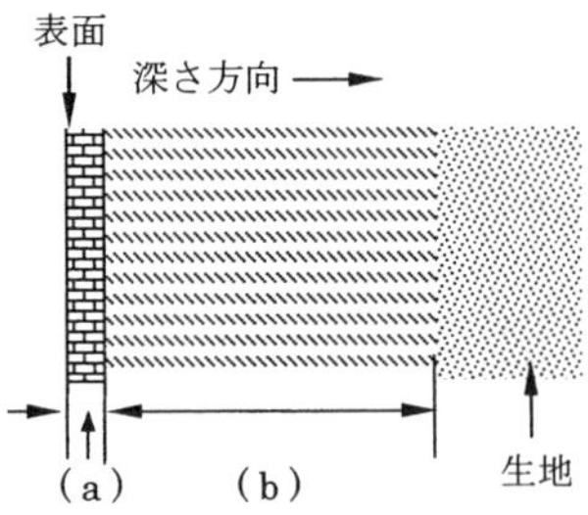

語群

イ　残留オーステナイト層	ロ　マルテンサイト層	ハ　拡散層
ニ　浸炭層	ホ　化合物層	ヘ　実用窒化層

問題4

ガス浸炭作業の炉の準備に関する次の文中の(　　)内に当てはまる語句として、最も適切なものを語群からそれぞれ一つずつ選びなさい。ただし、同じ記号は重複して使用しないこと。

また、解答は解答用紙の解答欄に記号で記入すること。

炉の準備

ガス浸炭炉に被処理品を装入する前に浸炭炉内の雰囲気を、被処理品を装入することができる状況に調整しておかなければならない。もちろん、連続操業している場合はその限りではない。被処理品を装入することができる状況に炉の雰囲気を調整することを(　①　)という。

長い間炉が(　②　)状態にあったり、あるいは(　③　)終了後の状態にあると、炉壁は大気と接触する。その結果大気中の(　④　)が炉内壁に吸着したり、レンガに含まれる鉄分(金属元素)などが(　⑤　)状態にあるものと考えられる。この状態にある炉を昇温し、(　⑥　)を通し、通常の作業標準で操業したとすると、ほとんどの場合、表面炭素量及び浸炭深さは目標値を(　⑦　)結果となる。

その理由は、炉壁と雰囲気との反応が無視できないほど影響しているからである。この反応が影響しないように事前に処置しておくことが大切である。(　①　)は一般には空炉の状態で、浸炭温度に昇温し(　⑥　)を流すと、時間の経過と共に雰囲気の(　⑧　)%や(　④　)は減少してくる。

語群

イ	酸化	ロ	CO	ハ	稼働	ニ	キャリアガス
ホ	バーンアウト	ヘ	満たす	ト	中性	チ	水分
リ	上回る	ヌ	エンリッチガス	ル	シーズニング	ヲ	還元
ワ	CO_2	カ	停止	ヨ	下回る	タ	スタートアップ

令和5年度 技能検定
1級 金属熱処理（浸炭・浸炭窒化・窒化処理作業）
実技試験（製作等作業試験）問題

1　試験時間

課　題	試験時間
〔課題1〕組織判定	5分
〔課題2〕有効硬化層深さ測定	硬さ試験機に自動換算機能が付いている場合※
	15分
	硬さ試験機に自動換算機能が付いていない場合※
	18分

※ 自動換算機能とは、硬さを自動で換算する機能のことをいう。

2　注意事項

(1) 試験実施日に、本試験問題を持参すること。

(2) 解答は、各課題の解答用紙の解答欄に、それぞれ記入すること。

(3) 解答用紙の各ページに、受検番号・氏名を記入すること。

(4) 課題の実施順序は、技能検定委員からの指示に従うこと。

(5) 各課題の終了ごとに、当該課題の解答用紙を切り離し、技能検定委員に提出すること。

(6) 試験用設備は、事前に整備をしてあります。

(7) 作業時の服装等は、安全性、かつ作業に適したものであること。
　なお、作業時の服装等が著しく不適切であり、受検者の安全管理上、重大なけが・事故につながる等試験を受けさせることが適切でないと技能検定委員が判断した場合、試験を中止(失格)とする場合がある。

(8) **この問題には、事前に書込みをしないこと。また、試験中に他の用紙にメモをしたものや参考書等を参照することは禁止する。**

(9) 試験中は、携帯電話、スマートフォン、ウェアラブル端末等の使用(電卓機能等の使用を含む。)を禁止とする。

(10) 試験用設備、試験用試料等の取扱い等について、そのまま継続すると試験用設備、試験用試料等の破損やけがを招くおそれがある危険な行為であると技能検定委員が判断した場合、試験中にその旨を注意することがある。
　さらに、当該注意を受けてもなお、危険な行為を続けた場合は、試験を中断し、技能検定委員全員が試験継続不可と判断した場合は、失格とする。ただし、緊急性を伴うと判断された場合は、注意を挟まず、即中止（失格）とすることがある。

〔課題1〕組織判定

注意事項に従って、与えられた試験片の組織を判定しなさい。

● 注意事項

(1) 金属顕微鏡は、焦点微調整以外は操作をしないこと。

(2) 試験片は、あらかじめ研磨、腐食をしてあります。

(3) 検鏡倍率は、400倍(又は500倍)としてあります。

〔課題2〕有効硬化層深さ測定

注意事項に従って、与えられた試験片の被検面について低試験力ビッカース硬さ試験を行い、限界硬さ近傍の硬さ推移曲線を作成して、有効硬化層深さを求めなさい。

● 注意事項

(1) 試験片は、浸炭焼入焼戻しした後、仕上げ研磨をしてあります。

(2) 硬さ試験機(低試験力ビッカース硬さ試験)※の試験力は、2.942N(300gf)です。
(※機種や仕様については、事前に公表されます。)

(3) 有効硬化層深さは、日本産業規格(JIS)において示されている限界硬さまでとします。

1級 金属熱処理(浸炭・浸炭窒化・窒化処理作業) 実技試験 使用工具等一覧表

1 受検者が持参するもの

品 名	寸法又は規格	数 量	備 考
作業服等	作業時の服装等は、作業に適したものであること。 ただし、次のものは着用しないこと。 ・短パン、スカート ・ハイヒール ・つま先又はかかとが露出している履き物（サンダル等)	一式	
筆記用具		一式	

2 試験場に準備してあるもの

(数量欄の数字で特にことわりのないものは、受検者1人当たりの数量を示す。)

区 分	品 名	数 量	備 考
〔課題1〕 組織判定	組織判定用試験片	1	
	金属顕微鏡	1式	接眼鏡を通して判定ができるもの（接眼鏡でなくモニターで判定することは不可）。
〔課題2〕 有効硬化層深さ測定	有効硬化層深さ測定用試験片	1	
	硬さ試験機 (低試験力ビッカース硬さ試験)	1式	自動換算機能が付いていない場合は、換算表が別に準備されている。
	直定規	1	

実技試験（計画立案等作業試験）について

1　試験実施日

令和5年8月20日(日)

2　試験時間

60分

3　問題の概要

作業条件の設定、作業段取り、設備の調整等について行う。

4　持参用具等

品　名	寸法又は規格	数量	備　考
筆記用具等	鉛筆、消しゴム等	一式	

5　その他

試験中は、携帯電話、スマートフォン、ウェアラブル端末等の使用(電卓機能の使用を含む。)は禁止とする。

令和 5 年度 技能検定
1 級 金属熱処理(浸炭・浸炭窒化・窒化処理作業)
実技試験(計画立案等作業試験)問題

1 試験時間

60 分

2 注意事項

（1） 係員の指示があるまで、この表紙はあけないでください。

（2） 解答用紙に、受検番号及び氏名を必ず記入してください。

（3） 係員の指示に従って、この試験問題が表紙を含めて 12 ページであることを確認してください。それらに異常がある場合は、黙って手を挙げてください。

（4） 試験開始の合図で始めてください。

（5） 解答は、解答用紙の解答欄に記入してください。
なお、要求している解答以外は記入しないでください。

（6） 試験中は、携帯電話、スマートフォン、ウェアラブル端末等の使用(電卓機能の使用を含む。)を禁止とします。

（7） 試験中、質問があるときは、黙って手を挙げてください。ただし、試験問題の内容、漢字の読み方等に関する質問にはお答えできません。

（8） 試験終了時刻前に解答ができあがった場合は、黙って手を挙げて、係員の指示に従ってください。

（9） 試験中に手洗いに立ちたいときは、黙って手を挙げて、係員の指示に従ってください。

（10） 試験終了の合図があったら、筆記用具を置き、係員の指示に従ってください。

（11） 試験終了後、解答用紙を提出してください。

（12） 計算等は、問題用紙の余白又は解答用紙の裏面を使用して行ってください。

3 試験に使用できる用具等一覧

品　名	寸法又は規格	数量	備　考
筆記用具等	鉛筆、消しゴム等	一式	

問題 1

下図に示す歯車付シャフト部品をガス浸炭焼入焼戻しする場合について、次の各設問に答えなさい。なお、解答は解答用紙の解答欄に記号で記入すること。

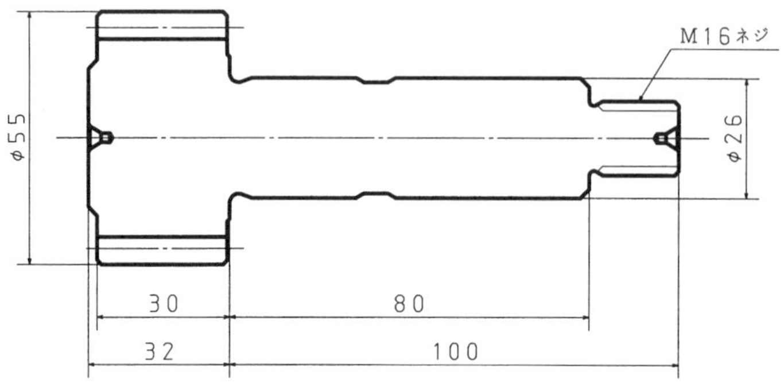

(単位:mm)

(注)　1　鋼種：SCM822H
　　　2　表面硬さ：60～64HRC
　　　3　全硬化層深さ狙い値：1.0mm（ピッチ円上）
　　　4　ネジ部は浸炭防止のこと
　　　5　キャリアガス：ブタンガス変成吸熱型ガス
　　　6　ひずみは極力低減させる。

設問1　歯車製造工程中の［ A ］～［ E ］内に当てはまる語句として、最も適切なものを語群からそれぞれ一つずつ選びなさい。ただし、同じ記号は重複して使用しないこと。

〔製造工程〕

［ 鍛造 ］→［ A ］→［ 旋削、歯切り加工 ］→［ B ］→

→［ C ］→［ D ］→［ 洗浄 ］→［ E ］→［ 研削加工 ］

語群

ア	低温焼戻し	イ	高温焼戻し	ウ	浸炭防止処理
エ	浸炭焼入れ	オ	洗浄	カ	焼ならし
キ	焼入焼戻し	ク	完全焼なまし		

設問2　ガス浸炭焼入れの熱処理線図中に示す（A)～(F）内に当てはまる数値として、最も適切なものを語群からそれぞれ一つずつ選びなさい。

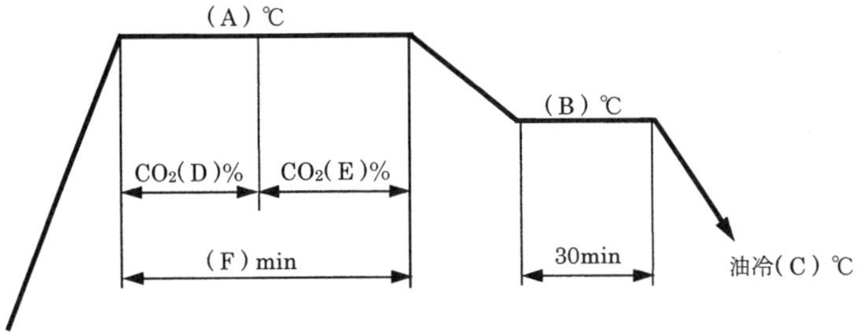

語群

温度 (A)、(B)、(C)	ア　60　イ　120　ウ　300　エ　750　オ　800 カ　850　キ　880　ク　930　ケ　980
濃度 (D)、(E)	ア　0.11　イ　0.14　ウ　0.18　エ　0.23　オ　0.27
時間 (F)	ア　80　イ　130　ウ　180　エ　230

設問3　浸炭焼入焼戻し後の浸炭表面層の顕微鏡組織として、適切なものを一つ選びなさい。
ア　焼戻マルテンサイト＋微細パーライト
イ　焼戻マルテンサイト＋フェライト
ウ　焼戻マルテンサイト＋残留オーステナイト
エ　焼戻マルテンサイト＋炭化物

設問4　浸炭焼入焼戻し後の浸炭防止部の硬さ(HV)の数値として、次のうち最も適切なものを一つ選びなさい。
ア　196～238
イ　238～302
ウ　345～446
エ　513～697

問題2

下図に示すシャフト部品をガス軟窒化する場合、次の各設問に答えなさい。なお、解答は解答用紙の解答欄に記号で記入すること。

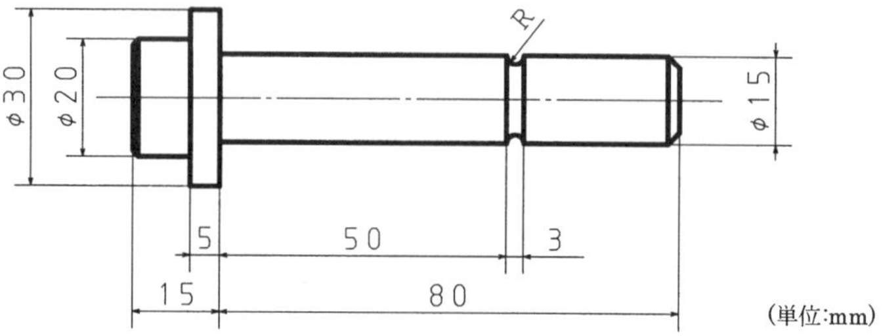

（注） 1　鋼種：SCM435
2　化合物層深さ狙い：10μm
3　疲労強度を重視する
4　前処理：焼入焼戻し

設問1　ガス軟窒化の熱処理線図中の(　　)内に当てはまる語句として、最も適切なものを語群からそれぞれ一つずつ選びなさい。

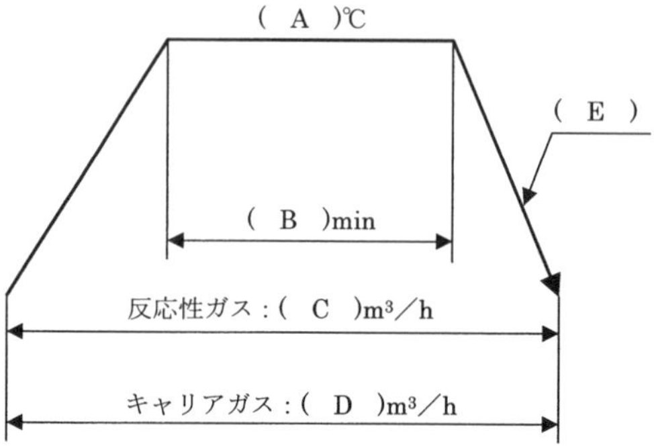

語群

温度 (A)	ア　520	イ　570	ウ　620	エ　670
時間 (B)	ア　30	イ　60	ウ　120	エ　200
ガス流量 (C, D)	ア　二酸化炭素 10 ウ　ブタン 1 オ　吸熱型変成ガス 10		イ　アンモニア 10 エ　水素 1 カ　窒素 1	
冷却方法 (E)	ア　ガス冷	イ　空冷	ウ　油冷	

設問2　化合物層の表面硬さ試験方法として、適切でないものを一つ選びなさい。

ア　ショア硬さ試験方法
イ　ビッカース硬さ試験方法
ウ　ブリネル硬さ試験方法
エ　ロックウェルスーパーフィシャル硬さ試験方法

設問3　本部品の拡散層の最高硬さとして、次のうち最も適切なものを一つ選びなさい。

ア　350～450 HV
イ　550～650 HV
ウ　750～850 HV
エ　950～1050 HV

設問4　以下の3種類の鋼種を同一条件でガス軟窒化した場合、表面硬さの高い順に並べたものとして、次のうち最も適切なものを一つ選びなさい。

ア　SCM435　＞　SACM645　＞　S45C
イ　SACM645　＞　S45C　＞　SCM435
ウ　S45C　＞　SCM435　＞　SACM645
エ　SACM645　＞　SCM435　＞　S45C

問題3

ガス浸炭窒化焼入焼戻しの特性を示した次の文中の(　　)内に当てはまる最も適切な語句を、語群からそれぞれ一つずつ選びなさい。なお、解答は解答用紙の解答欄に記号で記入すること。ただし、同じ記号は重複して使用しないこと。

ガス浸炭窒化焼入焼戻しは、浸炭性雰囲気に(　①　)を添加して行われるのが一般的である。また、滴注浸炭窒化の場合、メタノールに(　②　)などを添加した滴下液が使用される場合がある。この様な方法で、ガス浸炭窒化焼入焼戻しでは、鋼の表面から(　③　)と(　④　)を侵入させ、その後、焼入れによって表面層を硬化することができる。ガス浸炭窒化焼入焼戻しの利点は、(　④　)によって(　⑤　)が低下することから、(　⑥　)が良くなることである。ただし、ガス浸炭窒化焼入焼戻しでは、処理後の硬化層の表面組織に(　⑦　)が発生しやすい。処理に際しては、添加する(　①　)の量が多過ぎると硬化層表面近傍に(　⑧　)が発生することがあるので、(　①　)添加量は(　⑨　)%以下が望ましい。

語群

ア	5	イ	15	ウ	25	エ	窒素
オ	尿素	カ	炭素	キ	酸素	ク	炭化水素ガス
ケ	アンモニアガス	コ	アセトン	サ	A_1変態点	シ	A_3変態点
ス	A_{cm}変態点	セ	ボイド	ソ	フェライト	タ	残留オーステナイト
チ	脱炭	ツ	浸炭性	テ	窒化性	ト	焼入性

問題 4

下図は、標準的な吸熱型ガス変成炉の配管系統図である。次の各設問に答えなさい。なお、解答は、解答用紙の解答欄に記号で記入すること。

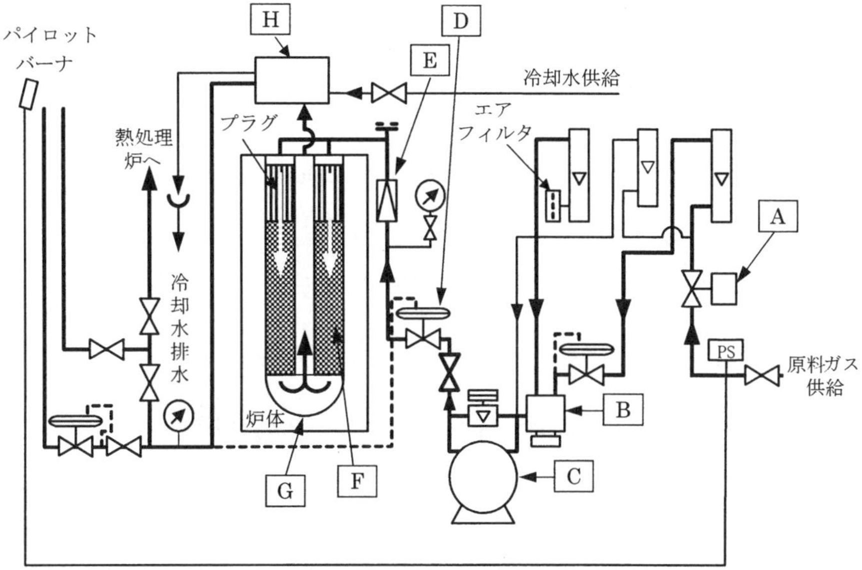

設問 1　図中の A～H の名称として、最も適切なものを語群からそれぞれ一つずつ選びなさい。ただし、同じ記号を重複して使用しないこと。

語群

ア　ポンプ(ブロワ)	イ　ニッケル触媒	ウ　ガス混合器
エ　ガス流量計	オ　レトルト	カ　ガスクーラ
キ　ガス圧力計	ク　バイパス弁	ケ　一次圧力調整弁
コ　逆火防止弁	サ　ガス安全遮断弁	シ　リリーフ弁

設問 2　吸熱型変成ガスのガス変成温度として、次のうち最も適切なものを一つ選びなさい。

ア　850 ～ 900℃
イ　950 ～1000℃
ウ　1050 ～1100℃
エ　1150 ～1200℃

設問 3　吸熱型ガス変成炉における次の変成ガス反応式中の(A)～(D)内に当てはまる数値として、最も適切なものを語群からそれぞれ一つずつ選びなさい。

$$ブタンガス+(A)\ [空気(1/5O_2+4/5N_2)] = (B)\ CO+(C)\ H_2+(D)\ N_2$$

語群

ア　2.5	イ　3	ウ　4	エ　5
オ　6	カ　7.5	キ　8	ク　10

設問 4　設問 3 で得られる吸熱型変成ガス中の CO 濃度として、次のうち最も適切なものを一つ選びなさい。

ア　約 20%
イ　約 23%
ウ　約 33%
エ　約 50%

設問 5　吸熱型ガス変成炉内でスーティングを起こすことがあるが、この現象の反応式として、次のうち最も適切なものを一つ選びなさい。

ア　$CO_2+CH_4 = 2CO+2H_2$
イ　$CO+H_2O = CO_2+H_2$
ウ　$NH_3 = 1/2N_2+3/2H_2$
エ　$CH_4 = C+2H_2$

問題5

下表は、各鋼種における熱処理、加熱温度、冷却及び顕微鏡組織を示している。表中の(　　)内に当てはまる語句として、最も適切なものを語群からそれぞれ一つずつ選びなさい。なお、解答は解答用紙の解答欄に記号で記入すること。ただし、同じ記号は重複して使用しないこと。

鋼種	熱処理	加熱温度(℃)	冷却	顕微鏡組織
S45C	焼入れ	850	水冷	(①)
SCM420	焼ならし	920	空冷	(②)
SUS304	固溶化熱処理	1100	水冷	(③)
SK120	焼入れ	1100	油冷	(④)
SKD11	焼入れ	1030	空冷	(⑤)

顕微鏡組織　語群

ア　ソルバイト
イ　フェライト
ウ　オーステナイト
エ　ベイナイト
オ　マルテンサイト
カ　フェライト＋パーライト
キ　フェライト＋マルテンサイト
ク　マルテンサイト＋未固溶炭化物
ケ　セメンタイト＋パーライト
コ　マルテンサイト＋残留オーステナイト

問題6

次の各設問に答えなさい。ただし、設問1及び設問2の解答は、解答用紙の解答欄に記号で記入すること。また、設問4の解答は、解答用紙の解答欄に数値で記入すること。

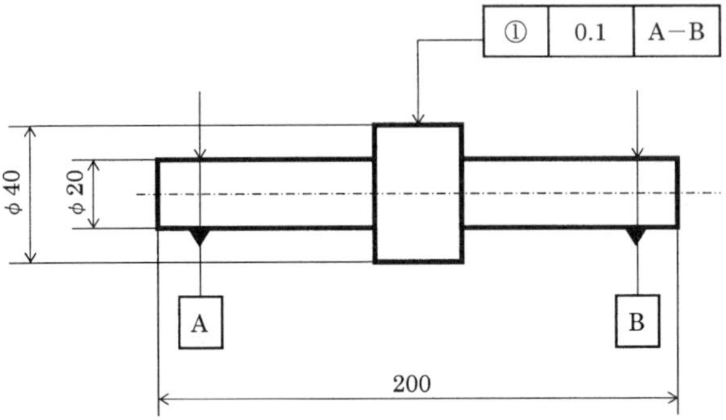

単位：mm

設問1　上図の①に当てはまる幾何特性である「円周振れ」の記号を、語群から選びなさい。

語群

ア ○	イ ↗	ウ ◎

設問2　文中の(　　)内に当てはまる語句として最も適切なものを、語群からそれぞれ一つずつ選びなさい。

日本産業規格(JIS)では、上図に示す幾何公差について「実際の円周振れは、共通データム軸直線A−Bのまわりに（　①　）させる間に、任意の横断面において0.1mm(　②　)でなければならない。」と規定している。

語群

ア　半回転	イ　1回転	ウ　2回転以上	エ　以下
オ　の1／2以下	カ　の2倍以下		

設問3　図に示す幾何公差を測定する際、Vブロック、定盤及び写真1の器具を使用した。写真1の器具の名称「(　　)ゲージ」において、(　　)内に当てはまるものを記入しなさい。ただし、解答はカタカナとし、名称は日本産業規格(JIS)に規定されたものとする。

写真 1

設問4　次の写真A～Dは、図に示した幾何公差を計測した際のゲージ目盛値を含む写真である。これを基に図中の幾何公差を求めなさい。ただし、単位はmmとし、解答値は小数第3位を四捨五入して小数第2位までの数値で解答すること。

写真 A

写真 B

写真 C

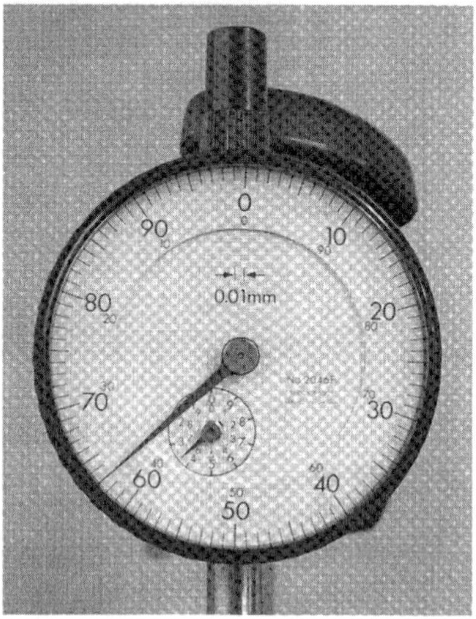

写真 D

令和４年度 技能検定
１級 金属熱処理（浸炭・浸炭窒化・窒化処理作業）
実技試験（計画立案等作業試験）問題

1 試験時間

60分

2 注意事項

（1） 係員の指示があるまで、この表紙はあけないでください。

（2） 解答用紙に、受検番号及び氏名を必ず記入してください。

（3） 係員の指示に従って、この試験問題が表紙を含めて 12 ページであることを確認してください。それらに異常がある場合は、黙って手を挙げてください。

（4） 試験開始の合図で始めてください。

（5） 解答は、解答用紙の解答欄に記入してください。
なお、要求している解答以外は記入しないでください。

（6） 試験中は、携帯電話、スマートフォン、ウェアラブル端末等の使用(電卓機能の使用を含む。)を禁止とします。

（7） 試験中、質問があるときは、黙って手を挙げてください。ただし、試験問題の内容、漢字の読み方等に関する質問にはお答えできません。

（8） 試験終了時刻前に解答ができあがった場合は、黙って手を挙げて、係員の指示に従ってください。

（9） 試験中に手洗いに立ちたいときは、黙って手を挙げて、係員の指示に従ってください。

（10） 試験終了の合図があったら、筆記用具を置き、係員の指示に従ってください。

（11） 試験終了後、解答用紙を提出してください。

（12） 計算等は、問題用紙の余白又は解答用紙の裏面を使用して行ってください。

3 試験に使用できる用具等一覧

品　名	寸法又は規格	数量	備　　考
筆記用具等	鉛筆、消しゴム等	一式	

問題1

下図に示す歯車をガス浸炭焼入焼戻しする場合、次の各設問に答えなさい。ただし、解答は解答用紙の解答欄に記号で記入すること。

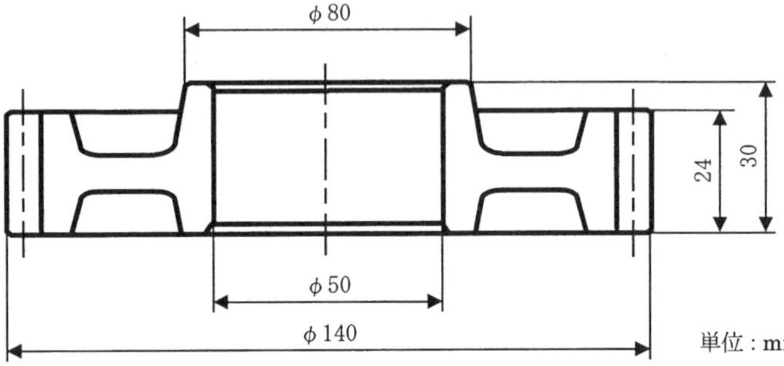

単位 : mm

（注） 1 鋼種 : SCM420H

2 表面硬さ : 58～64HRC

3 歯面の全硬化層深さ : 1.2mm 狙い

4 目標表面炭素量 : 0.8%

設問1 プロパン(C_3H_8)変成の吸熱型変成ガスをキャリアガスとして用いる場合、キャリアガスを約39 m^3／h発生させるのに必要な原料のプロパンガス流量として、最も適切なものを一つ選びなさい。

ア 1 m^3／h
イ 2 m^3／h
ウ 3 m^3／h
エ 4 m^3／h

設問2　次に示すガス浸炭焼入焼戻しの熱処理線図の(　A　)～(　E　)内に当てはまる語句として、最も適切なものを語群からそれぞれ一つずつ選びなさい。

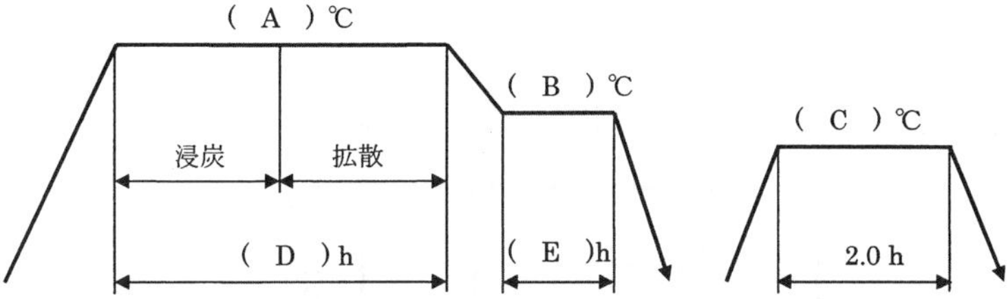

語群

ア	0.5	イ	1.0	ウ	1.5	エ	2.5	オ	3.5	カ	120	キ	160
ク	220	ケ	780	コ	830	サ	880	シ	900	ス	930	セ	980

設問3　浸炭期における目標カーボンポテンシャルを1.1 %とし、炉内雰囲気をCO_2で制御する場合のCO_2濃度として、適切なものを一つ選びなさい。

ア　0.08～0.10 %
イ　0.13～0.15 %
ウ　0.20～0.22 %
エ　0.24～0.26 %

設問4　焼入変形を考慮した場合の油温として、最も適切なものを一つ選びなさい。

ア　60℃
イ　100℃
ウ　160℃
エ　250℃

設問5　浸炭焼入焼戻し後の表面硬さが60HRCであった。予想される表面の顕微鏡組織として、適切なものを一つ選びなさい。

ア　焼戻マルテンサイト＋ベイナイト
イ　焼戻マルテンサイト＋フェライト
ウ　焼戻マルテンサイト＋セメンタイト
エ　焼戻マルテンサイト＋残留オーステナイト

問題 2

下図に示す金型をガス窒化する場合、次の各設問に答えなさい。ただし、解答は解答用紙の解答欄に記号で記入すること。

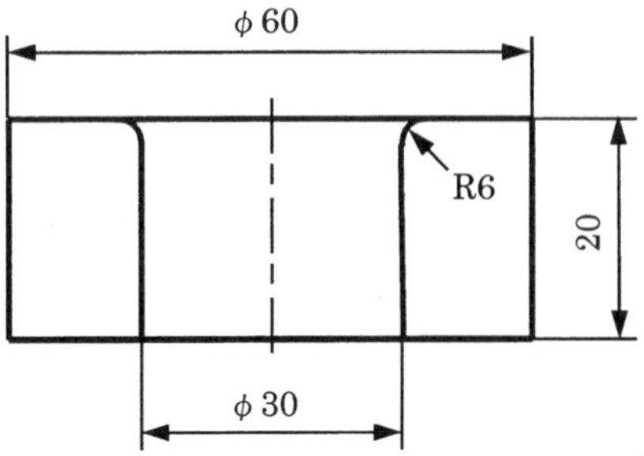

単位：mm

(注) 1 鋼種：SKD61
2 前熱処理後の硬さ：45HRC以上
3 窒化層深さ：0.06〜0.10mm
4 表面硬さ：900HV以上

設問1 窒化前熱処理で焼入焼戻しする場合の焼入加熱温度、焼戻加熱温度として適切なものを、語群からそれぞれ一つずつ選びなさい。

語群

焼入加熱温度	ア 920℃	イ 970℃	ウ 1020℃
焼戻加熱温度	ア 180℃	イ 420℃	ウ 550℃

設問2 ガス窒化の加熱温度と保持時間として適切なものを、語群からそれぞれ一つずつ選びなさい。

語群

加熱温度	ア 480℃	イ 530℃	ウ 600℃
保持時間	ア 1h	イ 3h	ウ 7h

設問3　ガス窒化において、アンモニア流量を調節する目安となる解離度を一つ選びなさい。
ア　約10 %
イ　約20 %
ウ　約40 %
エ　約60 %

設問4　ガス窒化処理後の部品表面の硬さむらの原因として、最も適切なものを一つ選びなさい。
ア　窒化終了時に徐冷した。
イ　窒化処理中に処理温度が低下した。
ウ　窒化処理中にアンモニアガス流量が変動し、解離度が低くなってしまった。
エ　窒化処理前の脱脂洗浄が不十分であった。

問題 3

下図に示す連続ガス浸炭炉について、次の各設問に答えなさい。

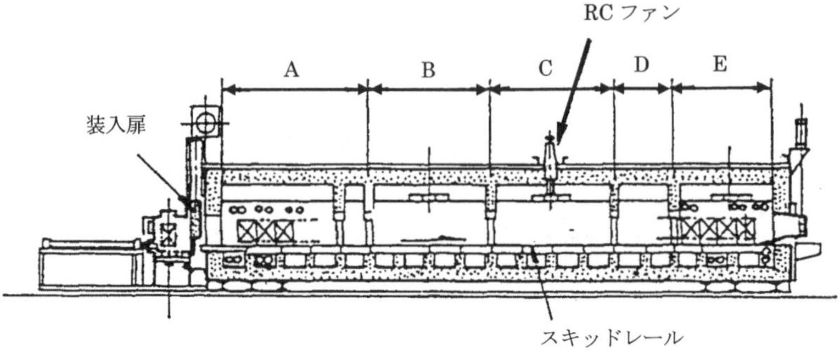

図　連続ガス浸炭炉

設問1　図中のA～Eの名称として次のうち適切なものを、それぞれ一つずつ選びなさい。ただし、解答は解答用紙の解答欄に記号で記入すること。

ア　浸炭帯
イ　均熱帯(焼入帯)
ウ　拡散帯
エ　昇温帯
オ　降温帯

設問2　連続ガス浸炭炉の操業中に、炉内でのトレイ搬送不具合が発生し、炉を停止することになった。浸炭炉でのトラブルに関する次の文中の(　　)内に当てはまる語句を、語群からそれぞれ一つずつ選び解答用紙の解答欄に記号で記入しなさい。ただし、炉の停止作業は安全最優先で行い、処理材料については炉の停止後に廃却処理するものとする。

まず雰囲気ガスの送入を遮断し、炉内に充満したガスを完全に燃焼する必要がある。可燃性ガスの爆発限界(空気中容積)は、それぞれCOガス：(　①　)～(　②　)、ブタンガス：(　③　)～(　④　)であり、浸炭炉のような密閉空間において、COガスの引火点であるおおよそ(　⑤　)以下、空気、着火源の三条件がそろえば、異常燃焼(爆発)する危険性がある。そのため、以下のⅠ～Ⅲの手順で炉を停止させることが一般的である。

Ⅰ　加熱室温度は(　⑥　)まで降温する。
Ⅱ　(　⑦　)の供給を止める。ただし、(　⑧　)は点火しておく。
Ⅲ　入口扉及び出口扉を開け、(　⑦　)を(　⑨　)させる。

語群

①	ア 12.5vol%	イ 22.5 vol%	ウ 32.5 vol%	エ 42.5 vol%
②	ア 44.0 vol%	イ 54.0 vol%	ウ 64.0 vol%	エ 74.0 vol%
③	ア 1.9 vol%	イ 3.9 vol%	ウ 5.9 vol%	エ 7.9 vol%
④	ア 3.5 vol%	イ 8.5 vol%	ウ 13.5 vol%	エ 18.5 vol%
⑤	ア 500 ℃	イ 600 ℃	ウ 700 ℃	エ 800 ℃
⑥	ア 550 ℃	イ 650 ℃	ウ 750 ℃	エ 850 ℃
⑦	ア 電気	イ 空気	ウ 雰囲気ガス	エ 冷却水
⑧	ア レキュペレータ	イ カーテンバーナ	ウ パイロットバーナ	エ リングバーナ
⑨	ア 排出	イ 燃焼	ウ 置換	エ 停止

問題4

写真①及び②は、ガス浸炭焼入焼戻しを行った鋼種SCM420Hの試験片表面の顕微鏡組織である。文中の(　A　)~(　J　)内に当てはまる語句として、適切なものを語群からそれぞれ一つずつ選びなさい。ただし、解答は解答用紙の解答欄に記号で記入すること。

(1)　写真①の表面から内部方向に伸びている黒いひげのようなものが粒界酸化である。粒界酸化は、雰囲気ガス中の酸素、(　A　)及び(　B　)と鋼が反応することによって起こる。すなわち、結晶粒界近傍の合金元素のうち、酸素との(　C　)の強い合金元素の(　D　)や(　E　)が結晶粒界中に拡散した酸素と優先的に結合し、結晶粒界に沿って酸化物が形成される。これが粒界酸化である。

(2)　写真②の表面近傍の黒い部分は、不完全焼入組織(異常層)であり、この組織は、(　F　)や(　G　)と考えられている。また、不完全焼入組織の発生は、粒界酸化と同様に合金元素の酸化に起因する。

(3)　雰囲気ガス中の(　H　)分圧を下げることや(　I　)比などを上げることにより、粒界酸化や不完全焼入組織の発生をある程度軽減できる。また、これらを生じにくくさせる方法として、(　J　)法などの浸炭方法がある。

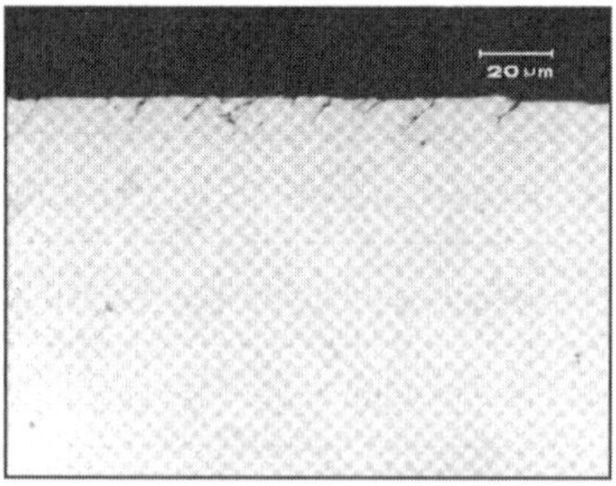

写真①　ノーエッチング

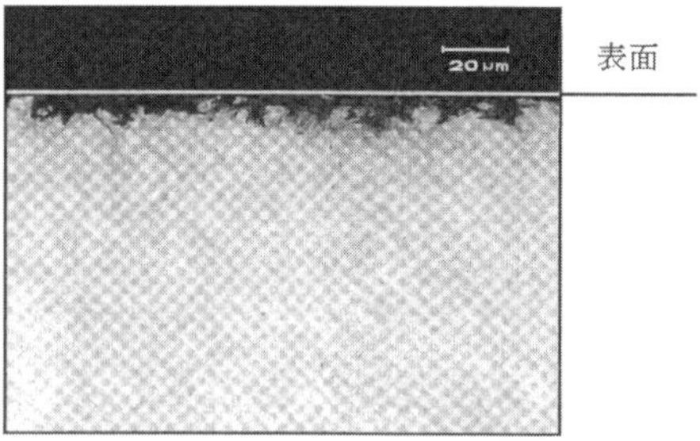

写真②　5%ナイタルエッチング

ガス浸炭焼入焼戻しを行った鋼種SCM420Hの試験片表面の顕微鏡組織

語群

A・B	ア　CO	イ　CO_2	ウ　H_2	エ　H_2O
C	ア　親和力	イ　浸炭力	ウ　還元力	エ　吸着力
D・E	ア　Ni	イ　Mn	ウ　Mo	エ　Cr
F・G	ア　ベイナイト	イ　微細パーライト(トルースタイト)	ウ　オーステナイト	エ　セメンタイト
H	ア　H_2	イ　CO	ウ　O_2	エ　N_2
I	ア　H_2/CO	イ　H_2/H_2O	ウ　$CO/(CO_2)^2$	エ　$(CO)^2/CO_2$
J	ア　固体浸炭	イ　液体浸炭	ウ　滴注浸炭	エ　減圧(真空)浸炭

問題 5

下表は、各鋼種における熱処理、加熱温度、冷却方法及び顕微鏡組織を示している。表中の（　）内に当てはまる語句として最も適切なものを、語群からそれぞれ一つずつ選びなさい。ただし、解答は解答用紙の解答欄に記号で記入すること。

なお、同じ記号は重複して使用しないこと。

鋼種	熱処理	加熱温度（℃）	冷却方法	顕微鏡組織
SK85	焼入れ	800	水冷	（ ① ）
S45C	完全焼なまし	810	炉冷	（ ② ）
SCM440	調質	850/600	油冷／急冷	（ ③ ）
SUS316	固溶化熱処理	1100	水冷	（ ④ ）
S45C	焼入れ	750	水冷	（ ⑤ ）

語群

ア　マルテンサイト＋初析セメンタイト
イ　マルテンサイト＋残留オーステナイト
ウ　マルテンサイト＋少量の未固溶炭化物
エ　マルテンサイト＋フェライト
オ　フェライト＋パーライト
カ　フェライト＋球状セメンタイト
キ　ベイナイト
ク　ソルバイト
ケ　オーステナイト
コ　マルテンサイト

問題6

図1に示すリング形状部品の内径寸法を測定する場合について、次の各設問に答えなさい。ただし、解答は解答用紙の解答欄に記入すること。

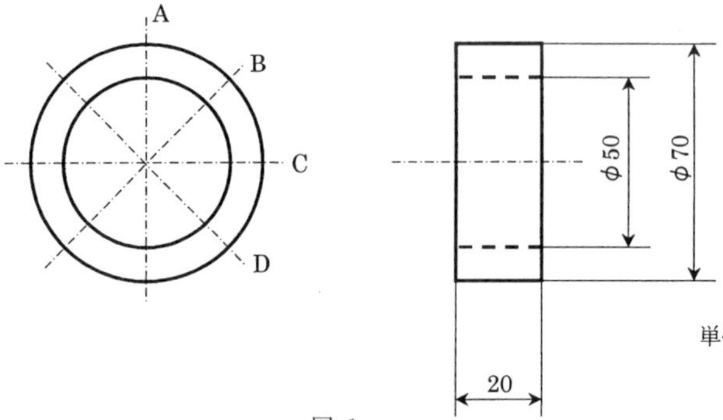

単位：mm

図 1

設問1　当該部品の内径を写真1に示す機器で測定した。この機器について日本産業規格(JIS)に定められた名称を記入しなさい。ただし、名称はカタカナ3文字とする。

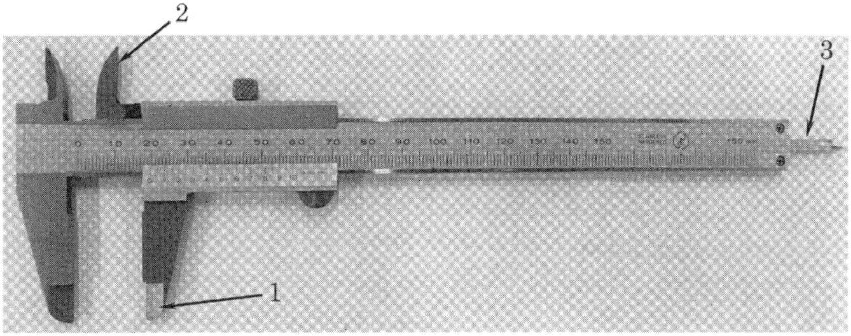

写真 1

設問2　写真1に示す機器で当該部品の内径を測定する場合に使用する部位を、写真中の番号1～3の中から一つ選びなさい。

設問3　提示された写真A～Dは、図1のφ50部の内径4か所A～Dを計測した際の目盛値を含む写真である。これを基に、次の①～③に答えなさい。ただし、単位はmmとし、②及び③の解答値は小数第2位までを0.05mmごとの値で解答すること。

①　内径が最大となる箇所の写真を選びなさい。

②　内径が最大となる箇所の写真における内径値を記入しなさい。

③　写真A～Dの測定結果より最大値と最小値の差を記入しなさい。

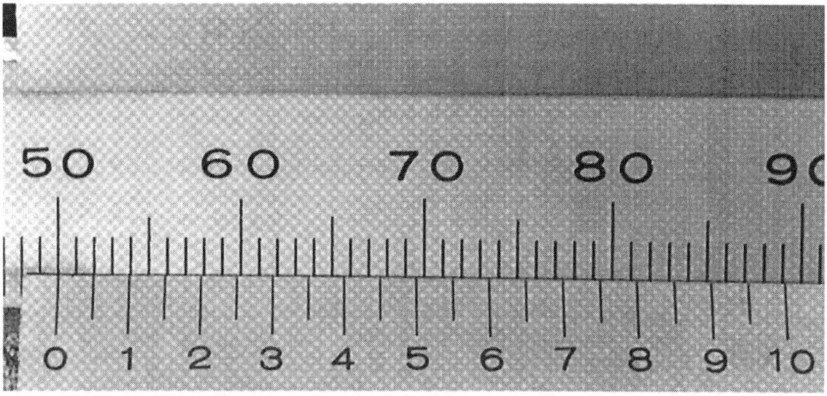

写真 A

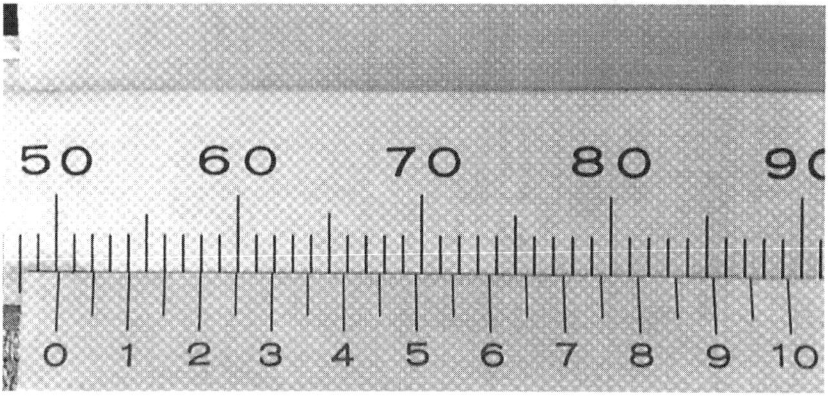

写真 B

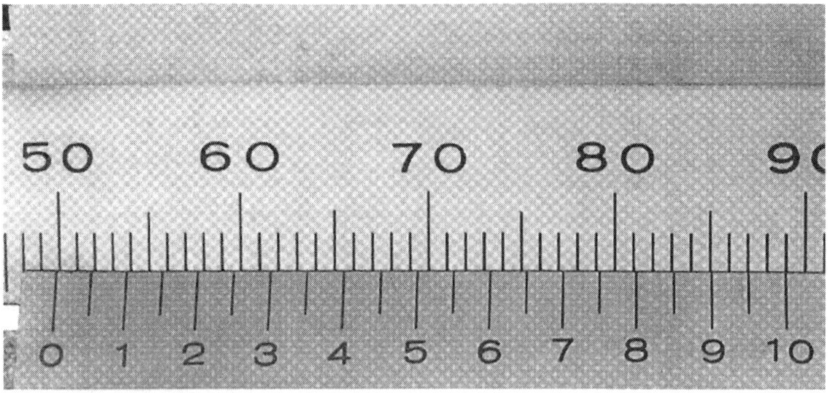

写真 C

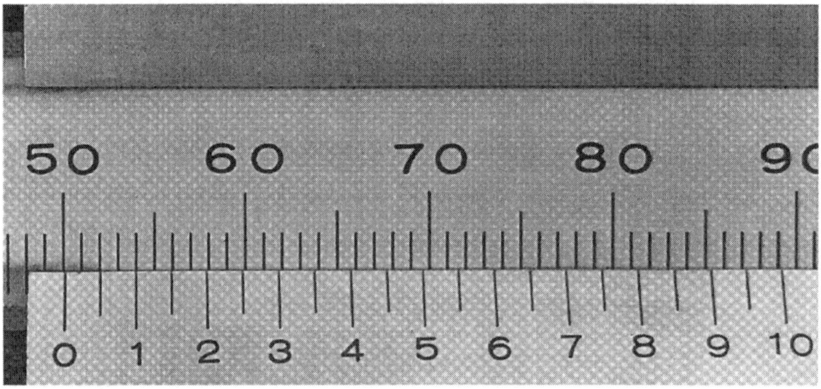

写真 D

令和３年度 技能検定
１級 金属熱処理（浸炭・浸炭窒化・窒化処理作業）
実技試験（計画立案等作業試験）問題

1 試験時間

60 分

2 注意事項

（1） 係員の指示があるまで、この表紙はあけないでください。

（2） 解答用紙に、受検番号及び氏名を必ず記入してください。

（3） 係員の指示に従って、この試験問題が表紙を含めて 13 ページであることを確認してください。それらに異常がある場合は、黙って手を挙げてください。

（4） 試験開始の合図で始めてください。

（5） 解答は、解答用紙の解答欄に記入してください。
なお、要求している解答以外は記入しないでください。

（6） 試験中は、携帯電話、スマートフォン、ウェアラブル端末等の使用（電卓機能の使用を含む。）を禁止とします。

（7） 試験中、質問があるときは、黙って手を挙げてください。ただし、試験問題の内容、漢字の読み方等に関する質問にはお答えできません。

（8） 試験終了時刻前に解答ができあがった場合は、黙って手を挙げて、係員の指示に従ってください。

（9） 試験中に手洗いに立ちたいときは、黙って手を挙げて、係員の指示に従ってください。

（10） 試験終了の合図があったら、筆記用具を置き、係員の指示に従ってください。

（11） 試験終了後、解答用紙を提出してください。

（12） 計算等は、問題用紙の余白又は解答用紙の裏面を使用して行ってください。

3 試験に使用できる用具等一覧

品　名	寸法又は規格	数量	備　考
筆記用具等	鉛筆、消しゴム等	一式	

問題 1

次の断面図の歯車をガス浸炭焼入焼戻しする場合について、次の各設問に答えなさい。ただし、解答は解答用紙の解答欄に記号で記入すること。

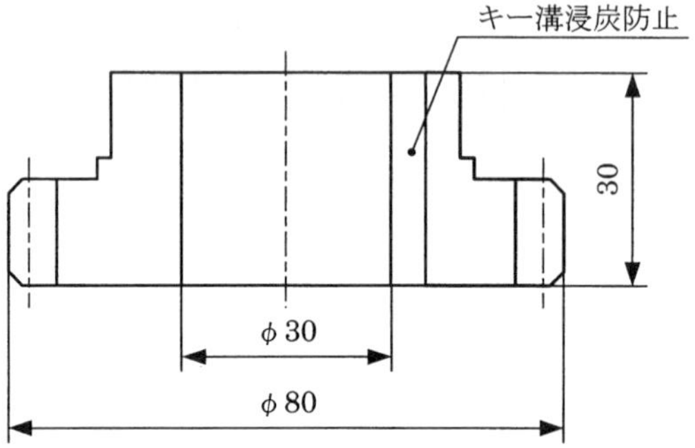

(単位:mm)

(注) 1 鋼種：SCM822H
2 表面硬さ：60～64HRC
3 全硬化層深さ狙い値：0.9mm（ピッチ円上）
4 キャリアガス：C_4H_{10}変成吸熱型ガス
5 ひずみは、極力低減させる。

設問1 SCM822H材の特徴として、誤っているものを一つ選びなさい。

イ SCM420H材より焼入性がよい。
ロ キルド鋼である。
ハ 合金成分範囲はSCM822材より狭い。
ニ CrとMoの含有量は、それぞれ0.85～1.25%と0.35～0.45%である。

設問2 歯車製造工程中の［ A ］～［ E ］に当てはまる語句として、最も適切なものを語群からそれぞれ一つずつ選びなさい。ただし、同じ記号は重複して使用しないこと。

［ 製造工程 ］

［ 鍛造 ］→［ A ］→［ 旋削、歯切り加工 ］→［ 洗浄 ］→

→［ B ］→［ C ］→［ D ］→［ E ］→［ 研削加工 ］

語群

イ	洗浄	ロ	焼入焼戻し	ハ	浸炭防止処理
ニ	浸炭	ホ	浸炭焼入れ	ヘ	焼ならし
ト	高温焼戻し	チ	完全焼なまし	リ	低温焼戻し

設問3　ガス浸炭焼入れの熱処理線図中に示す（A)～(G）に当てはまる数値として、最も適切なものを語群からそれぞれ一つずつ選びなさい。

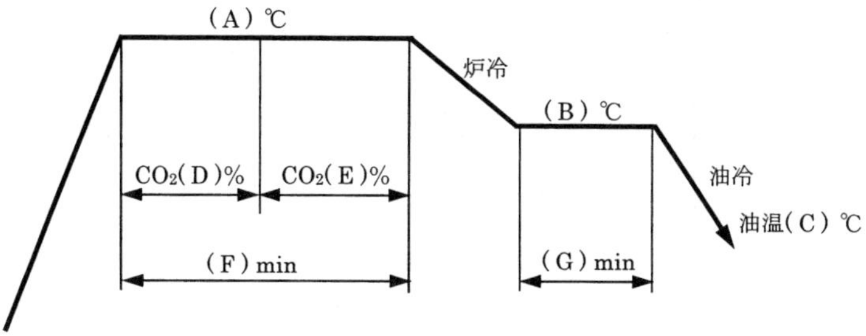

語群

(A)、(B)、(C)	温度	イ　60	ロ　150	ハ　300	ニ　600	ホ　790
		ヘ　850	ト　880	チ　930	リ　980	
(D)、(E)	濃度	イ　0.09	ロ　0.14	ハ　0.19	ニ　0.21	ホ　0.25
(F)、(G)	時間	イ　30	ロ　60	ハ　130	ニ　180	

設問4　浸炭焼入焼戻しで発生した残留オーステナイトの一部は、ショットピーニングによって何に変化するか、次のうち最も適切なものを一つ選びなさい。

イ　マルテンサイト
ロ　微細パーライト
ハ　ベイナイト
ニ　ソルバイト

問題2

下図に示すシャフトをガス浸炭窒化焼入焼戻しする場合について、次の各設問に答えなさい。ただし、解答は解答用紙の解答欄に記号で記入すること。

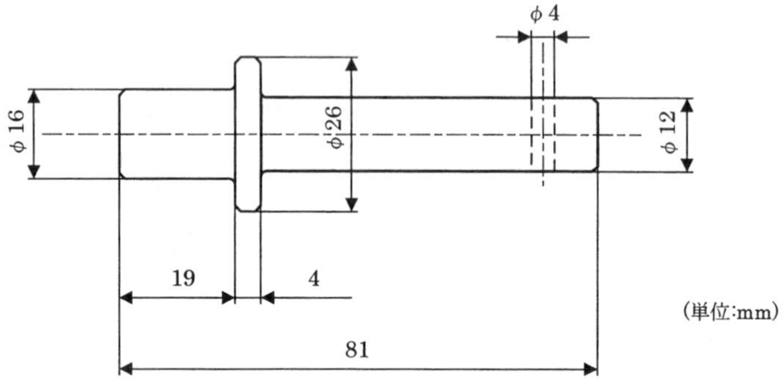

（注） 1 鋼種：S25C
2 表面硬さ：79〜82HRA
3 全硬化層深さ：0.4〜0.7mm

設問1 ガス浸炭窒化の熱処理線図中に示す(A)〜(C)に当てはまる数値として、最も適切なものを語群からそれぞれ一つずつ選びなさい。

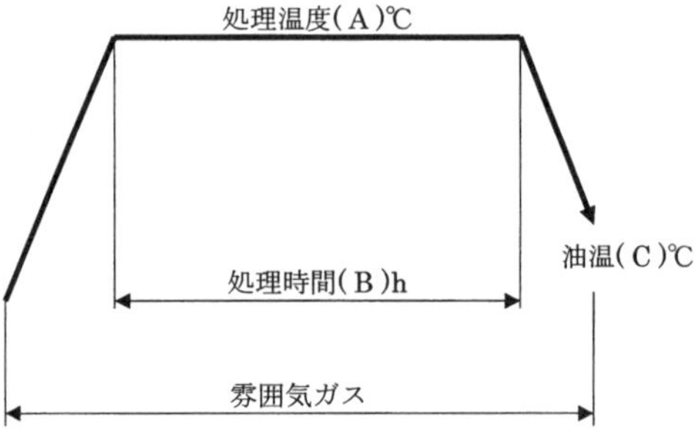

語群

(A)	イ 570	ロ 750	ハ 850	ニ 930
(B)	イ 1	ロ 2	ハ 3	ニ 4
(C)	イ 60	ロ 100	ハ 150	

設問2　ガス浸炭窒化処理に用いられる雰囲気ガスとして、最も適切な組合せを一つ選びなさい。

イ　吸熱型変成ガス ＋ 炭化水素ガス ＋ NH_3ガス約2.5%
ロ　吸熱型変成ガス ＋ 炭化水素ガス ＋ NH_3ガス約25%
ハ　吸熱型変成ガス ＋ NH_3ガス約10%
ニ　吸熱型変成ガス ＋ NH_3ガス約50%

設問3　雰囲気ガス中のNH_3ガス添加量が一定の時、処理温度と未分解NH_3濃度の関係として、最も適切なものを一つ選びなさい。

イ　処理温度が変化しても未分解NH_3濃度は変化しない。
ロ　処理温度が高いほど未分解NH_3濃度は高い。
ハ　処理温度が高いほど未分解NH_3濃度は低い。

設問4　ガス浸炭窒化焼入れ後の焼戻温度として、最も適切なものを一つ選びなさい。

イ　120℃
ロ　180℃
ハ　280℃
ニ　350℃

設問5　ガス浸炭窒化焼入焼戻し後の表面硬さが81HRAであった。予想される表面の顕微鏡組織として、最も適切なものを一つ選びなさい。

イ　焼戻マルテンサイト ＋ 化合物層
ロ　焼戻マルテンサイト ＋ 残留オーステナイト
ハ　焼戻マルテンサイト ＋ パーライト
ニ　焼戻マルテンサイト ＋ フェライト

問題3

下図に示す歯車をガス軟窒化する場合について、各設問に答えなさい。ただし、解答は解答用紙の解答欄に記号で記入すること。

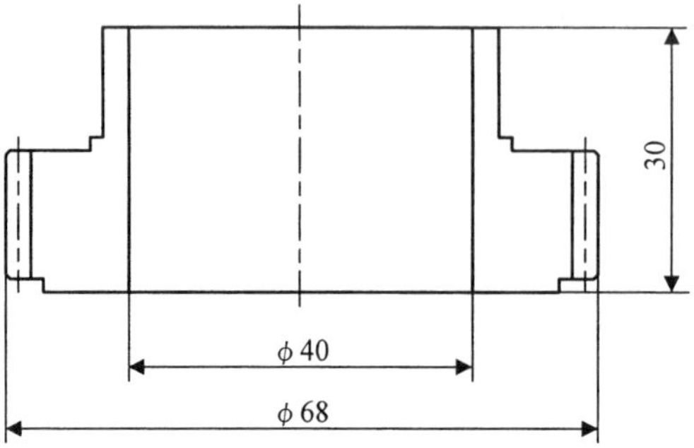

単位：mm

（注） 1 鋼種：SCM435
2 調質硬さ：262～302HBW
3 モジュール：2.75
4 化合物層深さ：10～15 μm、拡散層深さ：0.3mm 以上

設問 1 機械加工前の調質における適切な焼入加熱温度と焼戻加熱温度として、最も適切なものを語群からそれぞれ一つずつ選びなさい。

語群

焼入加熱温度	イ 860℃	ロ 900℃	ハ 950℃
焼戻加熱温度	イ 180℃	ロ 530℃	ハ 600℃

設問 2　下図に示すガス軟窒化の熱処理線図中の(A)℃及び(B)h の関係を「温度(A)×時間(B)」と表したとき、(A)及び(B)に当てはまる語句の組合せとして、最も適切なものを語群の中から一つ選びなさい。

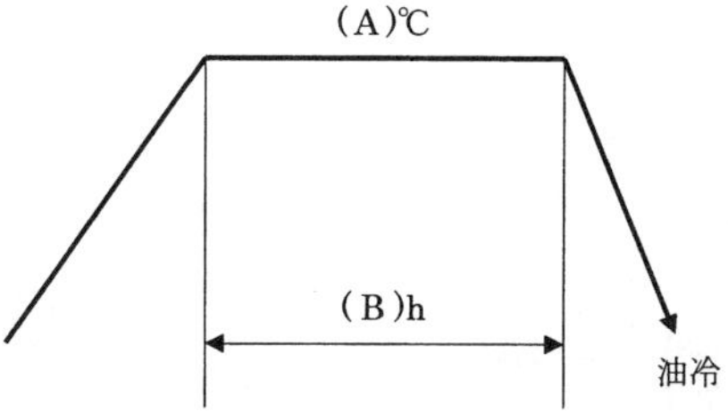

語群

温度(A)×時間(B)	イ　430℃×8h　　ロ　500℃×6h ハ　570℃×3h　　ニ　650℃×1h

設問 3　本歯車のビッカース硬さ試験で得られる拡散層の最高硬さとして、最も適切なものを一つ選びなさい。

イ　300～450HV
ロ　500～650HV
ハ　700～850HV
ニ　900～1050HV

設問4　同一条件でガス軟窒化した場合の表面硬さを高い順位から示したものとして、最も適切なものを一つ選びなさい。

イ　SACM645　>　SCM435　>　S15C　>　SPCC
ロ　SCM435　>　SACM645　>　SPCC　>　S15C
ハ　S15C　>　SPCC　>　SCM435　>　SACM645
ニ　SPCC　>　S15C　>　SACM645　>　SCM435

問題 4

下図は、標準的な吸熱型ガス発生装置の配管系統図である。次の設問に答えなさい。ただし、解答は、解答用紙の解答欄に記号で記入すること。

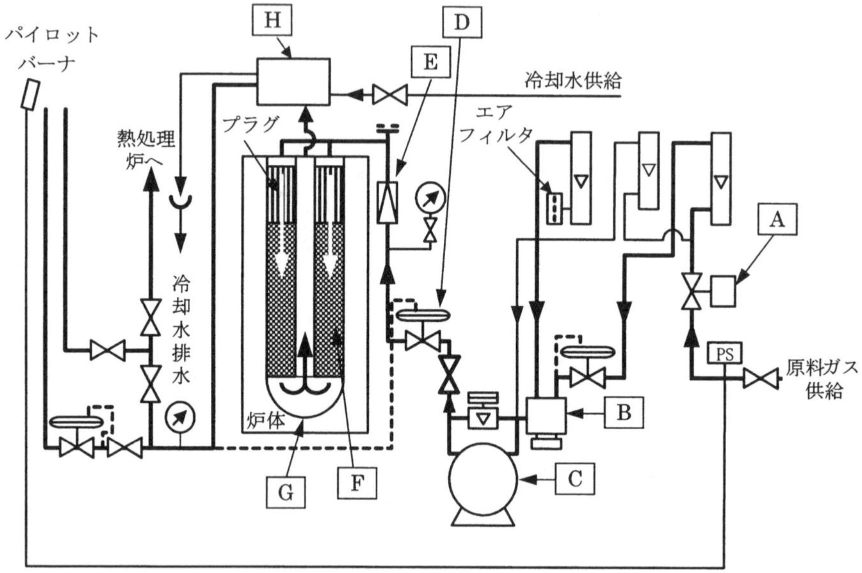

設問 1　図の中の A～H の名称として、最も適切なものを語群からそれぞれ一つずつ選びなさい。ただし、同一記号を重複して使用しないこと。

語群

イ　ガス圧力計	ロ　バイパス弁	ハ　ガス安全遮断弁
ニ　一次圧力調整弁	ホ　逆火防止弁	ヘ　リリーフ弁
ト　ガス混合器	チ　ガス流量計	リ　ガスクーラ
ヌ　ニッケル触媒	ル　ポンプ(ブロワ)	ヲ　レトルト

設問 2　吸熱型変成ガスのガス変成温度として、最も適切なものを一つ選びなさい。

イ　850 ～ 900℃
ロ　950 ～1000℃
ハ　1050 ～1100℃
ニ　1150 ～1200℃

設問 3　吸熱型ガス変成炉における次の変成ガス反応式中の(A)～(D)に当てはまる数値として、最も適切なものを語群からそれぞれ一つずつ選びなさい。

プロパンガス＋(A)［空気($1/5O_2+4/5N_2$)］＝(B) CO＋(C) H_2＋(D) N_2

語群

イ　2.5	ロ　3	ハ　4	ニ　5
ホ　6	ヘ　7.5	ト　8	チ　10

設問 4　設問 3 で得られる吸熱型変成ガス中の CO 濃度として、最も適切なものを一つ選びなさい。

イ　約 20%
ロ　約 23%
ハ　約 33%
ニ　約 50%

設問 5　吸熱型ガス変成炉内でスーティングを起こすことがあるが、この現象の反応式として、最も適切なものを一つ選びなさい。

イ　$CO+H_2O = CO_2+H_2$
ロ　$CO_2+CH_4 = 2CO+2H_2$
ハ　$CH_4 = C+2H_2$
ニ　$NH_3 = 1/2N_2+3/2H_2$

問題 5

下表は、各鋼種における熱処理、加熱温度、冷却及び顕微鏡組織を示している。表中の(　　)内に当てはまる語句として最も適切なものを、語群からそれぞれ一つずつ選びなさい。ただし、解答は解答用紙の解答欄に記号で記入すること。また、同じ記号は重複して使用しないこと。

鋼種	熱処理	加熱温度(℃)	冷却	顕微鏡組織
SK120	完全焼なまし	950	炉冷	(①)
SCM420	焼ならし	920	空冷	(②)
SKD11	焼入れ	(③)	空冷	マルテンサイト＋未固溶炭化物
SUS304	固溶化熱処理	1080	水冷	(④)
SCM445	焼入れ	(⑤)	油冷	マルテンサイト

加熱温度　語群

イ　800	ロ　850	ハ　900
ニ　1030	ホ　1100	ヘ　1170

顕微鏡組織　語群

ト　マルテンサイト＋少量の未固溶炭化物

チ　初析セメンタイト＋パーライト

リ　フェライト＋球状セメンタイト

ヌ　フェライト＋パーライト

ル　オーステナイト

ヲ　ベイナイト

ワ　フェライト

問題6

次の各設問に答えなさい。ただし、設問1及び設問3の解答は、解答用紙の解答欄に記号で記入すること。また、設問2、設問4及び設問5の解答は、解答用紙の解答欄に語句又は数値で記入すること。

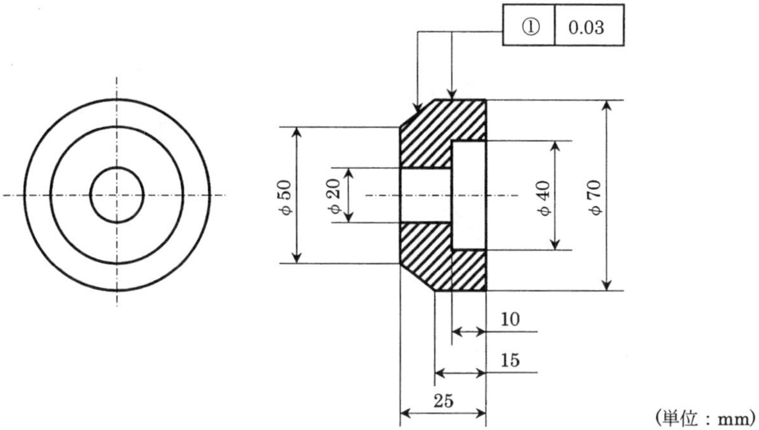

図 1

幾何公差の説明：円筒及び円すい表面の任意の横断面において、
実際の（再現した）半径方向の線は半径距離で 0.03 だけ
離れた共通平面上の同軸の二つ円の間になければならない。

設問1　図1の①に当てはまる幾何特性の記号をとして、最も適切なものを語群から一つ選びなさい。

語群

イ ○	ロ ▱	ハ ↗	ニ ◎

設問2　設問 1 で答えた幾何特性の名称を記入しなさい。

設問3　図1における①の幾何公差を測定する際に外側マイクロメータを使用した。この測定器において、下図に示す番号1～4に当てはまる名称として、最も適切なものを語群からそれぞれ一つずつ選びなさい。ただし、同じ記号は重複して使用しないこと。

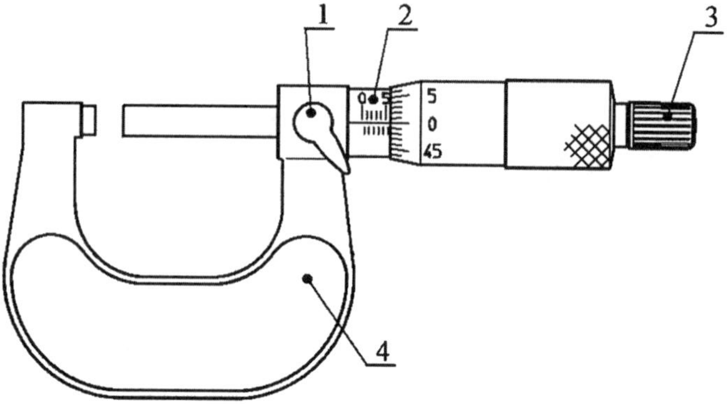

外側マイクロメータ

語群

イ　送りつまみ	ロ　スピンドル	ハ　アンビル	ニ　フレーム
ホ　防熱板	ヘ　クランプ	ト　シンブル	チ　スリーブ

設問4　提示された写真A～Dは、図1のφ70部について、外形を4等分しながら外径(直径)を計測した際の目盛値を含む写真である。この写真A～Dの読み取り数値を記入しなさい。ただし、単位はmmとし、解答値は小数第3位を二捨三入・七捨八入して小数第3位までの数値で解答すること。
（読み取り数値が10の場合、“10.000”と解答すること）

写真 A

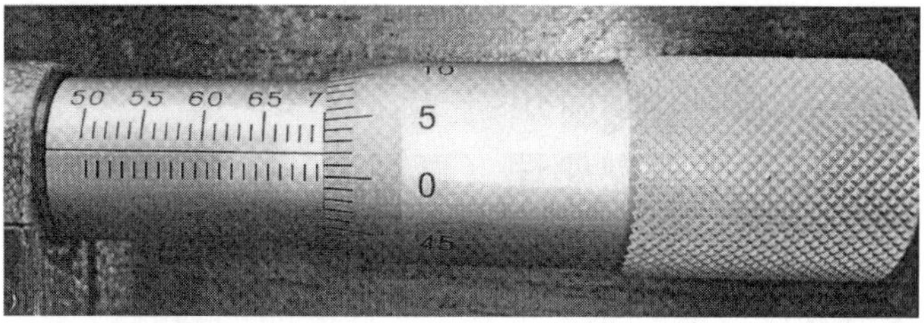

写真 B

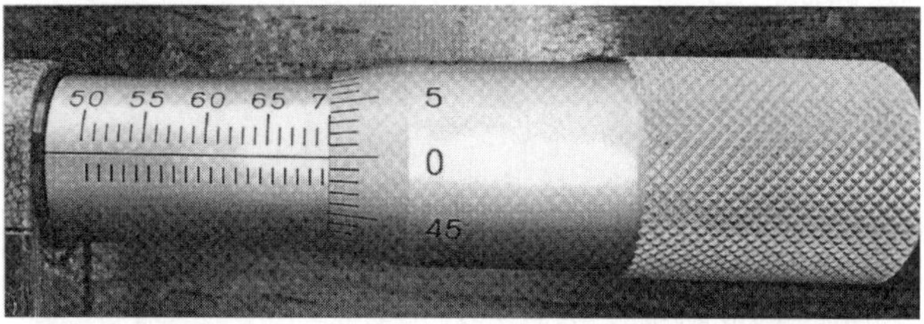

写真 C

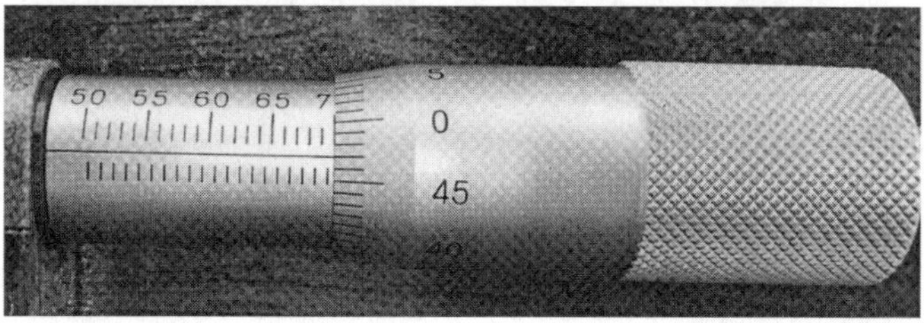

写真 D

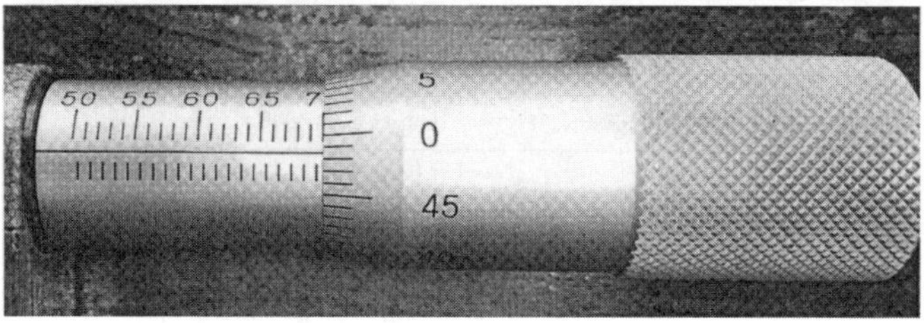

設問5　設問4で提示された写真A～Dを基に、図1における①の幾何公差を求めなさい。ただし、単位はmmとし、解答値は小数第4位を四捨五入して小数第3位までの数値で解答すること。

令和5年度 技能検定
2級 金属熱処理（高周波・炎熱処理作業）
実技試験 問題概要

実技試験は、次の判断等試験と計画立案等作業試験により行う。

1 判断等試験

1.1 試験実施日

令和5年8月27日(日)

1.2 試験時間

問題ごとの試験時間は、次表のとおりである。

問題番号	1	2	3	4	5
試験時間	5分	5分	5分	5分	5分

1.3 問題の概要

問　　題		概　　要
問題1	火花試験	提示された写真及び図を基に火花試験等を判定する。
問題2	組織判定	提示された顕微鏡による組織写真を基に試験片の組織を判定する。
問題3	温度測定の構成機器	提示された写真を基に温度測定に関する構成機器等を判定する。
問題4	変形測定	提示された測定に関する写真を基に変形測定に関する作業等を判定する。
問題5	硬さ試験	提示された写真を基に硬さ試験等を判定する。

1.4 持参用具等

品　名	寸法又は規格	数　量	備　考
筆記用具	鉛筆、消しゴム等	一式	

2　計画立案等作業試験

2.1　試験実施日
令和5年8月20日(日)

2.2　試験時間
50分

2.3　問題の概要
作業条件の設定、作業段取り、設備の調整等について行う。

2.4　持参用具等

品　名	寸法又は規格	数　量	備　考
筆記用具	鉛筆、消しゴム等	一式	

3　注意事項

(1)　判断等試験問題は、試験当日配付され、当日回収される。

(2)　使用用具等は、指定したもの以外のものは使用しないこと。

(3)　試験中は、用具等の貸し借りを禁止する。

(4)　**この問題概要に書込みしたものを持ち込まないこと。また試験中に他の用紙にメモしたものや参考書等を参照することは禁止とする。**

(5)　試験中は、携帯電話、スマートフォン、ウェアラブル端末等の使用(電卓機能の使用を含む)を禁止とする。

令和5年度 技能検定
2級 金属熱処理（高周波・炎熱処理作業）
実技試験（計画立案等作業試験）問題

1 試験時間

50分

2 注意事項

（1） 係員の指示があるまで、この表紙はあけないでください。

（2） 解答用紙に、受検番号及び氏名を必ず記入してください。

（3） 係員の指示に従って、この試験問題が表紙を含めて9ページであることを確認してください。それらに異常がある場合は、黙って手を挙げてください。

（4） 試験開始の合図で始めてください。

（5） 解答は、解答用紙の解答欄に記入してください。
なお、要求している解答以外は記入しないでください。

（6） 試験中は、携帯電話、スマートフォン、ウェアラブル端末等の使用(電卓機能の使用を含む。)を禁止とします。

（7） 試験中、質問があるときは、黙って手を挙げてください。ただし、試験問題の内容、漢字の読み方等に関する質問にはお答えできません。

（8） 試験終了時刻前に解答ができあがった場合は、黙って手を挙げて、係員の指示に従ってください。

（9） 試験中に手洗いに立ちたいときは、黙って手を挙げて、係員の指示に従ってください。

(10) 試験終了の合図があったら、筆記用具を置き、係員の指示に従ってください。

(11) 試験終了後、解答用紙を提出してください。

(12) 計算等は、問題用紙の余白又は裏面を使用して行ってください。

3 試験に使用できる用具等一覧

品　名	寸法又は規格	数量	備　　考
筆記用具等	鉛筆、消しゴム等	一式	

問題 1

下図に示す部品を高周波焼入焼戻しする場合について、次の各設問に答えなさい。なお、解答は解答用紙の解答欄に記号で記入すること。

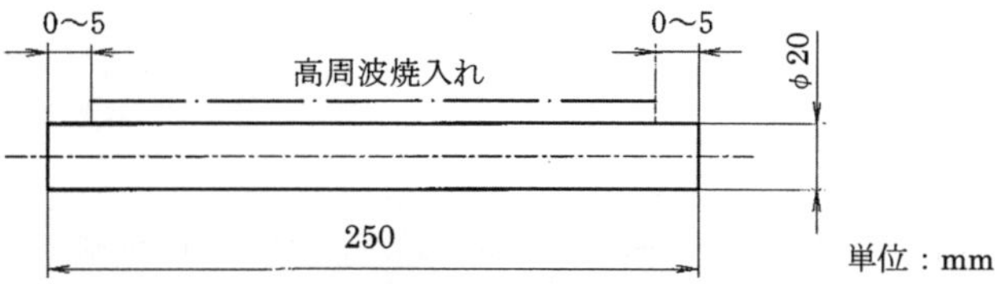

（注）1　鋼種：S45C
　　2　前熱処理：調質(焼入焼戻し)
　　3　調質後の硬さ：201～269HBW
　　4　高周波焼入焼戻し後の指定表面硬さ：55～60HRC
　　5　指定有効硬化層深さ：1.5～2.5mm(限界硬さ 450HV)

設問1　前熱処理条件として、次のうち最も適切なものを一つ選びなさい。

ア　800℃から油焼入れ　→　500℃焼戻し後急冷
イ　850℃から水焼入れ　→　600℃焼戻し後急冷
ウ　900℃から油焼入れ　→　550℃焼戻し後急冷
エ　950℃から水焼入れ　→　650℃焼戻し後急冷

設問2　高周波焼入加熱温度として、次のうち最も適切なものを一つ選びなさい。

ア　800 ℃
イ　900 ℃
ウ　1000 ℃
エ　1080 ℃

設問3　この部品を高周波焼入れする場合の冷却剤として、次のうち最も適切なものを一つ選びなさい。

ア　空気(強制空冷)
イ　油
ウ　5% PAG水溶液焼入剤
エ　25% PAG水溶液焼入剤

設問4　この部品を高周波焼入後に指定表面硬さにする場合、焼戻炉での加熱温度として、次のうち最も適切なものを一つ選びなさい。

ア　100 ℃
イ　180 ℃
ウ　250 ℃
エ　320 ℃

設問5　この部品を高周波焼入後に磁粉探傷試験する場合、軸方向の表面の割れやきずを検出する磁化方法として、次のうち最も適切なものを一つ選びなさい。

ア　コイル法
イ　直角通電法
ウ　軸通電法

問題２

下図1のA部とB部を2工程で高周波焼入れする場合について、次の各設問に答えなさい。なお、解答は解答用紙の解答欄に記号で記入すること。

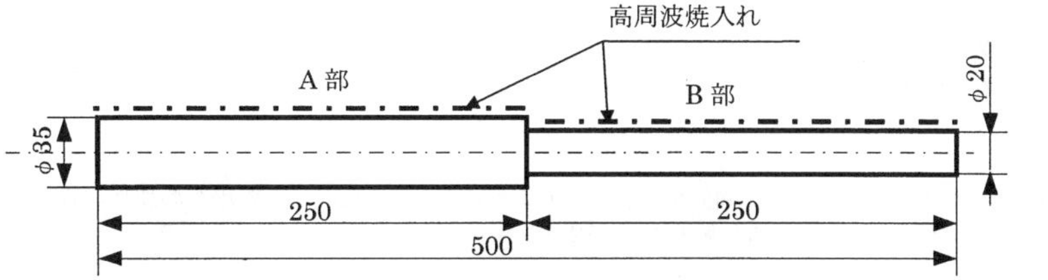

図 1

単位：mm

(注) 1　鋼種：SCM435
2　焼入方法：回転移動焼入れ
3　指定表面硬さ：50～56HRC (67～75HS)
4　指定有効硬化層深さ：0.5～1.5mm(限界硬さ400HV)

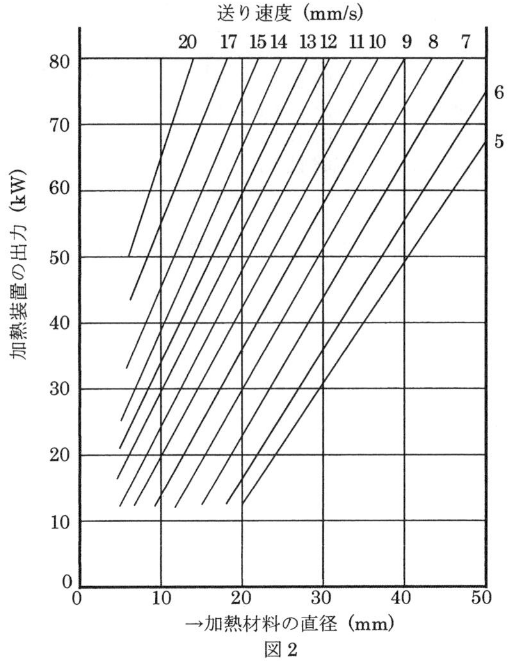

図 2

設問1　図2において、加熱装置の出力を 55kWに設定した場合のA部の高周波焼入れの送り速度として、次のうち最も適切なものを一つ選びなさい。

ア　7 mm／s
イ　8 mm／s
ウ　9 mm／s
エ　10 mm／s

設問2　図2において、B部の高周波焼入れの送り速度を8mm／sに設定した場合の加熱装置の出力として、次のうち最も適切なものを一つ選びなさい。

ア　20 kW
イ　30 kW
ウ　40 kW
エ　50 kW

設問3　この部品を焼入れする場合の正しい工程順序として、次のうち最も適切なものを一つ選びなさい。

ア　A部の左端から焼入れして、B部を焼入れする。
イ　A部の右端から焼入れして、B部を焼入れする。
ウ　B部の左端から焼入れして、A部を焼入れする。
エ　B部の右端から焼入れして、A部を焼入れする。

設問4　B部の高周波焼入れの周波数として、次のうち最も適切なものを一つ選びなさい。

ア　6 kHz
イ　10 kHz
ウ　50 kHz
エ　200 kHz

問題 3

下図に示す歯車の歯部を高周波焼入焼戻しする場合について、次の各設問に答えなさい。なお、解答は解答用紙の解答欄に記号で記入すること。

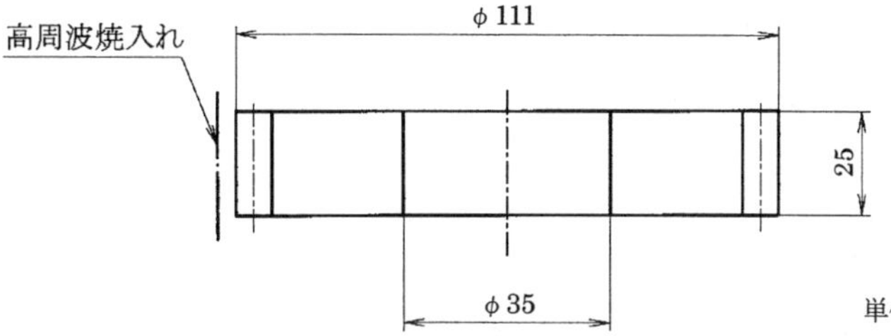

単位：mm

(注)1　鋼種：SCM440
2　歯車諸元：モジュール3、歯数35
3　前熱処理：調質(焼入焼戻し)
4　高周波焼入冷却剤：12%PAG水溶液焼入剤
5　指定表面硬さ(歯先)：55～60HRC
6　指定有効硬化層深さ(歯底)：1.0～2.0mm(限界硬さ400HV)

設問1　調質(焼入焼戻し)後の顕微鏡組織として、次のうち最も適切なものを一つ選びなさい。

ア　パーライト
イ　マルテンサイト
ウ　フェライト+パーライト
エ　ソルバイト

設問2　高周波焼入方法として、次のうち最も適切なものを一つ選びなさい。

ア　回転移動焼入れ
イ　回転定置一発焼入れ
ウ　無回転定置一発焼入れ
エ　一歯一発焼入れ

設問3　高周波焼入れの周波数として、次のうち最も適切なものを一つ選びなさい。

ア　3 kHz
イ　10 kHz
ウ　100 kHz
エ　400 kHz

設問4　焼入後、下図に示すような焼割れが発見された。その対策として、適切でないものを一つ選びなさい。

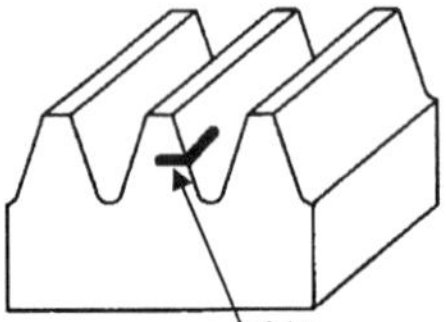

ア　加熱温度を低くする。
イ　冷却剤の濃度を低くする。
ウ　面取りを実施する。
エ　冷却剤流量を少なくする。

問題 4

炎焼入れについて、次の各設問に答えなさい。なお、解答は解答用紙の解答欄に記号で記入すること。

設問1　次の表は、炎焼入用燃料ガスと酸素の混合割合によって生ずる状況を示したものである。下記①～③の炎の種類に該当する酸素の割合及び表面状態として、最も適切なものをそれぞれ一つずつ選びなさい。ただし、「酸素の割合」「表面性状」のそれぞれにおいて、同一記号を重複して使用しないこと。

①　還元炎　　②　中性炎　　③　酸化炎

酸素の割合	表面状態
ア　少ない	ア　脱炭や肌荒れを生じやすい
イ　適正	イ　脱炭防止となる
ウ　多い	ウ　多少酸化気味となる

設問2　下図の部品を移動焼入れする場合について、次の各問いに答えなさい。

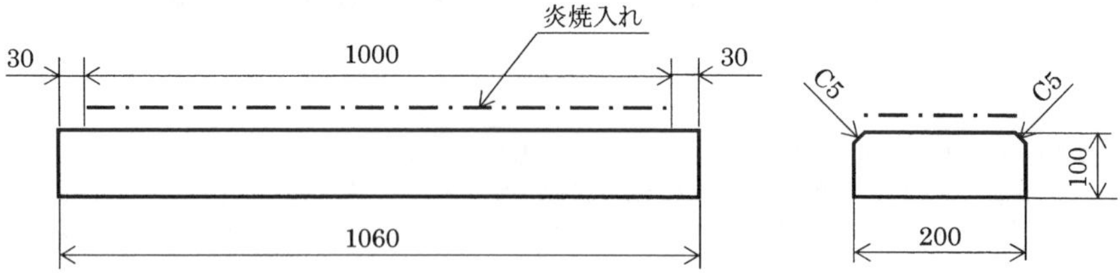

(注)　1　鋼種：S40C
　　　2　前熱処理：調質
　　　3　指定表面硬さ：67～74HS

(単位:mm)

(1) 焼入温度として、次のうち最も適切なものを一つ選びなさい。

ア　800℃
イ　900℃
ウ　1000℃

(2) 冷却剤として、次のうち最も適切なものを一つ選びなさい。

ア　空気(強制空冷)
イ　油
ウ　水

(3) 移動焼入れの特徴として、次のうち最も適切なものを一つ選びなさい。

ア　比較的硬化層の薄い、例えば深さ2～3mmの焼入れに適する。
イ　焼入後の処理品の残熱によりセルフテンパが行われ、焼戻しを省略できる。
ウ　加熱、冷却が緩やかに行われるため、焼割れが生じにくい。

令和4年度 技能検定
2級 金属熱処理（高周波・炎熱処理作業）
実技試験（計画立案等作業試験）問題

1 試験時間

50分

2 注意事項

(1) 係員の指示があるまで、この表紙はあけないでください。

(2) 解答用紙に、受検番号及び氏名を必ず記入してください。

(3) 係員の指示に従って、この試験問題が表紙を含めて9ページであることを確認してください。それらに異常がある場合は、黙って手を挙げてください。

(4) 試験開始の合図で始めてください。

(5) 解答は、解答用紙の解答欄に記入してください。
なお、要求している解答以外は記入しないでください。

(6) 試験中は、携帯電話、スマートフォン、ウェアラブル端末等の使用(電卓機能の使用を含む。)を禁止とします。

(7) 試験中、質問があるときは、黙って手を挙げてください。ただし、試験問題の内容、漢字の読み方等に関する質問にはお答えできません。

(8) 試験終了時刻前に解答ができあがった場合は、黙って手を挙げて、係員の指示に従ってください。

(9) 試験中に手洗いに立ちたいときは、黙って手を挙げて、係員の指示に従ってください。

(10) 試験終了の合図があったら、筆記用具を置き、係員の指示に従ってください。

(11) 試験終了後、解答用紙を提出してください。

(12) 計算等は、問題用紙の余白又は裏面を使用して行ってください。

3 試験に使用できる用具等一覧

品　名	寸法又は規格	数量	備　　考
筆記用具等	鉛筆、消しゴム等	一式	

問題 1

下図に示すシャフトを高周波焼入焼戻しする場合について、次の各設問に答えなさい。ただし、解答は、解答用紙の解答欄に記号で記入すること。

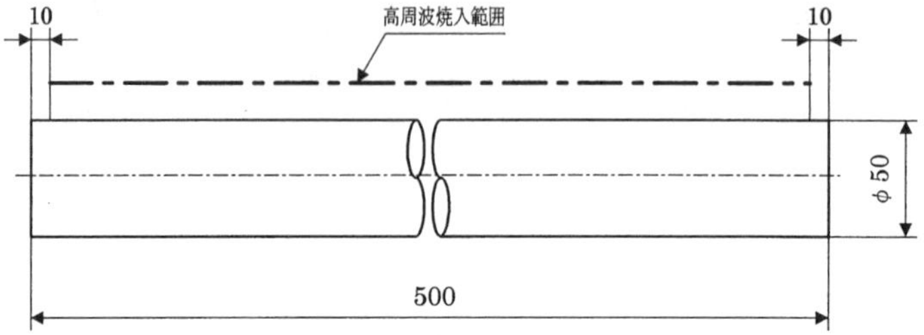

(単位：mm)

(注) 1. 鋼 種：SCM445
2. 前熱処理後の硬さ：302～363 HBW
3. 指定表面硬さ：54～60 HRC
4. 有効硬化層深さ：1.0～3.0mm(限界硬さ 450HV)
5. 焼入方法：移動焼入れ
6. 冷却剤：水溶液焼入剤

設問 1　前熱処理の方法として、最も適切なものを一つ選びなさい。

ア　800℃から水焼入れ → 500℃焼戻し → 炉冷
イ　850℃から油焼入れ → 600℃焼戻し → 急冷
ウ　900℃から水焼入れ → 500℃焼戻し → 急冷
エ　900℃から油焼入れ → 600℃焼戻し → 炉冷

設問 2　高周波焼入温度として、最も適切なものを一つ選びなさい。

ア　700℃
イ　800℃
ウ　900℃
エ　1000℃

設問 3　この部品を加熱するための電力として、最も適切なものを一つ選びなさい。
なお、移動の送り速度は10mm/sで、必要な電力密度は$3kW/cm^2$、加熱コイル部のワークの被加熱面積は$3,000mm^2$とする。

ア　45kW
イ　90kW
ウ　120kW
エ　180kW

設問 4　この部品を指定表面硬さにする場合の高周波焼戻しの周波数として、最も適切なものを一つ選びなさい。

ア　3kHz
イ　200kHz
ウ　400kHz

問題2

下図の断面図に示す内歯歯車を高周波焼入焼戻しする場合について、次の各設問に答えなさい。
ただし、解答は、解答用紙の解答欄に記号で記入すること。

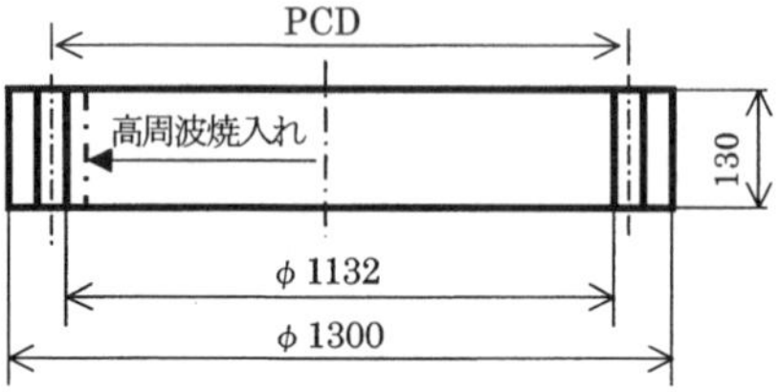

(単位：mm)

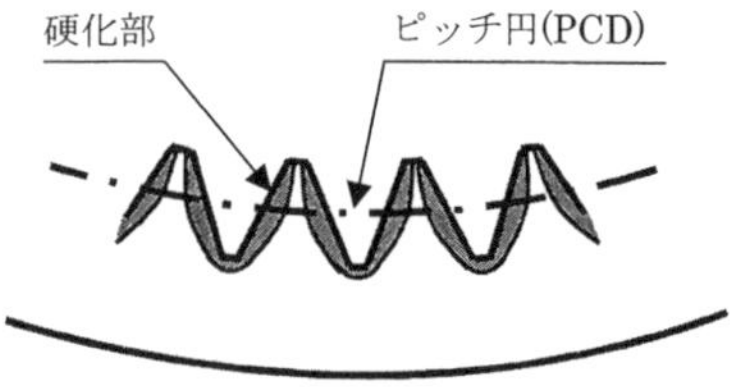

内歯焼入仕様

(注) 1. 鋼 種：S53C
2. 前熱処理：調質(焼入焼戻し)、硬さ 229~285HBW
3. 歯車諸元：平歯車、モジュール 14、歯数 82 枚
4. 指定表面硬さ：54～60 HRC(72～81HS)
5. 有効硬化層深さ：歯底で 1.5mm 以上、ピッチ円(P.C.D)上で 2.0~4.0mm
(限界硬さ 500HV)

設問 1　内歯焼入仕様のとおり高周波焼入れする場合の焼入方法として、最も適切なものを一つ選びなさい。

ア　全体(全歯)一発焼入れ
イ　全体(全歯)移動焼入れ
ウ　歯底(歯溝)移動焼入れ
エ　歯山移動焼入れ

設問 2　歯部を加熱するのに必要な周波数として、最も適切なものを一つ選びなさい。

ア　3 kHz
イ　10 kHz
ウ　100 kHz
エ　200 kHz

設問 3　焼入冷却剤として、最も適切なものを一つ選びなさい。

ア　10%PAG 水溶液焼入剤
イ　25%PAG 水溶液焼入剤
ウ　水
エ　油

設問 4　この部品を指定表面硬さにする場合の焼戻炉での加熱温度として、最も適切なものを一つ選びなさい。

ア　120℃
イ　180℃
ウ　280℃
エ　380℃

問題3

下図に示すシャフトのA部～C部を高周波焼入れする場合について、次の各設問に答えなさい。ただし、解答は、解答用紙の解答欄に記号で記入すること。

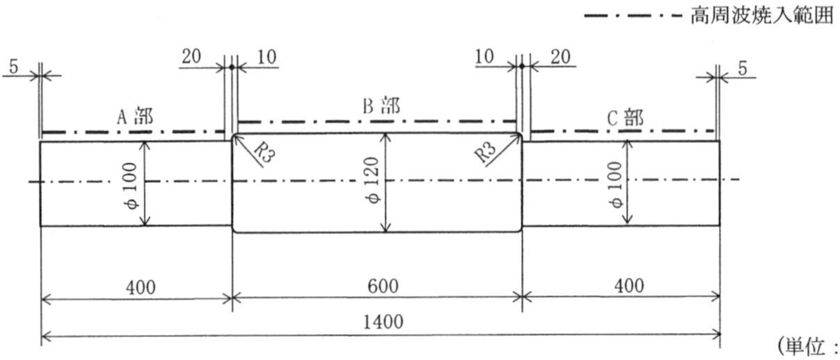

(単位：mm)

(注) 1 鋼 種：SUJ2
2 前熱処理：焼入焼戻し
3 前熱処理後の硬さ：26～31HRC (38～43HS)
4 指定表面硬さ：90HS (64.7HRC)以上
5 指定有効硬化層深さ：A部、C部 2.0～4.0mm ：B部 6.0mm以上

設問1 日本産業規格(JIS)に規定されているSUJ2の化学成分として、適切なものを一つ選びなさい。

記号	化学成分 (%)								
	C	Si	Mn	P	S	Cr	Mo	Ni	Cu
ア	0.38～0.43	0.15～0.35	0.60～0.90	0.030以下	0.030以下	0.90～1.20	0.15～0.30	0.25以下	0.30以下
イ	0.52～0.60	0.15～0.35	0.65～0.95	0.030以下	0.030以下	0.65～0.95	－	－	0.30以下
ウ	0.90～1.00	0.10～0.35	0.10～0.50	0.030以下	0.030以下	－	－	－	－
エ	0.95～1.10	0.15～0.35	0.50以下	0.025以下	0.025以下	1.30～1.60	0.08以下	0.25以下	0.25以下

設問2　A部～C部の加熱に必要な周波数として、最も適切なものをそれぞれ一つずつ選びなさい。

A部 ：	ア　3 kHz	イ　10 kHz	ウ　100 kHz
B部 ：	ア　3 kHz	イ　10 kHz	ウ　100 kHz
C部 ：	ア　3 kHz	イ　10 kHz	ウ　100 kHz

設問3　A部～C部を焼入れする方法として、最も適切なものを一つ選びなさい。

ア　A部とC部は回転一発焼入れ、B部は回転移動焼入れ
イ　A部とC部は無回転移動焼入れ、B部は回転移動焼入れ
ウ　A部とC部は回転移動焼入れ、B部は回転一発焼入れ
エ　A、B、C部とも回転移動焼入れ

設問4　A部～C部を焼入れする際の冷却方法として、最も適切なものを一つ選びなさい。

ア　A部、B部、C部とも20%PAG水溶液冷却
イ　A部とC部は水冷、B部は20%PAG水溶液冷却
ウ　A部、B部、C部とも水冷
エ　A部とC部は強制空冷、B部は20%PAG水溶液冷却

問題4

下図に示す部品の表面全長に炎焼入れする場合について、次の各設問に答えなさい。ただし、解答は解答用紙の解答欄に記入すること。

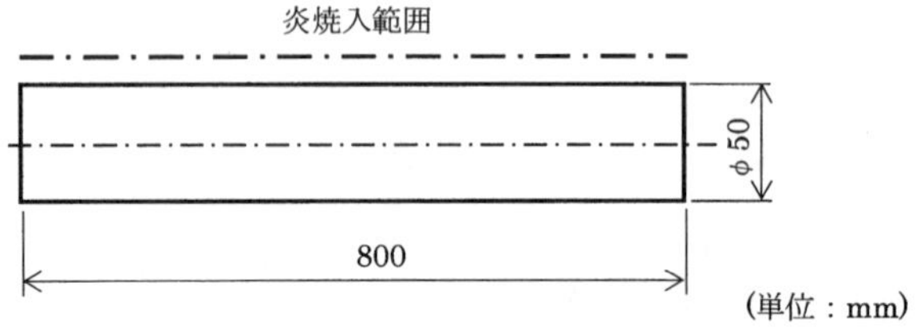

(注) 1. 鋳 種：FCD700-2
2. 指定硬化層深さ：2.5～3.5mm(500HV以上)
3. 指定表面硬さ：56～60HRC (75～81HS)

設問1 日本産業規格(JIS)によれば、FCD700-2の主要基地組織として、次のうち適切なものを一つ選びなさい。

ア ベイナイト
イ フェライト
ウ パーライト

設問2 焼入方式として、最も適切なものを一つ選びなさい。

ア 漸進－回転焼入れ
イ 漸進－無回転焼入れ
ウ 定置一発焼入れ

設問3 炎焼入れの条件として、焼入温度、冷却剤について、最も適切なものを (1) 及び (2) の各項目からそれぞれ一つずつ選びなさい。

(1) 焼入温度
ア 760℃
イ 860℃
ウ 960℃

(2) 冷却剤
ア 油
イ 水溶液焼入剤
ウ 空冷

設問 4　炎焼入れによって、下図に示すような焼割れが発生した。その対策として、適切でないものを一つ選びなさい。

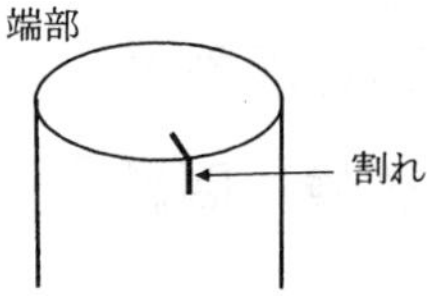

ア　冷却剤温度を低くする
イ　加熱温度を低くする
ウ　面取りを実施する

令和３年度 技能検定
２級 金属熱処理（高周波･炎熱処理作業）
実技試験（計画立案等作業試験）問題

1 試験時間

50 分

2 注意事項

（1） 係員の指示があるまで、この表紙はあけないでください。

（2） 解答用紙に、受検番号及び氏名を必ず記入してください。

（3） 係員の指示に従って、この試験問題が表紙を含めて５ページであることを確認してください。それらに異常がある場合は、黙って手を挙げてください。

（4） 試験開始の合図で始めてください。

（5） 解答は、解答用紙の解答欄に記入してください。
なお、要求している解答以外は記入しないでください。

（6） 試験中は、携帯電話、スマートフォン、ウェアラブル端末等の使用(電卓機能の使用を含む。)を禁止とします。

（7） 試験中、質問があるときは、黙って手を挙げてください。ただし、試験問題の内容、漢字の読み方等に関する質問にはお答えできません。

（8） 試験終了時刻前に解答ができあがった場合は、黙って手を挙げて、係員の指示に従ってください。

（9） 試験中に手洗いに立ちたいときは、黙って手を挙げて、係員の指示に従ってください。

(10) 試験終了の合図があったら、筆記用具を置き、係員の指示に従ってください。

(11) 試験終了後、解答用紙を提出してください。

(12) 計算等は、問題用紙の余白又は解答用紙の裏面を使用して行ってください。

3 試験に使用できる用具等一覧

品　　名	寸法又は規格	数量	備　　　　考
筆記用具等	鉛筆、消しゴム等	一式	

問題 1

下図に示す部品を高周波焼入れする場合について、次の各設問に答えなさい。ただし、解答は解答用紙の解答欄に記号で記入すること。

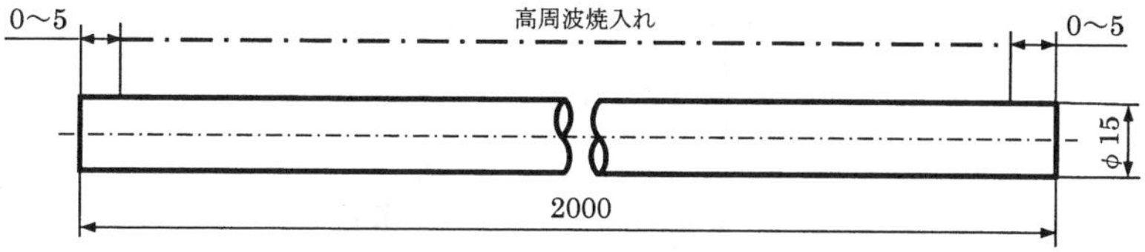

（単位：mm）

（注）1　鋼種：S35C
2　指定表面硬さ：53～58HRC
3　指定有効硬化層深さ：1.0～1.5mm(限界硬さ 400HV)

設問1　高周波焼入方法として、最も適切なものを一つ選びなさい。
- イ　縦型移動焼入れ
- ロ　横型移動焼入れ
- ハ　縦型一発焼入れ
- ニ　横型一発焼入れ

設問2　加熱する場合の高周波電源として、最も適切なものを一つ選びなさい。
- イ　電動発電機(MG)式
- ロ　サイリスタインバータ式
- ハ　トランジスタインバータ式

設問3　この部品を焼入れする場合の冷却剤として、最も適切なものを一つ選びなさい。
- イ　空気(強制空冷)
- ロ　水
- ハ　20% PAG水溶液焼入剤
- ニ　油

設問4　前熱処理を下記①～③に種々変え、同一条件で高周波焼入れした場合の断面硬さ推移曲線を図1に示す。①～③に該当する推移曲線として最も適切なものを、図中のイ～ハからそれぞれ一つずつ選びなさい。

①　調質(焼入焼戻し)　　②　焼なまし　　③　焼ならし

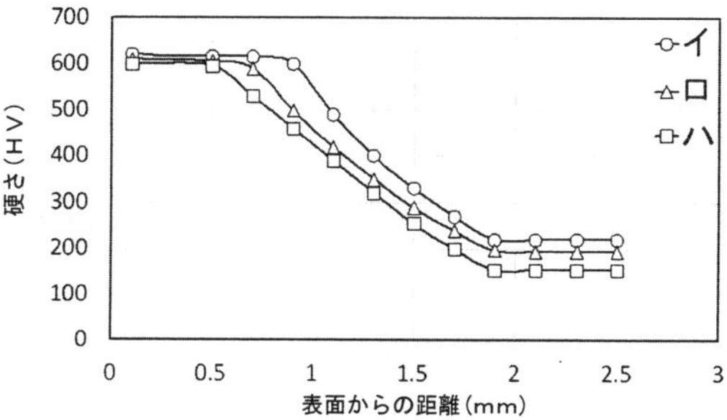

図 1

問題2

下図に示す部品を高周波焼入れする場合について、次の各設問に答えなさい。ただし、解答は解答用紙の解答欄に記号で記入すること。

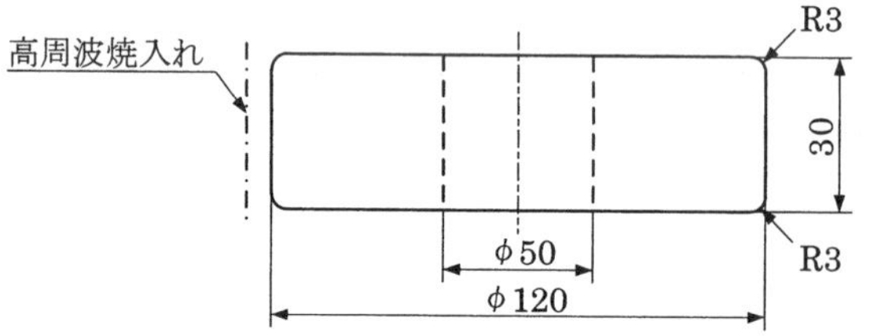

単位:mm

(注) 1　鋼種：SCM435
2　前熱処理後の硬さ：269～331HBW
3　焼入冷却剤：5%水溶液(PAG)焼入剤
4　指定表面硬さ：50～55HRC (67～74HS)
5　指定有効硬化層深さ：1.2～2.5mm(限界硬さ400HV)

設問1　この部品の前熱処理工程として、最も適切なものを一つ選びなさい。

イ　調質
ロ　焼ならし
ハ　焼なまし

設問2　この部品を加熱する場合の周波数として、最も適切なものを一つ選びなさい。

イ　1kHz
ロ　3kHz
ハ　50kHz
ニ　200kHz

設問3　この部品を一発焼入れする場合の加熱条件として、最も適切なものを(1)、(2)の各項目からそれぞれ一つずつ選びなさい。

(1)　コイル（加熱用誘導子）の寸法（内径×高さ）

イ　φ121×33mm
ロ　φ126×25mm
ハ　φ126×33mm
ニ　φ130×25mm

(2)　加熱焼入温度

イ　720℃
ロ　820℃
ハ　920℃
ニ　1020℃

設問4　この部品を指定表面硬さにする場合の焼戻炉での焼戻温度として、最も適切なものを一つ選びなさい。

イ　100℃
ロ　200℃
ハ　300℃
ニ　400℃

問題3

下図に示す歯車の歯部を高周波焼入れする場合について、次の各設問に答えなさい。ただし、解答は解答用紙の解答欄に記号で記入すること。

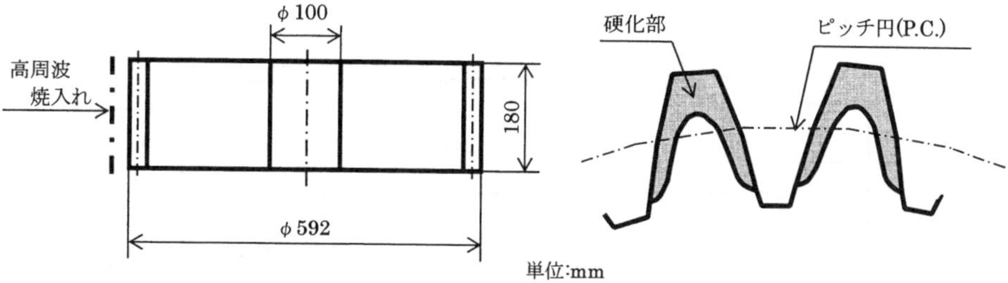

単位:mm

（注）1　鋼種：S43C
　　2　前熱処理：焼ならし
　　3　歯車諸元：モジュール 8、歯数 72 枚の平歯車
　　4　焼入方法：一歯歯先移動焼入れ
　　5　指定表面硬さ：52～57 HRC
　　6　指定有効硬化層深さ：ピッチ円上で 1.5～2.5mm (限界硬さ 450HV)

設問1　焼ならし後の顕微鏡組織として、最も適切なものを一つ選びなさい。
- イ　パーライト
- ロ　ソルバイト
- ハ　フェライト＋ベイナイト
- ニ　フェライト＋パーライト

設問2　歯部を加熱するのに必要な周波数として、最も適切なものを一つ選びなさい。
- イ　3 kHz
- ロ　10 kHz
- ハ　100 kHz
- ニ　200 kHz

設問3　焼入温度として、最も適切なものを一つ選びなさい。
- イ　800℃
- ロ　850℃
- ハ　950℃
- ニ　1050℃

設問4　焼入冷却方法として、最も適切なものを一つ選びなさい。
- イ　水噴射冷却
- ロ　3%水溶液(PAG)焼入剤浸漬冷却
- ハ　8%水溶液(PAG)焼入剤噴射冷却
- ニ　油浸漬冷却

問題 4

下図のローラの胴部分(φ65部分)を炎焼入れする場合について、次の各設問に答えなさい。ただし、解答は解答用紙の解答欄に記号で記入すること。

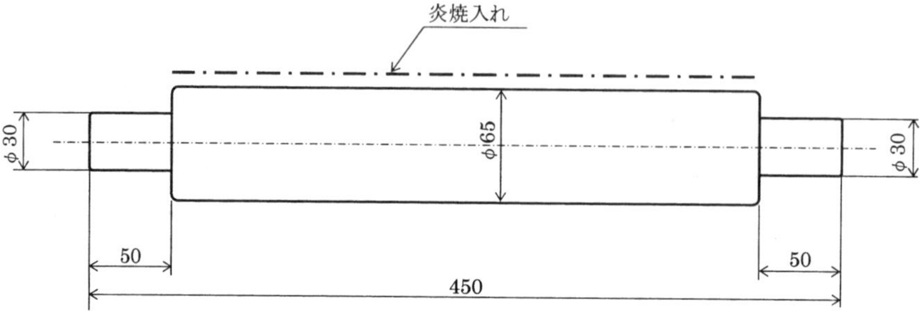

単位：mm

(注) 1　鋼種：SUJ2
2　指定硬化層深さ：2～3mm(670HV 以上)
3　指定表面硬さ：胴部分(φ65 部)で 85HS 以上 (62HRC 以上)
4　炎加熱の熱源：酸素－アセチレンガス
5　球状化焼なましの素材を旋削加工後、胴部分を炎焼入れする。

設問1　炎焼入れの方法として、最も適切なものを一つ選びなさい。

イ　ローラを縦にして、回転移動焼入れ。
ロ　ローラを横にして、回転一発焼入れ。
ハ　ローラ全体を約650℃に予熱後、横にして、無回転移動焼入れ。

設問2　炎焼入れの条件として、最も適切なものを一つ選びなさい。

イ　850℃油冷
ロ　900℃水冷
ハ　950℃空冷

設問3　焼入硬化層として想定される金属組織として、最も適切なものを一つ選びなさい。

イ　ソルバイト
ロ　フェライト＋球状炭化物
ハ　マルテンサイト＋球状炭化物＋残留オーステナイト
ニ　マルテンサイト＋黒鉛

令和5年度 技能検定
1級 金属熱処理（高周波・炎熱処理作業）
実技試験（製作等作業試験）問題

1 試験時間

課　題	試験時間
〔課題1〕組織判定	5分
〔課題2〕有効硬化層深さ測定	硬さ試験機に自動換算機能が付いている場合※
	15分
	硬さ試験機に自動換算機能が付いていない場合※
	18分

※ 自動換算機能とは、硬さを自動で換算する機能のことをいう。

2 注意事項

(1) 試験実施日に、本試験問題を持参すること。

(2) 解答は、各課題の解答用紙の解答欄に、それぞれ記入すること。

(3) 解答用紙の各ページに、受検番号・氏名を記入すること。

(4) 課題の実施順序は、技能検定委員からの指示に従うこと。

(5) 各課題の終了ごとに、当該課題の解答用紙を切り離し、技能検定委員に提出すること。

(6) 試験用設備は、事前に整備をしてあります。

(7) 作業時の服装等は、安全性、かつ作業に適したものであること。
　なお、作業時の服装等が著しく不適切であり、受検者の安全管理上、重大なけが・事故につながる等試験を受けさせることが適切でないと技能検定委員が判断した場合、試験を中止(失格)とする場合がある。

(8) **この問題には、事前に書込みをしないこと。また、試験中に他の用紙にメモをしたものや参考書等を参照することは禁止する。**

(9) 試験中は、携帯電話、スマートフォン、ウェアラブル端末等の使用(電卓機能等の使用を含む。)を禁止とする。

(10) 試験用設備、試験用試料等の取扱い等について、そのまま継続すると試験用設備、試験用試料等の破損やけがを招くおそれがある危険な行為であると技能検定委員が判断した場合、試験中にその旨を注意することがある。
　さらに、当該注意を受けてもなお、危険な行為を続けた場合は、試験を中断し、技能検定委員全員が試験継続不可と判断した場合は、失格とする。ただし、緊急性を伴うと判断された場合は、注意を挟まず、即中止（失格）とすることがある。

〔課題1〕組織判定

注意事項に従って、与えられた試験片の組織を判定しなさい。

● 注意事項

⑴ 金属顕微鏡は、焦点微調整以外は操作をしないこと。

⑵ 試験片は、あらかじめ研磨、腐食をしてあります。

⑶ 検鏡倍率は、400倍(又は500倍)としてあります。

〔課題2〕有効硬化層深さ測定

注意事項に従って、与えられた試験片の被検面について低試験力ビッカース硬さ試験を行い、限界硬さ近傍の硬さ推移曲線を作成して、有効硬化層深さを求めなさい。

● 注意事項

(1) 試験片はS45Cで、高周波焼入焼戻しした後、仕上げ研磨をしてあります。

(2) 硬さ試験機(低試験力ビッカース硬さ試験)※の試験力は、2.942N(300gf)です。
（※機種や仕様については、事前に公表されます。）

(3) 有効硬化層深さは、日本産業規格(JIS)において示されている限界硬さまでとします。

1級 金属熱処理(高周波・炎熱処理作業) 実技試験 使用工具等一覧表

1　受検者が持参するもの

品　名	寸法又は規格	数　量	備　考
作業服等	作業時の服装等は、作業に適したものであること。 ただし、次のものは着用しないこと。 ・短パン、スカート ・ハイヒール ・つま先又はかかとが露出している履き物（サンダル等）	一式	
筆記用具		一式	

2　試験場に準備してあるもの

（数量欄の数字で特にことわりのないものは、受検者1人当たりの数量を示す。）

区　分	品　名	数　量	備　考
〔課題1〕 組織判定	組織判定用試験片	1	
	金属顕微鏡	1式	接眼鏡を通して判定ができるもの（接眼鏡でなくモニターで判定することは不可）。
〔課題2〕 有効硬化層深さ測定	有効硬化層深さ測定用試験片	1	
	硬さ試験機 (低試験力ビッカース硬さ試験)	1式	自動換算機能が付いていない場合は、換算表が別に準備されている。
	直定規	1	

実技試験（計画立案等作業試験）について

1　試験実施日

令和5年8月20日(日)

2　試験時間

60分

3　問題の概要

作業条件の設定、作業段取り、設備の調整等について行う。

4　持参用具等

品　　名	寸法又は規格	数量	備　　　　考
筆記用具等	鉛筆、消しゴム等	一式	

5　その他

試験中は、携帯電話、スマートフォン、ウェアラブル端末等の使用(電卓機能の使用を含む。)は禁止とする。

令和５年度 技能検定
１級 金属熱処理(高周波・炎熱処理作業)
実技試験(計画立案等作業試験) 問題

1 試験時間

60 分

2 注意事項

(1) 係員の指示があるまで、この表紙はあけないでください。

(2) 解答用紙に、受検番号及び氏名を必ず記入してください。

(3) 係員の指示に従って、この試験問題が表紙を含めて 12 ページであることを確認してください。
それらに異常がある場合は、黙って手を挙げてください。

(4) 試験開始の合図で始めてください。

(5) 解答は、解答用紙の解答欄に記入してください。
なお、要求している解答以外は記入しないでください。

(6) 試験中は、携帯電話、スマートフォン、ウェアラブル端末等の使用(電卓機能の使用を含む。)を禁止とします。

(7) 試験中、質問があるときは、黙って手を挙げてください。ただし、試験問題の内容、漢字の読み方等に関する質問にはお答えできません。

(8) 試験終了時刻前に解答ができあがった場合は、黙って手を挙げて、係員の指示に従ってください。

(9) 試験中に手洗いに立ちたいときは、黙って手を挙げて、係員の指示に従ってください。

(10) 試験終了の合図があったら、筆記用具を置き、係員の指示に従ってください。

(11) 試験終了後、解答用紙を提出してください。

(12) 計算等は、問題用紙の余白又は裏面を使用して行ってください。

3 試験に使用できる用具等一覧

品　名	寸法又は規格	数量	備　考
筆記用具等	鉛筆、消しゴム等	一式	

問題1

炎焼入れについて、次の各設問に答えなさい。なお、解答は解答用紙の解答欄に記号で記入すること。

設問1　下図A～Cは酸素－アセチレン炎の状態を模式図的に表したものである。下記の炎の種類ア～ウに当てはまる炎の状態として、最も適切なものをA～Cからそれぞれ一つずつ選びなさい。ただし、同じ記号を重複して使用しないこと。

炎の種類
ア：酸化炎
イ：中性炎
ウ：還元炎

炎の状態

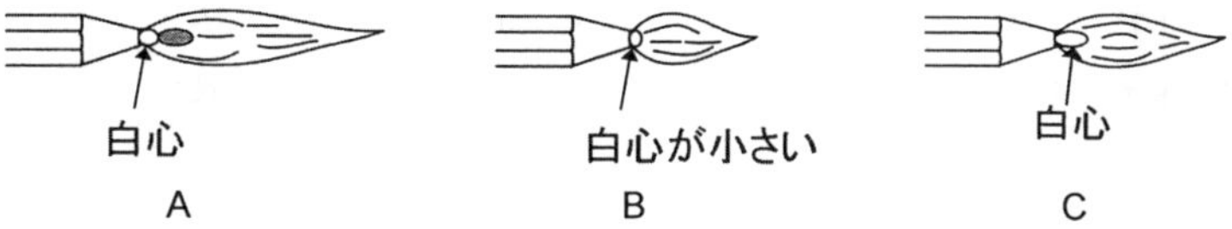

設問2　下記①～③は、炎焼入用燃料ガスと酸素の混合割合によって生じる炎の種類を示したものである。①～③の炎の種類に該当する酸素の割合及び表面状態として、最も適切なものを語群からそれぞれ一つずつ選びなさい。ただし、同じ記号を重複して使用しないこと。

①　還元炎　　　②　中性炎　　　③　酸化炎

語群

酸素の割合	ア　多い	イ　少ない	ウ　適正
表面状態	エ　脱炭防止となる	オ　多少脱炭気味となる	カ　脱炭や肌荒れを生じやすい

設問3　炎焼入れの特徴として、誤っているものを一つ選びなさい。

ア　原則的には、焼入硬化できる材料であれば、比較的簡単な装置、方法で焼入れができる。
イ　硬化を必要とする部分のみ加熱、焼入れする省エネルギー的な焼入方法である。
ウ　冷却剤に水溶液焼入剤や焼入油を使用することがある。
エ　高合金鋼のような熱伝導しにくい材料の場合、急速加熱にともなって生じる加熱割れは、予熱により防止することは困難である。

設問4　下表は各燃料ガスの性質を示すものである。表中の(A)～(D)に当てはまる語句として、最も適切なものを語群からそれぞれ一つずつ選びなさい。

燃料ガス	反応式	最高炎温度(℃)
アセチレン	アセチレン＋$2.5O_2$＝(　A　)＋H_2O	(　B　)
プロピレン	プロピレン＋$4.5O_2$＝$3CO_2$＋(　C　)	(　D　)

語群

ア　CO_2	イ　$2CO_2$	ウ　$4CO_2$	エ　$2H_2O$
オ　$3H_2O$	カ　1625	キ　1935	ク　2325

問題2

下表の歯車番号1～3の外歯車を高周波焼入れする場合、歯車仕様、高周波焼入仕様、処理条件において、（A）～（E）に当てはまる最も適切なものを、それぞれの数値群から一つずつ選びなさい。なお、解答は解答用紙の解答欄に記号で記入すること。

歯車番号	歯車仕様				高周波焼入仕様		処理条件					
	歯数	モジュール	歯幅(mm)	鋼種 硬さ	表面硬さ	有効硬化層深さ	焼入方法	周波数(kHz)	出力(kW)	加熱時間(sec)	移動速度(mm/sec)	冷却時間(sec)
1	20	40	710	SCM435 42～47 HS	70～75 HS	歯底で 3.0～4.0mm	歯底移動焼入れ	（A）	90	－	（B）	－
2	40	10	60	S45C 201～269HBW	52～59 HRC	歯底で 1.0～3.0mm	全歯一発焼入れ	（C）	220	60	－	40
3	42	3	14	S48C 203～264HBW	55～64 HRC	歯底で 1.0～1.5 mm	全歯一発焼入れ	（D）	100	（E）	－	10

数値群

（A）	ア　1	イ　5	ウ　10
（B）	ア　3.0	イ　7.5	ウ　10.0
（C）	ア　1	イ　3	ウ　6
（D）	ア　6	イ　10	ウ　100
（E）	ア　0.5	イ　4.0	ウ　10.0

問題3

下図の部品を高周波焼入れする場合について、次の各設問に答えなさい。なお、設問1、設問2及び設問4の解答は解答用紙の解答欄に記号で記入すること。

ただし、設問3の解答は解答用紙の解答欄に数値で記入すること。

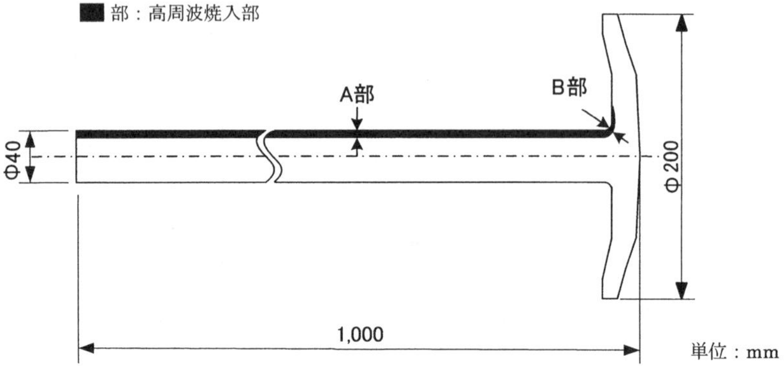

（注）1　鋼種：SCM440

2　前熱処理：焼ならし

3　指定表面硬さ：55～62HRC

4　指定有効硬化層深さ：A部3.0～5.0mm(限界硬さ41HRC)

B部2.0～4.0mm(限界硬さ41HRC)

5　焼入方法：縦型回転移動焼入れ

設問1　この部品を加熱するのに、次のうち最も適切な加熱コイル形状を一つ選びなさい。ただし、下図は加熱コイルの断面形状を示す。

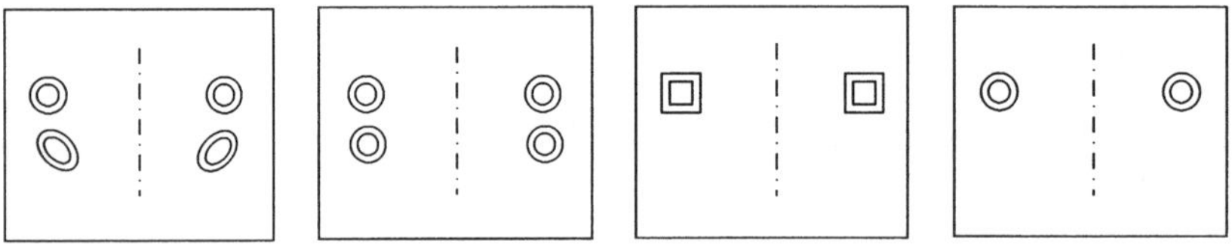

ア　　イ　　ウ　　エ

設問2　この部品を加熱するのに必要な周波数として、次のうち最も適切なものを一つ選びなさい。

ア　0.5 kHz
イ　10 kHz
ウ　80 kHz
エ　150 kHz

設問3　この部品を加熱するのに必要な電力を求めなさい。ただし、解答はkW単位とし、小数第1位を四捨五入して整数値で解答すること。
なお、送り速度は11mm／s、電力密度は2.0kW／cm^2、加熱コイル部のワークの被加熱面積は4,500mm^2とする。

設問4　高周波焼入れ後に軸部の曲がりが大きかった。その原因として最も考えにくいものを一つ選びなさい。

ア　冷却ジャケットが目詰まりしていた。
イ　高周波焼入れ前の曲がり直し工程の矯正量が多かった。
ウ　コイルとワークの芯がずれていた。
エ　水溶液焼入剤の液濃度が高かった。

問題4

次の断面図に示す歯車の歯部を高周波焼入焼戻しする場合について、次の各設問に答えなさい。なお、設問1、設問2及び設問4の解答は、解答用紙の解答欄に記号で記入すること。ただし、設問3の解答は、解答用紙の解答欄に記述すること。

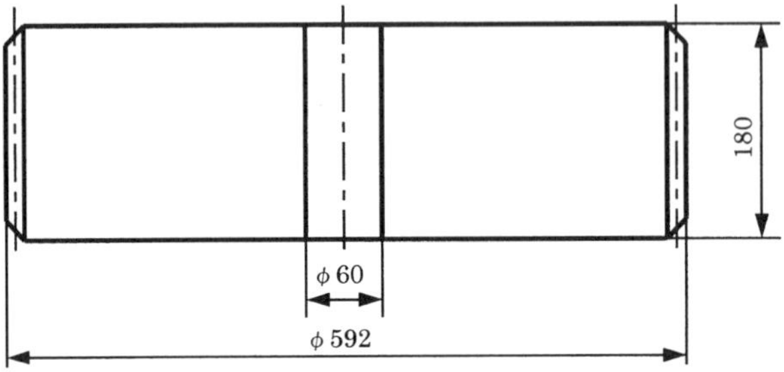

単位:mm

(注) 1　鋼種：SCMn2(C＝0.25～0.35%、Mn＝1.00～1.60%)
2　歯車諸元：モジュール8、歯数72枚の平歯車
3　焼入方法：一歯歯先移動焼入れ
4　指定表面硬さ：60～65HS
5　ピッチ円(P.C.D)上での指定有効硬化層深さ(限界硬さ350HV)：1.5～2.5mm

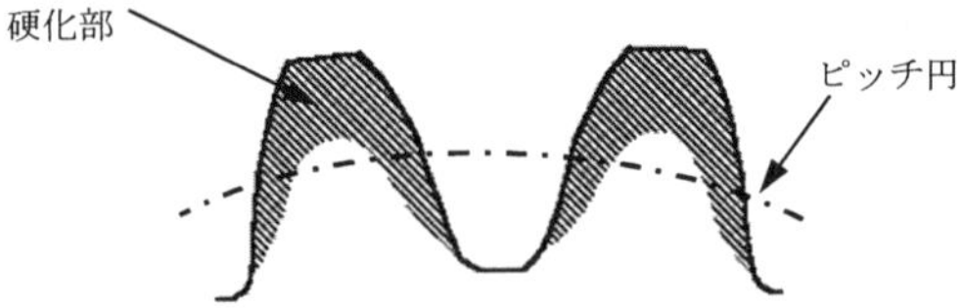

設問1　歯部を加熱するのに必要な周波数として、次のうち最も適切なものを一つ選びなさい。

ア　3 kHz
イ　10 kHz
ウ　50 kHz
エ　100 kHz

設問2　焼入加熱温度として、次のうち最も適切なものを一つ選びなさい。

ア　850 ℃
イ　950 ℃
ウ　1050 ℃
エ　1150 ℃

設問3　焼入方法に関する次の文中の(　　)内に当てはまる適切な熱処理用語を、解答欄に記述しなさい。

連続して歯を焼入れする場合、最初に焼入れした歯が隣歯を加熱するときに誘導加熱を受け、(　①　)され、硬さ低下や(　②　)が発生する場合がある。そこで、一般的には加熱歯の隣歯が(　①　)を受けないように、冷却を行っている。

設問4　炉加熱焼戻しを行う場合の温度として、次のうち最も適切なものを一つ選びなさい。

ア　200 ℃
イ　260 ℃
ウ　320 ℃

問題5

下表は、各鋼種における熱処理、加熱温度、冷却及び顕微鏡組織を示している。表中の(　　)内に当てはまる語句として、最も適切なものを語群からそれぞれ一つずつ選びなさい。なお、解答は解答用紙の解答欄に記号で記入すること。ただし、同じ記号は重複して使用しないこと。

鋼種	熱処理	加熱温度(℃)	冷却	顕微鏡組織
S45C	焼入れ	850	水冷	(①)
SCM420	焼ならし	920	空冷	(②)
SUS304	固溶化熱処理	1100	水冷	(③)
SK120	焼入れ	1100	油冷	(④)
SKD11	焼入れ	1030	空冷	(⑤)

顕微鏡組織　語群

ア　ソルバイト

イ　フェライト

ウ　オーステナイト

エ　ベイナイト

オ　マルテンサイト

カ　フェライト＋パーライト

キ　フェライト＋マルテンサイト

ク　マルテンサイト＋未固溶炭化物

ケ　セメンタイト＋パーライト

コ　マルテンサイト＋残留オーステナイト

問題6

次の各設問に答えなさい。ただし、設問1及び設問2の解答は、解答用紙の解答欄に記号で記入すること。また、設問4の解答は、解答用紙の解答欄に数値で記入すること。

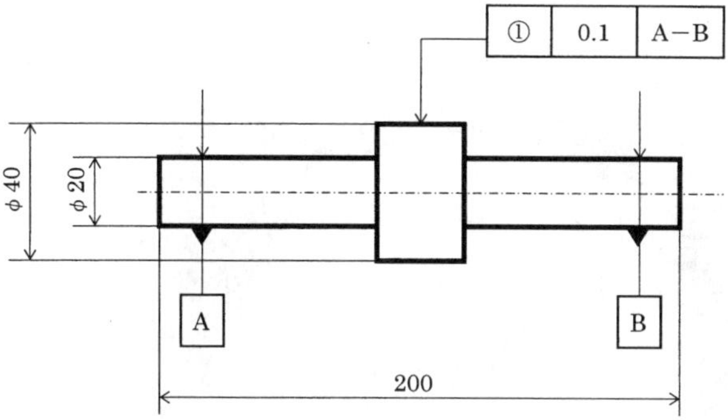

単位：mm

設問1　上図の①に当てはまる幾何特性である「円周振れ」の記号を、語群から選びなさい。

語群

ア　○	イ　↗	ウ　◎

設問2　文中の(　　)内に当てはまる語句として最も適切なものを、語群からそれぞれ一つずつ選びなさい。

日本産業規格(JIS)では、上図に示す幾何公差について「実際の円周振れは、共通データム軸直線A−Bのまわりに(　①　)させる間に、任意の横断面において0.1mm(　②　)でなければならない。」と規定している。

語群

ア　半回転	イ　1回転	ウ　2回転以上	エ　以下
オ　の1/2以下	カ　の2倍以下		

設問3　図に示す幾何公差を測定する際、Vブロック、定盤及び写真1の器具を使用した。写真1の器具の名称「(　　)ゲージ」において、(　　)内に当てはまるものを記入しなさい。ただし、解答はカタカナとし、名称は日本産業規格(JIS)に規定されたものとする。

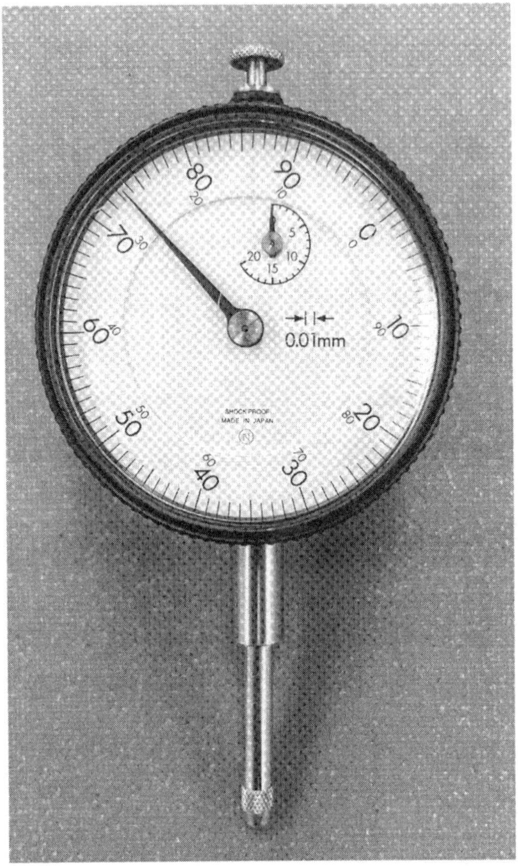

写真 1

設問4　次の写真A～Dは、図に示した幾何公差を計測した際のゲージ目盛値を含む写真である。これを基に図中の幾何公差を求めなさい。ただし、単位はmmとし、解答値は小数第3位を四捨五入して小数第2位までの数値で解答すること。

写真 A

写真 B

写真 C

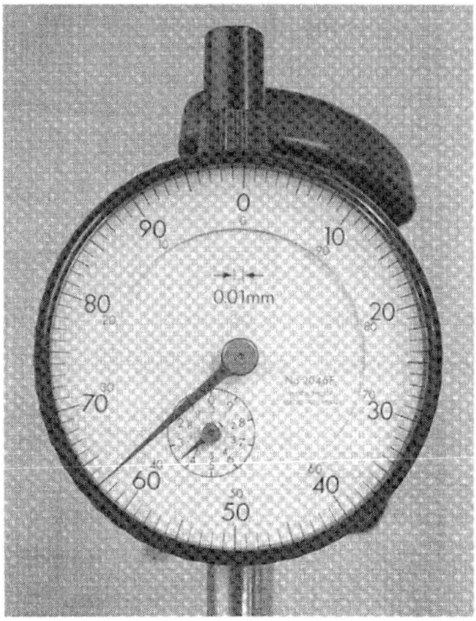

写真 D

令和4年度 技能検定
1級 金属熱処理（高周波・炎熱処理作業）
実技試験（計画立案等作業試験）問題

1　試験時間

60 分

2　注意事項

（1） 係員の指示があるまで、この表紙はあけないでください。

（2） 解答用紙に、受検番号及び氏名を必ず記入してください。

（3） 係員の指示に従って、この試験問題が表紙を含めて 13 ページであることを確認してください。それらに異常がある場合は、黙って手を挙げてください。

（4） 試験開始の合図で始めてください。

（5） 解答は、解答用紙の解答欄に記入してください。
なお、要求している解答以外は記入しないでください。

（6） 試験中は、携帯電話、スマートフォン、ウェアラブル端末等の使用(電卓機能の使用を含む。)を禁止とします。

（7） 試験中、質問があるときは、黙って手を挙げてください。ただし、試験問題の内容、漢字の読み方等に関する質問にはお答えできません。

（8） 試験終了時刻前に解答ができあがった場合は、黙って手を挙げて、係員の指示に従ってください。

（9） 試験中に手洗いに立ちたいときは、黙って手を挙げて、係員の指示に従ってください。

(10) 試験終了の合図があったら、筆記用具を置き、係員の指示に従ってください。

(11) 試験終了後、解答用紙を提出してください。

(12) 計算等は、問題用紙の余白又は裏面を使用して行ってください。

3　試験に使用できる用具等一覧

品　　名	寸法又は規格	数量	備　　　　考
筆記用具等	鉛筆、消しゴム等	一式	

問題1

次の断面図に示す歯車の歯部及び内径部を高周波焼入れする場合について、次の各設問に答えなさい。ただし、解答は解答用紙の解答欄に記号で記入すること。

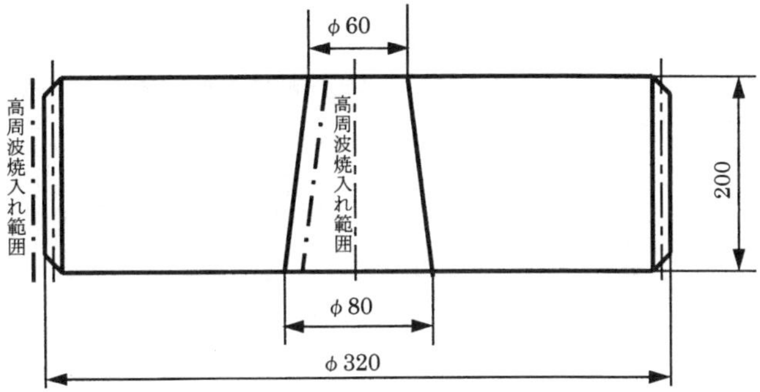

単位：mm

（注） 1. 鋼種：S53C
2. 歯車諸言：モジュール8、歯数38枚の平歯車
3. 熱処理仕様
・歯部
表面硬さ：56～62HRC(75～85HS)
硬化層深さ：歯底で1.5~3mm、ピッチ円(P.C.D)上で1.5mm以上(限界硬さ500HV)
・内径部
表面硬さ：56～62HRC(75～85HS)
硬化層深さ： 3～5mm(限界硬さ500HV)
4. 高周波焼入れに使用する電源容量：200kW

設問1 歯部を高周波焼入れする方法として、最も適切なものを一つ選びなさい。

ア 歯底移動焼入れ
イ 歯先移動焼入れ
ウ 歯先一歯一発焼入れ
エ 全体一発焼入れ

設問2 歯部を高周波焼入れするのに必要な周波数として、最も適切なものを一つ選びなさい。

ア 1 kHz
イ 3 kHz
ウ 10 kHz
エ 100 kHz

設問3　内径部を高周波焼入れする場合、最も適切な焼入れ方法を一つ選びなさい。

ア　回転移動焼入れ

イ　回転一発焼入れ（加熱コイル：ヘアピン）

ウ　回転一発焼入れ（加熱コイル：多巻き）

エ　回転一発焼入れ（加熱コイル：1ターン）

設問4　磁粉探傷試験において、下図のような歯底の軸方向の焼割れを発見するための磁化方法として、最も適切なものを一つ選びなさい。

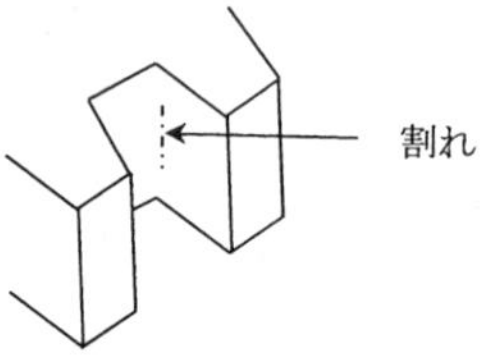

ア　直角通電法

イ　軸通電法

ウ　コイル法（歯車の外周方向にコイルを配置する）

エ　磁束貫通法

問題2

下図の部品を炎焼入れする場合について、次の各設問に答えなさい。ただし、解答は解答用紙の解答欄に記号で記入すること。

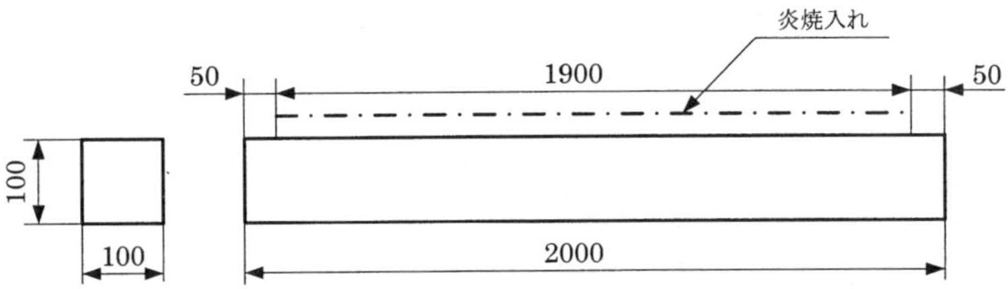

単位：mm

(注) 1　鋼種：S35C
2　前熱処理：調質
3　前熱処理後の硬さ：167〜235HBW
4　炎焼入れ後の硬さ：50HRC以上

設問1　S35Cの前熱処理条件として、最も適切な焼入れと焼戻しの条件をそれぞれ一つずつ選びなさい。

記号	焼入れ
ア	860℃ 油冷
イ	860℃ 水冷
ウ	910℃ 油冷
エ	910℃ 水冷

記号	焼戻し
ア	580℃ 急冷
イ	530℃ 空冷
ウ	580℃ 炉冷

設問2　下図は、部品を移動焼入れしている状態を示している。図中の(　A　)～(　C　)に当てはまるものとして、最も適切なものを語群から一つずつ選びなさい。

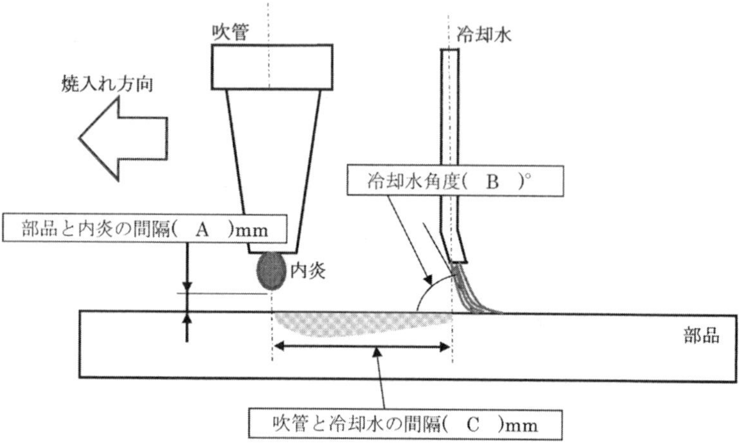

語群

ア　0	イ　3	ウ　8	エ　15
オ　30	カ　60	キ　90	

設問3　次の炎焼入れの条件のうち、前熱処理を「調質」ではなく「焼なまし」とした場合に、調整を最も必要とするものを一つ選びなさい。

ア　冷却水温度
イ　吹管と冷却水との間隔
ウ　加熱時間(移動速度)
エ　部品と内炎の間隔

設問4　移動焼入法における火力と移動速度の関係として、適切なものを一つ選びなさい。

ア　移動速度が一定のとき、火力は全硬化層深さには影響しない。
イ　火力を一定にして、移動速度を増加させた場合、全硬化層深さは深くなる。
ウ　火力を移動速度に合わせて調整すると、全硬化層深さは一定した深さに調整できる。
エ　火力が一定のとき、移動速度は全硬化層深さには影響しない。

問題3

下記は、日本産業規格(JIS)の「鉄鋼の高周波焼入焼戻し加工」に関するものである。次の各設問に答えなさい。ただし、解答は解答用紙の解答欄に記号で記入すること。

設問1　高周波焼入焼戻しの定義は、次のように規定されている。文中の(　A　)〜(　C　)に当てはまるものを、語群から一つずつ選びなさい。

鉄鋼製品の表面全体又は部分の表面硬化を目的として、(　A　)によってAc_3点又はAc_1点以上の適切な温度に加熱した後、適切な冷却剤で冷却し(焼入れ)、更に(　B　)を調節し、じん性を増すために、(　C　)点以下の適切な温度に通常の焼戻炉中で加熱した後、冷却する(焼戻し)処理。焼戻しは高周波焼戻しも含む。

語群

ア　硬さ	イ　残留応力	ウ　Ac_1
エ　Ac_3	オ　通電加熱	カ　誘導加熱

設問2　高周波発振装置の精度は、次のように規定されている。表中の(　A　)及び(　B　)に当てはまるものを、語群から一つずつ選びなさい。

単位 %

高周波発振装置の種類	精　　度	
	電圧	電力
電動発電機式、真空管式、その他	±2.5	±(　A　)
サイリスタ式、トランジスタ式	±2	±(　B　)

語群

ア　3	イ　4	ウ　5	エ　6

設問3　焼入機械の精度は、次のように規定されている。表中の(　A　)及び(　B　)に当てはまるものを、語群から一つずつ選びなさい。

項　　目	精　　度
軸心の振れ	(　A　)mm
面の振れ	(　B　)mm
移動速度(mm／s)の変動範囲	±5%

語群

ア　0.3	イ　0.5	ウ　0.8	エ　1

設問4　焼入冷却剤の種類には、熱処理油、水、水溶液焼入剤などがあり、それぞれの使用温度許容値は、次のように規定されている。表中の(　A　)〜(　C　)に当てはまるものを、語群から一つずつ選びなさい。

単位℃

冷却剤	熱処理油	水	水溶液焼入剤
使用温度許容値	目的温度　±(　A　)	目的温度　±(　B　)	目的温度　±(　C　)

語群

ア　5	イ　10	ウ　15	エ　20

問題4

下図に示す重負荷ローラーを高周波焼入焼戻しする場合について、次の各設問に答えなさい。ただし、解答は、解答用紙の解答欄に記号で記入すること。

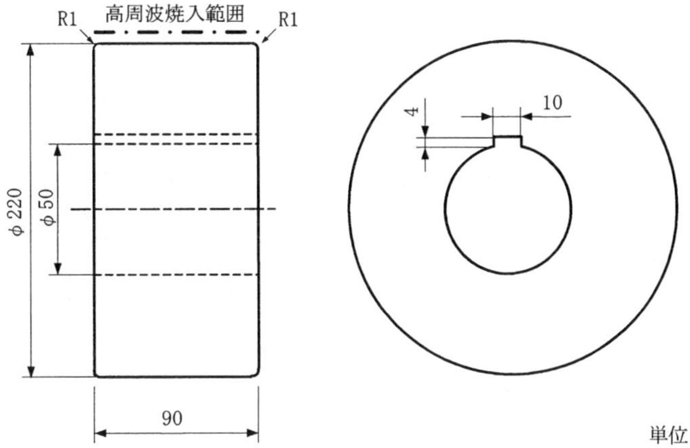

単位：mm

(注) 1　鋼種：SUJ2
　　2　高周波焼入前の素地：フェライト＋球状セメンタイト
　　3　高周波焼入焼戻し時の要求品質：指定表面硬さ62.0HRC以上
　　4　有効硬化層深さ(限界硬さ500HV)：4.0～6.0mm

設問1　この部品を回転一発焼入れする場合の加熱条件として、最も適切なものを（1）及び（2）の各項目からそれぞれ一つずつ選びなさい。ただし、周波数は3kHzとする。

（1）コイル(加熱用誘導子)の寸法(内径×高さ)
　ア　φ225×90
　イ　φ230×90
　ウ　φ235×95
　エ　φ240×95

（2）焼入温度
　ア　830℃
　イ　890℃
　ウ　950℃
　エ　1020℃

設問2　高周波焼入時の冷却方法として、適切なものを一つ選びなさい。

ア　空冷
イ　焼入油90℃の浸漬冷却
ウ　水溶液(PAG)濃度25～30%の噴射冷却
エ　水溶液(PAG)濃度10～15%の噴射冷却

設問3　下記は、高周波加熱の効率に関する記述である。文中の（ A ）～（ D ）に当てはまる適切なものを語群からそれぞれ一つずつ選びなさい。ただし、同じ記号は重複して使用しないこと。

電源からの高周波電流を、電磁誘導作用によりワークに伝えるのに加熱コイルが用いられ、連結リードを通して電源側から加熱コイル側へ電力が供給される。この変換効率を上げるためには、電源変成器を用いて、電源から供給される（ A ）電圧小電流と（ B ）電圧大電流を必要とする加熱コイルとの間の整合をとることや、連結リードの長さをできるだけ（ C ）くすることが必要である。また、加熱コイルからワークへのエネルギー変換効率は、双方の形状や相対位置にもよるが、約（ D ）%とされている。

語群

ア 高	イ 長	ウ 低	エ 短
オ 30	カ 70	キ 90	

問題5

下表は、各鋼種における熱処理、加熱温度、冷却方法及び顕微鏡組織を示している。表中の（　）内に当てはまる語句として最も適切なものを、語群からそれぞれ一つずつ選びなさい。

ただし、解答は解答用紙の解答欄に記号で記入すること。

なお、同じ記号は重複して使用しないこと。

鋼種	熱処理	加熱温度（℃）	冷却方法	顕微鏡組織
SK85	焼入れ	800	水冷	（ ① ）
S45C	完全焼なまし	810	炉冷	（ ② ）
SCM440	調質	850/600	油冷／急冷	（ ③ ）
SUS316	固溶化熱処理	1100	水冷	（ ④ ）
S45C	焼入れ	750	水冷	（ ⑤ ）

語群

ア　マルテンサイト＋初析セメンタイト
イ　マルテンサイト＋残留オーステナイト
ウ　マルテンサイト＋少量の未固溶炭化物
エ　マルテンサイト＋フェライト
オ　フェライト＋パーライト
カ　フェライト＋球状セメンタイト
キ　ベイナイト
ク　ソルバイト
ケ　オーステナイト
コ　マルテンサイト

問題6

図1に示すリング形状部品の内径寸法を測定する場合について、次の各設問に答えなさい。ただし、解答は解答用紙の解答欄に記入すること。

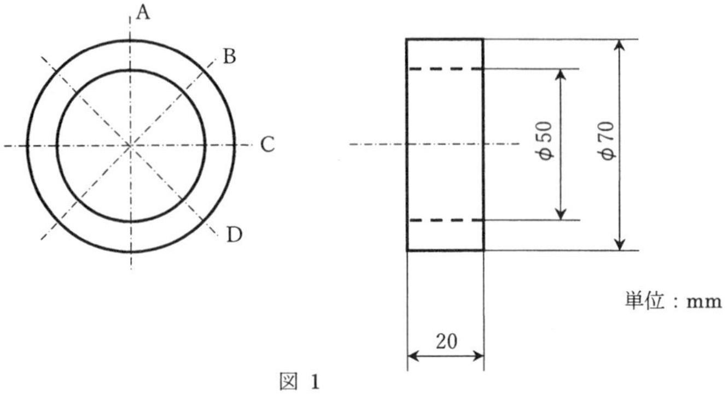

図 1

設問1　当該部品の内径を写真1に示す機器で測定した。この機器について日本産業規格(JIS)に定められた名称を記入しなさい。ただし、名称はカタカナ3文字とする。

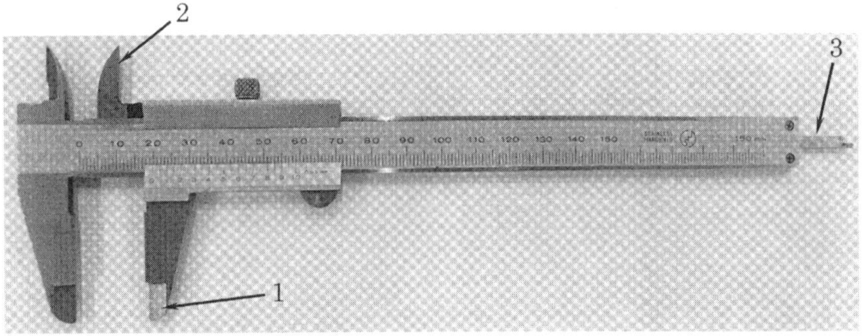

写真 1

設問2　写真1に示す機器で当該部品の内径を測定する場合に使用する部位を、写真中の番号1～3の中から一つ選びなさい。

設問3　提示された写真A～Dは、図1のφ50部の内径4か所A～Dを計測した際の目盛値を含む写真である。これを基に、次の①～③に答えなさい。ただし、単位はmmとし、②及び③の解答値は小数第2位までを0.05mmごとの値で解答すること。

①　内径が最大となる箇所の写真を選びなさい。

②　内径が最大となる箇所の写真における内径値を記入しなさい。

③　写真A～Dの測定結果より最大値と最小値の差を記入しなさい。

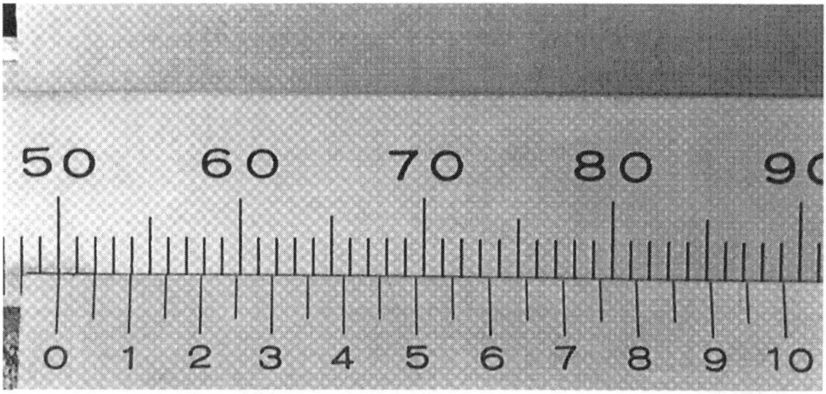

写真A

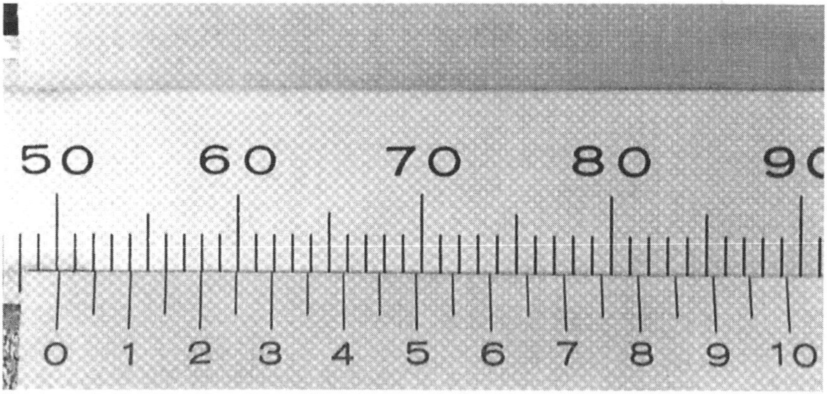

写真B

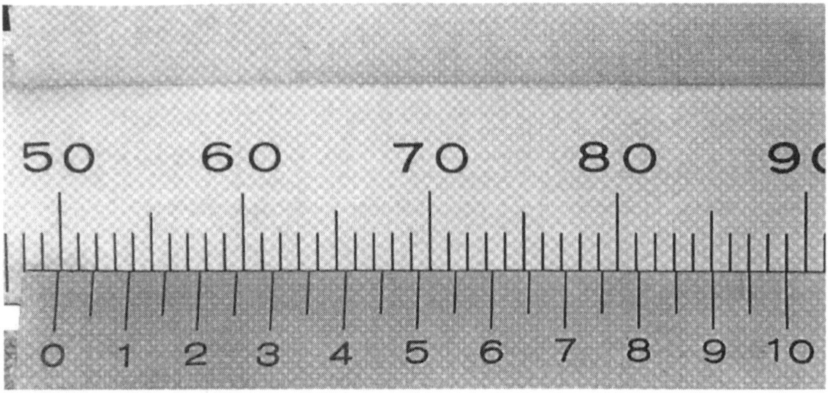

写真 C

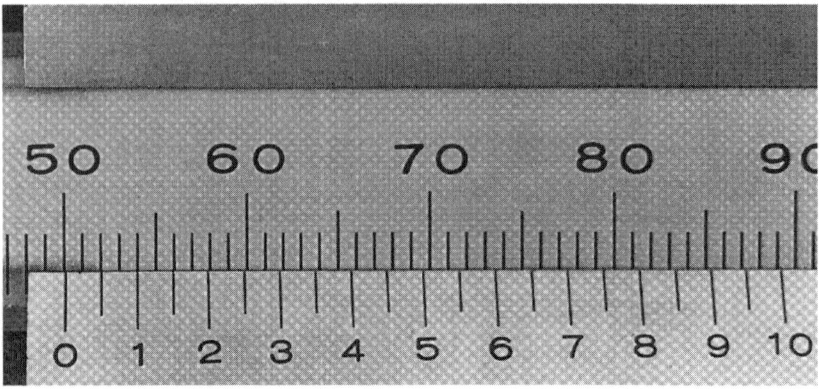

写真 D

令和3年度 技能検定
1級 金属熱処理（高周波・炎熱処理作業）
実技試験（計画立案等作業試験） 問題

1 試験時間

60分

2 注意事項

（1） 係員の指示があるまで、この表紙はあけないでください。

（2） 解答用紙に、受検番号及び氏名を必ず記入してください。

（3） 係員の指示に従って、この試験問題が表紙を含めて 13 ページであることを確認してください。それらに異常がある場合は、黙って手を挙げてください。

（4） 試験開始の合図で始めてください。

（5） 解答は、解答用紙の解答欄に記入してください。
なお、要求している解答以外は記入しないでください。

（6） 試験中は、携帯電話、スマートフォン、ウェアラブル端末等の使用(電卓機能の使用を含む。)を禁止とします。

（7） 試験中、質問があるときは、黙って手を挙げてください。ただし、試験問題の内容、漢字の読み方等に関する質問にはお答えできません。

（8） 試験終了時刻前に解答ができあがった場合は、黙って手を挙げて、係員の指示に従ってください。

（9） 試験中に手洗いに立ちたいときは、黙って手を挙げて、係員の指示に従ってください。

（10） 試験終了の合図があったら、筆記用具を置き、係員の指示に従ってください。

（11） 試験終了後、解答用紙を提出してください。

（12） 計算等は、問題用紙の余白又は解答用紙の裏面を使用して行ってください。

3 試験に使用できる用具等一覧

品　名	寸法又は規格	数量	備　考
筆記用具等	鉛筆、消しゴム等	一式	

問題 1

高周波焼入れを行う場合について、次の各設問に答えなさい。ただし、解答は、解答用紙の解答欄に記号で記入すること。

設問1　次の文中の（　　）内に当てはまる語句として、最も適切なものを語群から一つずつ選びなさい。

高周波焼入れにおいて、被加熱部(ワーク)に流れる（ ① ）は、周波数が高くなると共に表面に集中し、（ ② ）は表面で最大となり、内側になるにしたがい減少する傾向がある。これを（ ③ ）といい、次式で表すことができる。

$$\delta = 5.03 \times 10^3 \sqrt{\frac{\rho}{\mu \cdot f}}$$

この場合 δ は（ ① ）の浸透深さ、ρ はワークの（ ④ ）、f は（ ⑤ ）、μ はワークの（ ⑥ ）であり、等方性磁性体におけるある一点の磁束密度と同じ点の磁界強さとの比を取ったものである。

語群

イ　周波数 (Hz)	ロ　うず電流	ハ　ヒステリシス損
ニ　抵抗率 (Ω・cm)	ホ　電圧	ヘ　比透磁率
ト　磁界強さ	チ　表皮効果	リ　電流密度
ヌ　質量効果	ル　電力	

設問2　下図は素材の前熱処理が異なるS55C鋼を同一条件で高周波焼入れした断面硬さ分布を示す。図中の（A）～（D）に当てはまる金属組織として、最も適切なものを語群から一つずつ選びなさい。

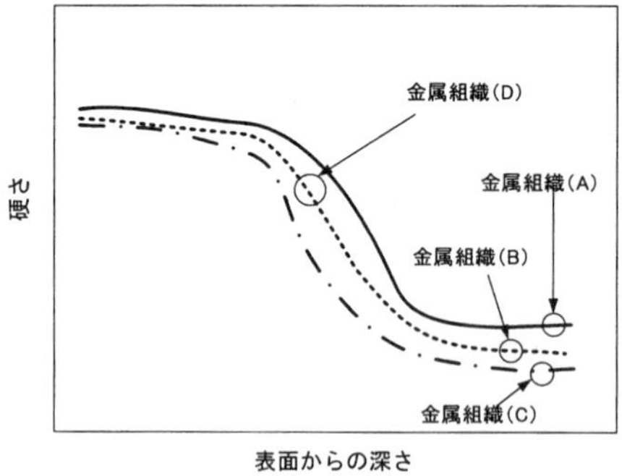

語群

イ　フェライト	ロ　ベイナイト	ハ　フェライト＋パーライト
ニ　オーステナイト	ホ　フェライト＋球状セメンタイト	ヘ　ソルバイト
ト　マルテンサイト＋フェライト＋微細パーライト		

設問3　高周波焼入れで発生する残留応力に関する記述として、正しいものを一つ選びなさい。

イ　硬化層深さが深い方が、表面の圧縮残留応力は高くなる。
ロ　硬化層内部（素地部）には、引張残留応力が発生する。
ハ　同じ高周波焼入条件で処理した場合、残留応力の分布は鋼種の影響を受けない。
ニ　冷却速度が異なっても表面の残留応力は同じである。

設問4　高周波焼入れは比較的変形が少ないが、皆無にすることは困難である。この変形を少なくする工夫として、誤っているものを一つ選びなさい。

イ　加熱コイルや冷却ジャケットなどの調整を行い、加熱や冷却をできるだけ均一にする。
ロ　前工程で残留応力が生じている場合は、高周波焼入れ前に残留応力を除去する。
ハ　前組織がソルバイトよりもフェライト＋パーライトの方が変形が少ないので、焼なましの状態で処理する。
ニ　矯正をしながら高周波焼入れする。

問題2

炎焼入れについて、次の各設問に答えなさい。ただし、解答は解答用紙の解答欄に記号で記入すること。

設問1　下図A～Cは酸素－アセチレン炎の状態を模式図的に表したものである。下記の炎の種類イ～ハに当てはまる炎の状態として、最も適切なものをA～Cからそれぞれ一つずつ選びなさい。ただし、同じ記号を重複して使用しないこと。

炎の種類
　イ：酸化炎
　ロ：中性炎
　ハ：還元炎

炎の状態

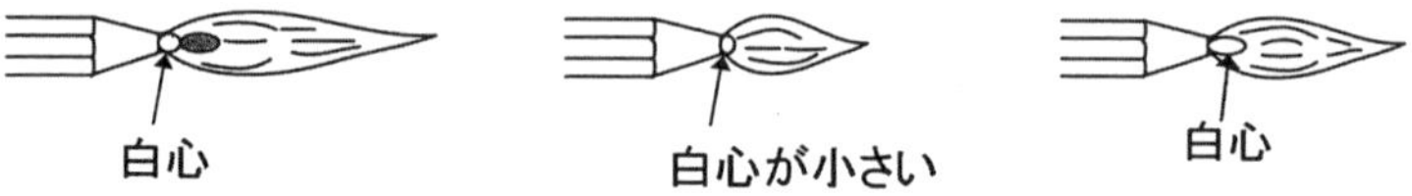

A　　　B　　　C

設問2　下記①～③は、炎焼入用燃料ガスと酸素の混合割合によって生じる炎の種類を示したものである。①～③の炎の種類に該当する酸素の割合及び表面状態として、最も適切なものを語群からそれぞれ一つずつ選びなさい。ただし、同じ記号を重複して使用しないこと。

①　還元炎　　　②　中性炎　　　③　酸化炎

語群

酸素の割合	イ　多い	ロ　少ない	ハ　適正
表面状態	ニ　脱炭防止となる	ホ　多少脱炭気味となる	ヘ　脱炭や肌荒れを生じやすい

設問3　炎焼入れの特徴として、誤っているものを一つ選びなさい。

イ　原則的には、焼入硬化できる材料であれば、比較的簡単な装置、方法で焼入れができる。
ロ　硬化を必要とする部分のみ加熱、焼入れする省エネルギー的な焼入方法である。
ハ　冷却剤に焼入油や圧縮空気を使用することがある。
ニ　高合金鋼のような熱伝導しにくい材料の場合、急速加熱にともなって生じる加熱割れは、予熱により防止することは困難である。

設問4　下表は各燃料ガスの性質を示すものである。表中の（A）～（D）に当てはまる語句として、最も適切なものを語群からそれぞれ一つずつ選びなさい。

燃料ガス	反応式	最高炎温度(℃)
アセチレン	アセチレン$+2.5O_2=$(　A　)$+H_2O$	(　B　)
プロパン	プロパン$+5O_2=3CO_2+$(　C　)	(　D　)

語群

イ　CO_2	ロ　$2CO_2$	ハ　$4CO_2$	ニ　$2H_2O$
ホ　$4H_2O$	ヘ　2325	ト　1925	チ　1625

問題3

下記はリング部品の図である。この部品の外周部を高周波焼入れする場合について、次の各設問に答えなさい。ただし、解答は解答用紙の解答欄に記号で記入すること。

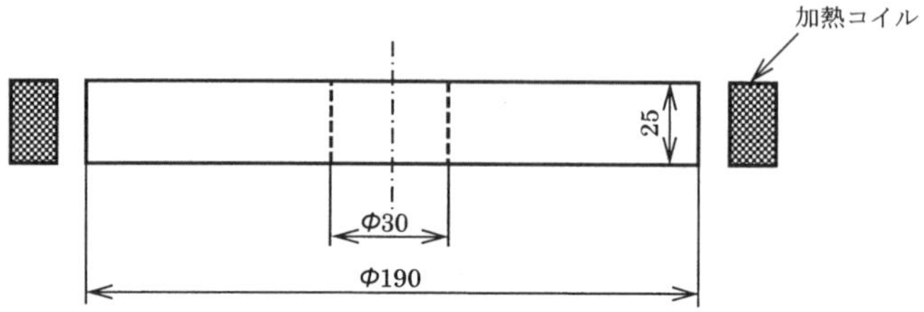

(単位：mm)

(注) 1　鋼種：S53C
2　熱処理仕様
・硬化層深さ：中央部　0.5~3.0mm（限界硬さ500HV）
・表面硬さ　：75～85HS
3　高周波焼入れ条件：加熱時間3秒、加熱温度950℃

設問1　高周波加熱時に電源周波数を変えながら焼入れした結果、下記のA～Cのような硬化パターンが得られた。A～Cについて、それぞれで使用した電源の周波数として、最も適切なものをイ～ハから一つずつ選びなさい。ただし、同じ記号を重複して使用しないこと。

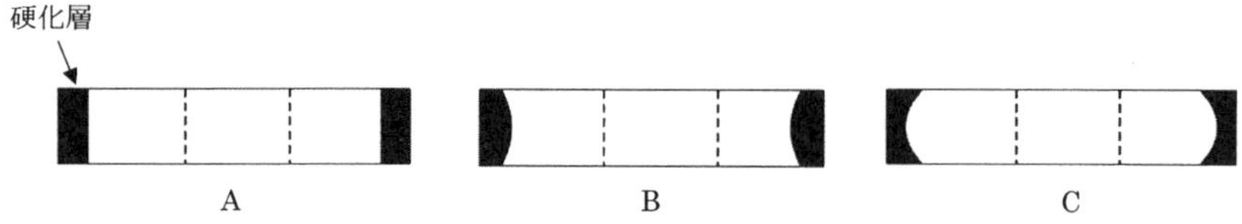

イ　10 kHz
ロ　50 kHz
ハ　200 kHz

設問2　このリング部品の高周波焼入時の加熱出力として、最も適切なものを一つ選びなさい。

イ　10 kW
ロ　50 kW
ハ　150 kW
ニ　300 kW

設問3　高周波焼入れ後の表面硬さが70HSと低かった。その原因として当てはまらないものを一つ選びなさい。

イ　素材の前組織のフェライト面積が多く、未溶解のフェライトが残存した。
ロ　残留オーステナイトが多かった。
ハ　素材表面が脱炭していた。
ニ　冷却が不足して、微細パーライトが析出した。

設問4　設問3の高周波焼入れ後の低硬さに対して適切な対策を行った結果、焼入後硬さが87HSとなった。同部品の焼戻しを高周波加熱で行う場合、炉加熱の160℃×1hと同等の硬さが得られる高周波焼戻し温度として、最も適切なものを一つ選びなさい。ただし、加熱時間は60秒とする。

イ　160 ℃
ロ　200 ℃
ハ　240 ℃
ニ　280 ℃

問題 4

次の断面図に示す歯車の歯部及び内径部を高周波焼入れする場合について、次の設問に答えなさい。ただし、解答は解答用紙の解答欄に記号で記入すること。

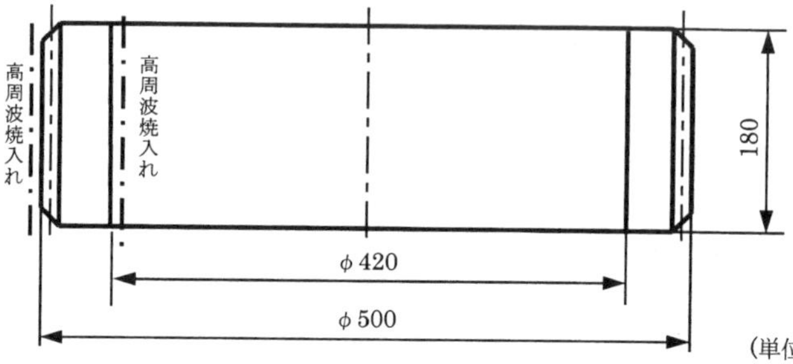

(単位：mm)

(注) 1. 鋼種：SCM440
2. 前処理：調質
3. 前熱処理後の硬さ：285～352HBW
4. 歯車諸元：モジュール12の平歯車
5. 熱処理仕様
・歯部
表面硬さ：55～62HRC(74～85HS)
硬化層深さ：歯底で3～5mm、ピッチ円(P.C.D)上で3mm以上(限界硬さ400HV)
・内径部
表面硬さ：54～60HRC(72～81HS)
硬化層深さ： 2～5mm(限界硬さ400HV)
6. 高周波焼入れに使用する電源容量：150kW

設問1　SCM440の前熱処理条件として、最も適切な条件を一つ選びなさい。

記号	焼入れ	焼戻し
イ	850℃水冷	600℃急冷
ロ	800℃水冷	500℃急冷
ハ	850℃油冷	600℃急冷
ニ	800℃油冷	600℃急冷

設問2　歯部及び内径部を高周波焼入れする方法として、最も適切なものを一つ選びなさい。

イ　歯底移動焼入れ → 内径移動焼入れ
ロ　内径移動焼入れ → 歯底移動焼入れ
ハ　歯一発焼入れ → 内径一発焼入れ
ニ　内径一発焼入れ → 歯一発焼入れ

設問3　歯部を高周波焼入れするのに必要な周波数として、最も適切なものを一つ選びなさい。

イ　1 kHz
ロ　3 kHz
ハ　10 kHz
ニ　100 kHz

設問4　歯部を高周波焼入れする際の焼入れ条件として、最も適切なものを一つ選びなさい。

イ　900℃加熱、水溶液焼入剤(PAG)　5%噴射冷却焼入れ
ロ　950℃加熱、水溶液焼入剤(PAG) 15%噴射冷却焼入れ
ハ　900℃加熱、水溶液焼入剤(PAG) 15%噴射冷却焼入れ
ニ　950℃加熱、水溶液焼入剤(PAG)　5%噴射冷却焼入れ

問題5

下表は、各鋼種における熱処理、加熱温度、冷却及び顕微鏡組織を示している。表中の(　　)内に当てはまる語句として最も適切なものを、語群からそれぞれ一つずつ選びなさい。ただし、解答は解答用紙の解答欄に記号で記入すること。また、同じ記号は重複して使用しないこと。

鋼種	熱処理	加熱温度(℃)	冷却	顕微鏡組織
SK120	完全焼なまし	950	炉冷	(①)
SCM420	焼ならし	920	空冷	(②)
SKD11	焼入れ	(③)	空冷	マルテンサイト＋未固溶炭化物
SUS304	固溶化熱処理	1080	水冷	(④)
SCM445	焼入れ	(⑤)	油冷	マルテンサイト

加熱温度　語群

イ　800	ロ　850	ハ　900
ニ　1030	ホ　1100	ヘ　1170

顕微鏡組織　語群

ト　マルテンサイト＋少量の未固溶炭化物

チ　初析セメンタイト＋パーライト

リ　フェライト＋球状セメンタイト

ヌ　フェライト＋パーライト

ル　オーステナイト

ヲ　ベイナイト

ワ　フェライト

問題6

次の各設問に答えなさい。ただし、設問1及び設問3の解答は、解答用紙の解答欄に記号で記入すること。また、設問2、設問4及び設問5の解答は、解答用紙の解答欄に語句又は数値で記入すること。

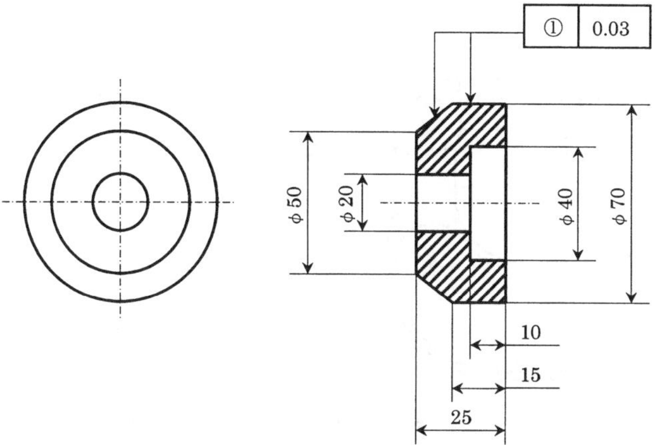

（単位：mm）

図1

幾何公差の説明：円筒及び円すい表面の任意の横断面において、
実際の（再現した）半径方向の線は半径距離で 0.03 だけ
離れた共通平面上の同軸の二つ円の間になければならない。

設問1　図1の①に当てはまる幾何特性の記号として、最も適切なものを語群から一つ選びなさい。

語群

イ ○	ロ ▱	ハ ↗	ニ ◎

設問2　設問1で答えた幾何特性の名称を記入しなさい。

設問3　図1における①の幾何公差を測定する際に外側マイクロメータを使用した。この測定器において、下図に示す番号1～4に当てはまる名称として、最も適切なものを語群からそれぞれ一つずつ選びなさい。ただし、同じ記号は重複して使用しないこと。

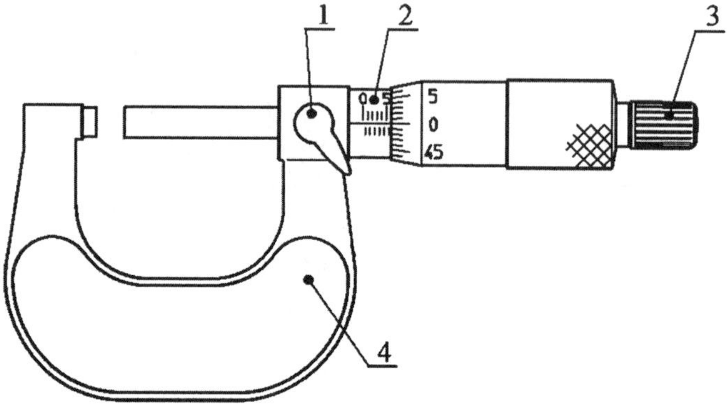

外側マイクロメータ

語群

イ　送りつまみ	ロ　スピンドル	ハ　アンビル	ニ　フレーム
ホ　防熱板	ヘ　クランプ	ト　シンブル	チ　スリーブ

設問4　提示された写真A～Dは、図1のφ70部について、外形を4等分しながら外径(直径)を計測した際の目盛値を含む写真である。この写真A～Dの読み取り数値を記入しなさい。ただし、単位はmmとし、解答値は小数第3位を二捨三入・七捨八入して小数第3位までの数値で解答すること。
（読み取り数値が10の場合、“10.000”と解答すること）

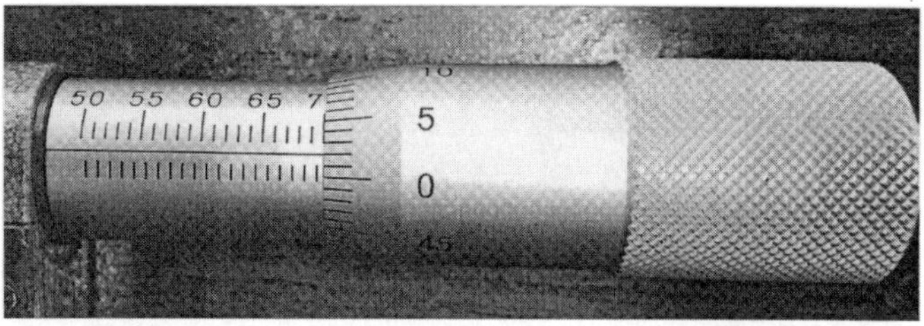

写真 A

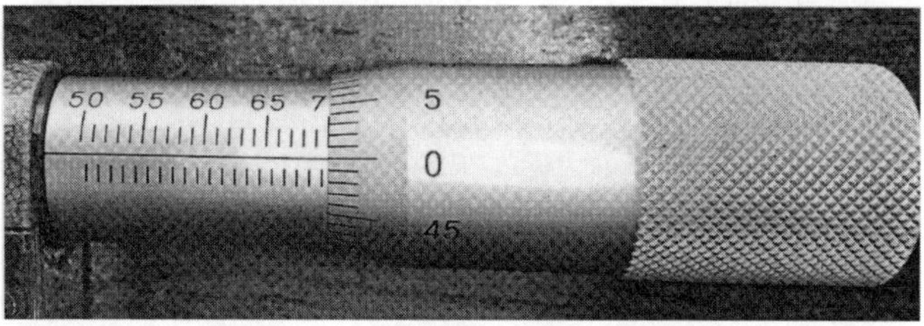

写真 B

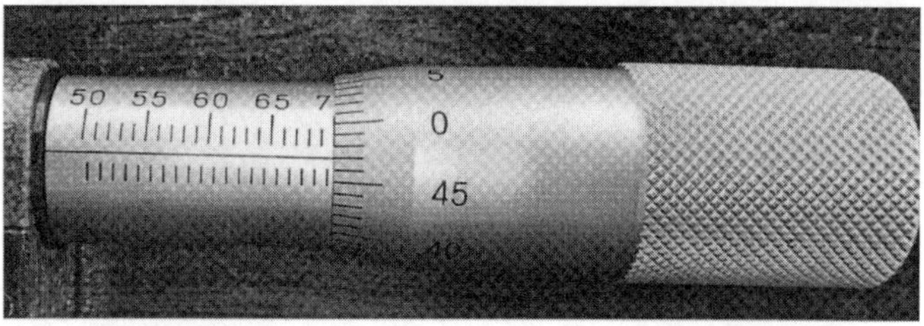

写真 C

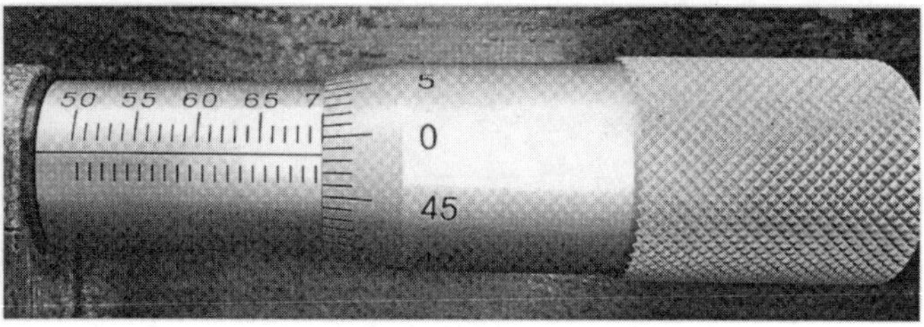

写真 D

設問5　設問4で提示された写真A～Dを基に、図1における①の幾何公差を求めなさい。ただし、単位はmmとし、解答値は小数第4位を四捨五入して小数第3位までの数値で解答すること。

金属熱処理

学科試験問題

令和5年度 技能検定

2級 金属熱処理 学科試験問題

(一般熱処理作業)

1. 試験時間　1時間40分
2. 問題数　50題(A群25題、B群25題)
3. 注意事項

(1) 係員の指示があるまで、この表紙はあけないでください。

(2) 答案用紙(真偽法と多肢択一法の併用)に検定職種名、作業名、級別、受検番号、氏名を必ず記入してください。

(3) 係員の指示に従って、問題数を確かめてください。それらに異常がある場合は、黙って手を挙げてください。問題はA群(真偽法)とB群(多肢択一法)とに分かれています。

(4) 試験開始の合図で始めてください。

(5) 解答の方法(真偽法と多肢択一法の併用)は次のとおりです。

イ. A群の問題(真偽法)は、一つ一つの問題の内容が正しいか、誤っているかを判断して解答してください。

ロ. B群の問題(多肢択一法)は、正解と思うものを一つだけ選んで、解答してください。二つ以上に解答した場合は誤答となります。

ハ. 答案用紙(マークシート用紙)へ解答する際は、答案用紙に記載されている注意事項に従ってください。

ニ. 答案用紙の解答欄は、A群の問題とB群の問題とでは異なります。所定の解答欄に、試験問題の題数に応じて解答してください。解答欄はA群は50題まで、B群は25題まで解答できるようになっています。

(6) 電子式卓上計算機その他これと同等の機能を有するものは、使用してはいけません。

(7) 携帯電話、スマートフォン、ウェアラブル端末等は、使用してはいけません。

(8) 試験中、質問があるときは、黙って手を挙げてください。ただし、試験問題の内容、漢字の読み方等に関する質問にはお答えできません。

(9) 試験終了時刻前に解答ができあがった場合は、黙って手を挙げて、係員の指示に従ってください。

(10) 試験中に手洗いに立ちたいときは、黙って手を挙げて、係員の指示に従ってください。

(11) 試験終了の合図があったら、筆記用具を置き、係員の指示に従ってください。

［A群（真偽法）］

1 鉄－炭素系平衡状態図において、A_3線とA_{cm}線との交点は、共析点である。

2 炭素含有率0.45％の機械構造用炭素鋼を900℃から徐冷すると、金属組織は、初析セメンタイトとパーライトになる。

3 等温変態曲線とは、オーステナイトの等温変態の開始及び終了を、縦軸に温度、横軸に時間をとって図示したものである。

4 同一鋼種においては、オーステナイト結晶粒が小さいものほど、焼入性が良い。

5 軸受鋼の球状化焼なましの目的の一つは、焼入焼戻し後、優れた耐摩耗性等を得ることである。

6 焼入硬化した部品の変形を矯正するために行うプレステンパは、通常、組織の変化による塑性変形を利用したものである。

7 鋼にショットブラストを行うと、表面近傍に引張残留応力が発生する。

8 日本産業規格(JIS)の「熱電対」によれば、常用限度の温度が最も高いものは、K熱電対である。

9 熱電対による測温では、基準接点が必要である。

10 マクロ的な破面観察では、破損事故品に対して、疲労破壊かぜい性破壊かなどを判断することはできない。

11 超音波探傷試験には、一般に、反射波形法(パルス反射法)が用いられる。

12 ダイカスト鋳造法とは、溶融した金属を高圧で注入し、精度の良い鋳物を作る方法のことである。

13 フライス盤では、溝加工ができない。

14 日本産業規格(JIS)の「機械製図」によれば、実線、破線、一点鎖線及び二点鎖線は、いずれも製図に用いる線の種類に該当する。

15 日本産業規格(JIS)によれば、鉄鋼記号「SK」のKは、機械を意味する。

16 電力は、抵抗と電圧の積から求めることができる。

［A群（真偽法）］

17 周波数(ヘルツ)とは、電気振動などの現象が単位時間(1秒間)に繰り返される回数のことである。

18 大気汚染防止法関係法令によれば、金属の熱処理の用に供する加熱炉の中には、ばい煙発生施設に含まれるものもある。

19 オーステンパは、必ず焼戻しを行う。

20 ねずみ鋳鉄の鋳造応力を除去するための焼なまし温度は、800～850℃である。

21 吸熱型変成ガスは、原料ガスと過剰空気の混合ガスを変成することで得られる。

22 焼入れ時、処理品の表面に気泡が発生すると、焼むらの原因となる。

23 鋼を酸化性の雰囲気中で加熱した場合の脱炭層深さは、加熱温度の影響を受けない。

24 鋼の高温焼戻ぜい性は、Moの添加によって抑制することができる。

25 焼入焼戻し状態のS45Cにおける実用脱炭層深さは、ビッカース硬さ試験によって測定できる。

［B群（多肢択一法）］

1 日本産業規格(JIS)によれば、Fe_3Cの化学式で示される鉄炭化物に該当するものはどれか。

イ オーステナイト

ロ フェライト

ハ マルテンサイト

ニ セメンタイト

2 炭素含有率が1.2%の鋼をオーステナイト状態に加熱した後、徐冷したときの常温における金属組織はどれか。

イ 初析フェライト＋パーライト

ロ 初析フェライト＋マルテンサイト

ハ 初析セメンタイト＋パーライト

ニ 初析セメンタイト＋レデブライト

3 残留オーステナイトに関する記述として、誤っているものはどれか。

イ 鋼を焼入硬化後、常温において残留する未変態オーステナイトのことである。

ロ 残留オーステナイトが多い鋼ほど、焼入硬さは低い。

ハ 炭素量が同一の鋼を焼入れした場合、水焼入れより油焼入れの方が残留オーステナイトは多い。

ニ 残留オーステナイトはサブゼロ処理のみによって、マルテンサイトに変化する。

4 鋼の質量効果に関する記述として、誤っているものはどれか。

イ 質量効果とは、質量及び断面寸法の大小で、焼入硬化層の深さが異なる度合いのことである。

ロ 質量効果が大きい鋼は、焼入性が悪い。

ハ S35Cは、SCM435より質量効果が小さい。

ニ U曲線から質量効果を求めることができる。

5 機械構造用炭素鋼の完全焼なまし処理に関する記述として、誤っているものはどれか。

イ 焼なまし温度は、炭素量によって変える必要がある。

ロ 鋼材中心まで均一に加熱する。

ハ 十分軟化させる目的で炉冷する。

ニ 同じ加熱条件の場合、機械構造用合金鋼に比べて、結晶粒が粗大化しにくい。

6 マルテンパに関する一般的な記述として、誤っているものはどれか。

イ Ms直上の温度の熱浴で保持した後、冷却する。

ロ 処理後に焼戻しを必要としない。

ハ マルクエンチとも呼ばれる。

ニ オイルバスが利用できる。

［B群（多肢択一法）］

7 焼入剤の特徴に関する記述として、誤っているものはどれか。
イ 空気は、水よりも冷却能が小さい。
ロ 水は、水温が30℃の方が20℃よりも冷却能は小さい。
ハ 焼入油は、一般に、粘度が高くなるほど冷却能は大きくなる。
ニ 水溶液焼入剤は、濃度によって冷却能を調整できる。

8 脱脂に関する記述として、誤っているものはどれか。
イ 脱脂方法の一つとして、乳化剤脱脂法がある。
ロ 脱脂剤の一つとして、塩素系有機溶剤がある。
ハ 炭化水素系脱脂剤を使った脱脂方法には、蒸気法がある。
ニ アルカリ脱脂剤には、苛性《かせい》ソーダを使用しない。

9 鉄鋼部品のショットピーニングに用いるショットの種類として、最も適切でないものはどれか。
イ 鋳鋼ショット
ロ ガラスビーズ
ハ 樹脂球
ニ カットワイヤショット

10 温度制御において、現在温度が設定温度以下では操作量を100%にし、設定温度を超えると操作量を0%にする動作に該当するものはどれか。
イ 微分動作
ロ 積分動作
ハ 比例動作
ニ オンオフ動作

11 キルド鋼の特徴に関する一般的な記述として、誤っているものはどれか。
イ リムド鋼よりも介在物や偏析が多い。
ロ けい素やアルミニウムで脱酸した鋼である。
ハ 熱処理を施して使用する場合が多い。
ニ 機械構造用合金鋼は、キルド鋼である。

12 日本産業規格(JIS)によれば、ダイヤモンドハンマを一定の高さから落下させ、その跳ね上がり高さに比例する値を求める硬さ試験として、正しいものはどれか。
イ ロックウェル硬さ試験
ロ ビッカース硬さ試験
ハ ブリネル硬さ試験
ニ ショア硬さ試験

［B群（多肢択一法）］

13　金属材料の引張試験の目的として、誤っているものはどれか。

イ　ぜい性を調べる。

ロ　耐力を調べる。

ハ　伸びを調べる。

ニ　絞りを調べる。

14　日本産業規格(JIS)における「鋼－結晶粒度の顕微鏡試験方法」の適用に関する記述として、誤っているものはどれか。

イ　オーステナイト結晶粒度測定試験方法とフェライト結晶粒度測定試験方法が規定されている。

ロ　結晶粒度を測定する場合、顕微鏡の倍率は、通常は100倍である。

ハ　粒度番号が、＋1～＋10まで規定されている。

ニ　粒度番号の大きいものほど、単位面積に占める平均結晶粒数が多い。

15　日本産業規格(JIS)によれば、鋼の焼入性試験方法に関する記述として、正しいものはどれか。

イ　焼入剤として、油を使用する。

ロ　一端焼入方法とも呼ばれている。

ハ　試験片は、直径30mm、長さ120mmである。

ニ　試験片は、所定の焼入温度に保たれている炉に装入し、少なくとも10分をかけて中心部まで均一に昇温した後、その温度に15～20分間保つ。

16　品質管理用語の説明として、誤っているものはどれか。

イ　抜取検査は、対象とするグループから検査品を抜き取って行う検査である。

ロ　特性要因図とは、群のバラツキを判定する図である。

ハ　正規分布とは、一番多い数を中心に、中心から離れるほど数が少なくなる左右対象の確率分布をいう。

ニ　R管理図で、群のバラツキの変化を評価することができる。

［Ｂ群（多肢択一法）］

17 文中の(　　)内に当てはまる語句として、正しいものはどれか。
品質管理において、下図は、(　　)と呼ばれている。

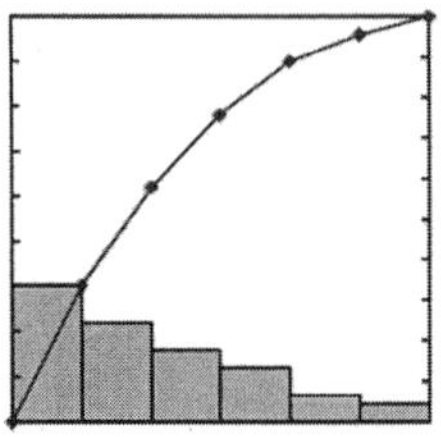

イ　パレート図
ロ　連関図
ハ　特性要因図
ニ　ヒストグラム

18 文中の(　　)内に当てはまる語句として、正しいものはどれか。
労働安全衛生法関係法令では、屋内に設ける通路について、通路面から高さ(　　)以内に障害物を置かないことと規定している。

イ　1.8 m
ロ　2.8 m
ハ　3.8 m
ニ　4.8 m

19 日本産業規格(JIS)の鉄鋼記号によれば、合金工具鋼鋼材に該当するものはどれか。

イ　SK105
ロ　SCM435
ハ　SNCM630
ニ　SKS2

20 SK85の熱処理に関する記述として、誤っているものはどれか。

イ　徐冷法による球状化焼なましの加熱温度は、一般に730～760℃である。
ロ　焼入れの前熱処理は、完全焼なましである。
ハ　焼入れの加熱温度は、750～810℃である。
ニ　焼入冷却剤に水を用いることもある。

21 次のうち、不活性ガスに該当するものはどれか。

イ　CO
ロ　O_2
ハ　H_2
ニ　Ar

［B群（多肢択一法）］

22 日本産業規格(JIS)によれば、有効加熱帯試験方法に関する記述として、誤っているものはどれか。

イ 保持温度許容差のクラスは、1～3である。

ロ 測定回路の結線方式が決められている。

ハ 加熱設備の形式と寸法により、保持温度測定位置が決められている。

ニ 複数の目的温度がある場合、その温度の差の範囲により、試験温度が決められている。

23 熱処理欠陥の原因に関する記述として、誤っているものはどれか。

イ 結晶粒の粗大化には、加熱温度が高いほど、保持時間が長いほど、影響は大きい。

ロ 焼入変形の原因の一つとして、加熱及び冷却を行う際の熱応力と変態応力の合成がある。

ハ 鍛造品を焼入れしたときに生じる割れは、パーティングライン上には発生しない。

ニ 焼入品を焼戻しする際、急熱、急冷又は組織変化のために、割れが発生する場合がある。

24 日本産業規格(JIS)によれば、ロックウェル硬さ試験の試験方法として、誤っているものはどれか。

イ ロックウェル硬さの初試験力は、29.42Nである。

ロ Cスケールの全試験力は、1471Nである。

ハ Bスケールの圧子は、直径1.5875mmの球である。

ニ ロックウェル硬さは、スケールごとに適用する硬さ範囲が規定されている。

25 日本産業規格(JIS)の「鋼の脱炭層深さ測定方法」において、測定方法として規定されていないものはどれか。

イ 顕微鏡による測定方法

ロ 硬さ試験による測定方法

ハ マクロ組織試験による測定方法

ニ 炭素含有率による測定方法

令和４年度 技能検定

２級 金属熱処理 学科試験問題

（一般熱処理作業）

1. 試験時間　1 時間 40 分
2. 問題数　50 題(A 群 25 題、B 群 25 題)
3. 注意事項

(1)　係員の指示があるまで、この表紙はあけないでください。

(2)　答案用紙(真偽法と多肢択一法の併用)に検定職種名、作業名、級別、受検番号、氏名を必ず記入してください。

(3)　係員の指示に従って、問題数を確かめてください。それらに異常がある場合は、黙って手を挙げてください。問題は A 群(真偽法)と B 群(多肢択一法)とに分かれています。

(4)　試験開始の合図で始めてください。

(5)　解答の方法(真偽法と多肢択一法の併用)は次のとおりです。

イ.　A 群の問題(真偽法)は、一つ一つの問題の内容が正しいか、誤っているかを判断して解答してください。

ロ.　B 群の問題(多肢択一法)は、正解と思うものを一つだけ選んで、解答してください。二つ以上に解答した場合は誤答となります。

ハ.　答案用紙(マークシート用紙)へ解答する際は、答案用紙に記載されている注意事項に従ってください。

ニ.　答案用紙の解答欄は、A 群の問題と B 群の問題とでは異なります。所定の解答欄に、試験問題の題数に応じて解答してください。解答欄は A 群は 50 題まで、B 群は 25 題まで解答できるようになっています。

(6)　電子式卓上計算機その他これと同等の機能を有するものは、使用してはいけません。

(7)　携帯電話、スマートフォン、ウェアラブル端末等は、使用してはいけません。

(8)　試験中、質問があるときは、黙って手を挙げてください。ただし、試験問題の内容、漢字の読み方等に関する質問にはお答えできません。

(9)　試験終了時刻前に解答ができあがった場合は、黙って手を挙げて、係員の指示に従ってください。

(10)　試験中に手洗いに立ちたいときは、黙って手を挙げて、係員の指示に従ってください。

(11)　試験終了の合図があったら、筆記用具を置き、係員の指示に従ってください。

［A群（真偽法）］

1　炭素含有量1.0%の鋼を、Fe－C系平衡状態図における均一オーステナイト領域の温度から室温まで徐冷すると、初析セメンタイトとパーライトの組織となる。

2　日本産業規格(JIS)の「鋼－結晶粒度の顕微鏡試験方法」によれば、粗粒鋼は細粒鋼よりも粒度番号が大きい。

3　Acmとは、冷却時、フェライト変態が始まる温度である。

4　同一鋼種においては、オーステナイト結晶粒径が大きいものほど焼入性が悪い。

5　機械構造用炭素鋼の焼ならしは、A_3以上の温度に加熱して均一なオーステナイト組織にした後、炉冷する熱処理である。

6　ショットピーニングは、鋼の応力腐食割れに対する抵抗力を向上させる。

7　アルカリ脱脂浴に界面活性剤を添加すると、洗浄効果が下がる。

8　K熱電対の素線径は、常用限度温度に影響しない。

9　日本産業規格(JIS)の「光高温計による温度測定方法」によれば、光高温計による温度測定方法の適用温度範囲は、原則として約900～2000℃と規定されている。

10　マクロ的な破面観察では、破損品に対して、破壊の起点、き裂の進展方向等を判断することができる。

11　浸透探傷試験は、材質がセラミックスの場合には適用できない。

12　日本産業規格(JIS)では、ダイカストについて、「重力又は低圧力を用いて、溶融金属を金型の中に注湯して造られる鋳物。」と規定している。

13　研削盤では、円筒内面の研削加工はできない。

14　日本産業規格(JIS)によれば、SUPは、ばね鋼鋼材を表す記号である。

15　日本産業規格(JIS)の「機械製図」によれば、かくれ線には、細い破線又は太い破線を使用する。

16　三相モータの動力線を金属製の電線管に収めて配線する場合、それぞれの動力線を別々の電線管に収めなければならない。

［A群（真偽法）］

17 日本産業規格(JIS)によれば、交流の場合、低圧ヒューズの定格電圧及び定格電流は実効値で示す。

18 大気汚染防止法関係法令によれば、金属製品の熱処理炉は、ばい煙発生施設には当たらない。

19 冷間鍛造した炭素鋼鍛鋼品においては、一般に応力除去焼なましを施す必要がない。

20 オーステンパ処理されたSK65の組織は、ベイナイトである。

21 脱炭性雰囲気とは、鋼材表面の炭素含有量が少なくなる加熱雰囲気のことである。

22 吸熱型変成ガスを用いた加熱炉の排気口では、パイロットバーナが点火されていなくてもよい。

23 時間焼入れは、鋼の焼入ひずみを低減する熱処理方法の一つである。

24 サブゼロ割れとは、一般に、残留オーステナイトがマルテンサイト変態する際に、体積膨張によって表面に引張応力が発生して割れとなることである。

25 日本産業規格(JIS)の「鋼の火花試験方法」によれば、火花試験で使用するといしは、原則として20m／s以上の円周速度で使用してはならない。

［B群（多肢択一法）］

1　鋼を高温から冷却する場合、オーステナイトからパーライトに変態する温度を示す記号はどれか。
　イ　Ac_1
　ロ　Ac_3
　ハ　Ar_1
　ニ　Ar_3

2　パーライトを構成する組織として、正しいものはどれか。
　イ　フェライト＋セメンタイト
　ロ　フェライト＋オーステナイト
　ハ　オーステナイト＋セメンタイト
　ニ　フェライト＋グラファイト

3　Ms点に関する記述として、正しいものはどれか。
　イ　マルテンサイトが分解し始める温度
　ロ　オーステナイトがベイナイトに変態し始める温度
　ハ　オーステナイトがマルテンサイトに変態し始める温度
　ニ　トルースタイトが生成し始める温度

4　鋼の焼入性を向上させる元素として、誤っているものはどれか。
　イ　V
　ロ　Cr
　ハ　Mo
　ニ　Mn

5　炭素工具鋼の球状化焼なましに関する記述として、誤っているものはどれか。
　イ　一般に、焼入れの前処理として行われる。
　ロ　炭化物を球状化して、フェライト地に分散するために行う。
　ハ　加熱温度は、790～810℃である。
　ニ　じん性を改善する。

6　マルテンパ(マルクエンチ)に関する記述として、誤っているものはどれか。
　イ　Ms点直上の温度の熱浴で保持した後、冷却する。
　ロ　焼戻しを必要としない。
　ハ　ひずみの発生や焼割れを防止できる。
　ニ　形状が複雑で肉厚不同の小形部品に適した処理である。

［B群（多肢択一法）］

7　加熱装置の熱源に関する記述として、誤っているものはどれか。

イ　熱処理炉の熱源には、液体燃料、気体燃料、電気等がある。

ロ　誘導加熱は、急速加熱ができない。

ハ　電気加熱の発熱体には、非金属発熱体がある。

ニ　気体燃料のプロパンガスは、同容量のブタンガスより発熱量が小さい。

8　日本産業規格(JIS)の「ばねのショットピーニング」によれば、ショットの概略形状が、球ではなく円柱であるものはどれか。

イ　鋳鋼ショット

ロ　ガラスビーズ

ハ　セラミックビーズ

ニ　カットワイヤショット

9　防錆《せい》処理の方法として、適切でないものはどれか。

イ　化成処理

ロ　油塗布

ハ　めっき

ニ　サンドブラスト

10　電気炉の温度自動制御方式に関する記述として、誤っているものはどれか。

イ　動作には、比例動作、微分動作、積分動作がある。

ロ　比例動作は、設定値と測定値の差(偏差)に対し、出力が比例する。

ハ　比例動作は、オフセット(定常的に残る偏差)を防ぐことができない。

ニ　微分動作単独での制御も可能である。

11　合金工具鋼鋼材に関する記述として、誤っているものはどれか。

イ　日本産業規格(JIS)によれば、鋼材の種類は、その用途に応じ、主として切削工具鋼用、耐衝撃工具鋼用、冷間金型用、熱間金型用に分類されている。

ロ　鋼材の種類に応じて、W、Cr、Mo、V等を添加した鋼である。

ハ　鋼材は、リムド鋼から製造する。

ニ　焼入焼戻しをして使用される。

12　日本産業規格(JIS)の「金属材料引張試験方法」によれば、引張試験で求めることができない特性はどれか。

イ　引張強さ

ロ　絞り

ハ　遷移温度

ニ　伸び

［B群（多肢択一法）］

13　硬さ試験のうち、反発硬さを測定するものはどれか。

イ　ロックウェル硬さ試験

ロ　ブリネル硬さ試験

ハ　ショア硬さ試験

ニ　ビッカース硬さ試験

14　光学顕微鏡による組織試験に関する記述として、誤っているものはどれか。

イ　鋼中の非金属介在物を測定できない。

ロ　完全焼なましした機械構造用炭素鋼の炭素含有率を判定することができる。

ハ　鋼表面の脱炭の有無を調べることができる。

ニ　ステンレス鋼の固溶化熱処理が適切に行われたかどうかを判断することができる。

15　硬さ測定による冷却剤の冷却能試験に関する記述として、誤っているものはどれか。

イ　試験片の形状は、四角柱状である。

ロ　焼入後、長さ方向の中央部を切断し、断面の硬さ分布試験を行う。

ハ　焼入硬さ及び焼入深さから冷却剤の冷却能評価を行う。

ニ　得られる曲線は、Uカーブと呼ばれている。

16　品質管理において、特定の結果と原因系の関係を系統的に表した図はどれか。

イ　管理図

ロ　正規分布図

ハ　特性要因図

ニ　パレート図

17　品質管理に関する記述として、誤っているものはどれか。

イ　ロットとは、管理対象となる製品等における一つの集団をいう。

ロ　規格限界とは、製品、材料、検査等の特性について許容できる限界値をいう。

ハ　正規分布とは、平均を中心に左右対称の曲線分布をいう。

ニ　ヒストグラムとは、測定値のばらつきを折れ線グラフで表したものである。

18　文中の(　　)内に当てはまる語句として、正しいものはどれか。

労働安全衛生法関係法令では、研削といしの覆いについて、「事業者は、回転中の研削といしが労働者に危険を及ぼすおそれのあるときは、覆いを設けなければならない。ただし、直径が(　　)未満の研削といしについては、この限りではない。」と規定している。

イ　50 mm

ロ　60 mm

ハ　70 mm

ニ　80 mm

［B群（多肢択一法）］

19 文中の(　　)内に当てはまる語句として、次のうち、最も適切なものはどれか。
鋳鉄品の焼入焼戻しでは、焼入れは、昇温時に予熱した上、(　　)で加熱後、油冷する。
イ　550～ 600 ℃
ロ　700～ 750 ℃
ハ　860～ 900 ℃
ニ　1000～1050 ℃

20 SUS304の固溶化熱処理における加熱温度として、次のうち、最も適切なものはどれか。
イ　650 ℃
ロ　950 ℃
ハ　1050 ℃
ニ　1250 ℃

21 吸熱型ガス変成炉をバーンアウトする場合、バーンアウト前の温度設定として、適切なものはどれか。
イ　変成温度と同一温度にする。
ロ　変成温度よりも低くする。
ハ　変成温度よりも高くする。
ニ　常温にする。

22 焼入冷却剤として、蒸気膜段階のないものはどれか。
イ　水
ロ　水溶液焼入剤
ハ　油
ニ　塩浴

23 焼むらに関する記述として、正しいものはどれか。
イ　焼入液の攪拌《かくはん》状態は、焼むらの発生に影響しない。
ロ　焼入れ水温を高くすると、焼むらの発生を少なくする効果がある。
ハ　処理品の表面の酸化スケールは、焼むらの発生を少なくする効果がある。
ニ　焼むらで生じた軟点の組織には、微細パーライトもある。

24 燃焼(バーニング)した組織に関する記述として、誤っているものはどれか。
イ　結晶粒は、微細である。
ロ　粒界の一部が酸化したり、表面が部分的に溶融した状態となる。
ハ　燃焼組織の材料は、焼ならしを行っても回復できない。
ニ　1200℃以上の酸化雰囲気中で加熱すると生じやすい。

［B群（多肢択一法）］

25　ロックウェル硬さ試験(Cスケール)方法に関する記述として、誤っているものはどれか。

イ　初試験力は、98.07Nである。

ロ　全試験力は、1471Nである。

ハ　使用する圧子の形状は球である。

ニ　適用する硬さの範囲に規定がある。

令和３年度 技能検定

２級 金属熱処理 学科試験問題

（一般熱処理作業）

1. 試験時間　1時間40分
2. 問題数　50題(A群25題、B群25題)
3. 注意事項

(1) 係員の指示があるまで、この表紙はあけないでください。

(2) 答案用紙(真偽法と多肢択一法の併用)に検定職種名、作業名、級別、受検番号、氏名を必ず記入してください。

(3) 係員の指示に従って、問題数を確かめてください。それらに異常がある場合は、黙って手を挙げてください。問題はA群(真偽法)とB群(多肢択一法)とに分かれています。

(4) 試験開始の合図で始めてください。

(5) 解答の方法(真偽法と多肢択一法の併用)は次のとおりです。

イ. A群の問題(真偽法)は、一つ一つの問題の内容が正しいか、誤っているかを判断して解答してください。

ロ. B群の問題(多肢択一法)は、正解と思うものを一つだけ選んで、解答してください。二つ以上に解答した場合は誤答となります。

ハ. 答案用紙(マークシート用紙)へ解答する際は、答案用紙に記載されている注意事項に従ってください。

ニ. 答案用紙の解答欄は、A群の問題とB群の問題とでは異なります。所定の解答欄に、試験問題の題数に応じて解答してください。解答欄はA群は50題まで、B群は25題まで解答できるようになっています。

(6) 電子式卓上計算機その他これと同等の機能を有するものは、使用してはいけません。

(7) 携帯電話、スマートフォン、ウェアラブル端末等は、使用してはいけません。

(8) 試験中、質問があるときは、黙って手を挙げてください。ただし、試験問題の内容、漢字の読み方等に関する質問にはお答えできません。

(9) 試験終了時刻前に解答ができあがった場合は、黙って手を挙げて、係員の指示に従ってください。

(10) 試験中に手洗いに立ちたいときは、黙って手を挙げて、係員の指示に従ってください。

(11) 試験終了の合図があったら、筆記用具を置き、係員の指示に従ってください。

［A群（真偽法）］

1 Fe－C系平衡状態図において、共析反応は、次式で表すことができる。
オーステナイト ⇄ フェライト+セメンタイト

2 日本産業規格(JIS)の「鋼－結晶粒度の顕微鏡試験方法」では、粒度番号5以上の鋼を細粒鋼と規定している。

3 Ms点とは、オーステナイトからマルテンサイトへの変態が終了する温度である。

4 同一鋼種においては、オーステナイト結晶粒の大きさは、焼入性には影響を与えない。

5 合金工具鋼の球状化焼なまし温度における保持時間は、一般に、炭素工具鋼における保持時間よりも短めにする。

6 焼戻しの際、部分的な残留応力の解放によるひずみ発生の危険が大きい場合は、金型で押さえ込んだり、プレスしたままで加熱冷却することがある。

7 鋼にショットブラストを行うと、表面近傍に引張残留応力が発生する。

8 放射温度計で表面温度を測定する場合、窓ガラスを通して測定してもよい。

9 日本産業規格(JIS)によれば、K熱電対は、素線径に応じて常用限度と過熱使用限度が規定されている。

10 日本産業規格(JIS)の「鋼のサルファプリント試験方法」によれば、サルファプリントによるマクロ試験では、検出される硫化物のサイズ及び分布から材料の均質性を評価することができる。

11 磁粉探傷試験は、表面直下より深い内部の欠陥の検出に有効である。

12 アーク溶接とは、電源から供給する電力によってアークを発生させ、この熱エネルギーを利用して行う溶接である。

13 フライス盤は、平面削り、溝削り等の加工を行う工作機械である。

14 日本産業規格(JIS)の「機械製図」によれば、中心線には破線を用いる。

15 日本産業規格(JIS)によれば、合金工具鋼鋼材SKTのTは鍛造を意味する。

16 三相誘導電動機は、動力線3本中、2本を入れ替えると回転方向を逆にできる。

［A群（真偽法）］

17 一般に、電源のスイッチを切る場合は、主スイッチを切った後、末端のスイッチを切るようにする。

18 大気汚染防止法関係法令によれば、ばい煙には、燃料その他の物の燃焼に伴って発生するいおう酸化物は含まれていない。

19 外径30mm、長さ200mmのS45CとSCM440を同一条件で焼入れすると、S45Cの方が焼入硬化層深さは深い。

20 マルテンサイト系ステンレス鋼は、一般に、焼入焼戻しして使用される。

21 スーティングとは、変成炉、浸炭炉等の浸炭性雰囲気ガスから遊離した炭素が炉内の雰囲気中に浮遊し、被加工物、触媒、内壁等に付着する現象のことである。

22 日本産業規格(JIS)の「金属熱処理設備－有効加熱帯及び有効処理帯試験方法」では、有効加熱帯について、「熱処理の目的に応じて、加工材料を温度許容範囲内に保持できる加熱設備における装入領域。」と規定している。

23 高温焼戻ぜい性は、焼入れした鋼を高温焼戻温度へ加熱する際の加熱速度の影響を受ける。

24 焼曲がりの主な原因は、焼戻し後の急冷によるものである。

25 日本産業規格(JIS)の「鋼の脱炭層深さ測定方法」では、全脱炭層深さについて、「鋼材の表面から、脱炭層と生地との化学的性質又は物理的性質の差異が、もはや区別できない位置までの距離。」と規定している。

［B群（多肢択一法）］

1 鋼を加熱する場合、オーステナイトが生成し始める温度を示す記号として、正しいものはどれか。
　イ　Ar_1
　ロ　Ar_3
　ハ　Ac_1
　ニ　Ac_3

2 炭素含有量が0.4%の炭素鋼をオーステナイト状態に加熱した後、徐冷したときの常温における金属組織はどれか。
　イ　初析フェライト＋パーライト
　ロ　初析フェライト＋マルテンサイト
　ハ　初析セメンタイト＋レデブライト
　ニ　初析セメンタイト＋パーライト

3 連続冷却変態曲線の別の呼び方として、適切なものはどれか。
　イ　CCT曲線
　ロ　I曲線
　ハ　TTT曲線
　ニ　S曲線

4 臨界冷却速度に関する記述として、誤っているものはどれか。
　イ　マルテンサイト変態を生じるために必要な最小の冷却速度のことである。
　ロ　上部臨界冷却速度と下部臨界冷却速度がある。
　ハ　上部臨界冷却速度とは、マルテンサイト組織だけとなる最小の冷却速度である。
　ニ　添加元素の種類による影響はない。

5 オーステナイト系ステンレス鋼の固溶化熱処理に関する記述として、誤っているものはどれか。
　イ　均一なオーステナイト組織にするために行う。
　ロ　日本産業規格(JIS)では、固溶化熱処理後の機械的性質が規定されている。
　ハ　SUS304の固溶化熱処理温度は、1010～1150℃である。
　ニ　加熱後の冷却により、硬くなる。

6 応力除去焼なましの目的として、誤っているものはどれか。
　イ　鋳造で発生した残留応力の緩和
　ロ　ショットピーニングで生成された表面近傍の圧縮残留応力の緩和
　ハ　溶接で発生した残留応力の緩和
　ニ　機械加工で発生した残留応力の緩和

［B群（多肢択一法）］

7 加熱炉の炉材に関する記述として、適切でないものはどれか。

イ 加熱炉の内壁の炉材には、耐火材と断熱材が用いられる。

ロ 中性耐火材は、マグネシアを主成分としている。

ハ 耐火材には、中性の他に、酸性や塩基性のものもある。

ニ 断熱材として、セラミックファイバも使われる。

8 脱脂に関する記述として、誤っているものはどれか。

イ 脱脂方法の一つとして、乳化剤脱脂法がある。

ロ 脱脂剤の一つとして、塩素系有機溶剤がある。

ハ 炭化水素系脱脂剤を使った脱脂方法には、蒸気法がある。

ニ アルカリ脱脂剤には、苛性《かせい》ソーダを使用しない。

9 鉄鋼部品のショットピーニングに使われるショットの種類として、最も適切でないものはどれか。

イ 鋳鋼ショット

ロ ガラスビーズ

ハ 樹脂球

ニ カットワイヤショット

10 次のうち、最も精度の高い温度制御方式はどれか。

イ ON－OFF式

ロ 比例－積分－微分式

ハ 比例式

ニ 比例－積分式

11 炭素工具鋼の記述として、誤っているものはどれか。

イ 炭素量は、SK60よりもSK95の方が少ない。

ロ 合金工具鋼に比べて、焼入性が悪い。

ハ キルド鋼から製造する。

ニ 合金工具鋼に比べて、焼戻軟化抵抗が小さい。

12 日本産業規格(JIS)によれば、ロックウェル硬さ試験において、円すい形ダイヤモンド以外の圧子を使用するスケールはどれか。

イ Aスケール

ロ Bスケール

ハ Cスケール

ニ Dスケール

［B群（多肢択一法）］

13 硬さ試験のうち、一定の高さから落下させたダイヤモンドハンマの跳ね上がり高さから硬さの値を求めるものはどれか。

イ ヌープ硬さ試験

ロ ブリネル硬さ試験

ハ ショア硬さ試験

ニ ビッカース硬さ試験

14 日本産業規格(JIS)における「鋼－結晶粒度の顕微鏡試験方法」の適用に関する記述として、誤っているものはどれか。

イ オーステナイト結晶粒度測定試験方法とフェライト結晶粒度測定試験方法が規定されている。

ロ 結晶粒度を測定する場合、顕微鏡の倍率は、通常は100倍である。

ハ 粒度番号が、＋1～＋10まで規定されている。

ニ 粒度番号の大きいものほど、単位面積に占める平均結晶粒数が多い。

15 文中の(　　)内に当てはまる語句として、正しいものはどれか。

日本産業規格(JIS)の「鋼の焼入性試験方法(一端焼入方法)」では、焼入作業について、「試験片を加熱炉から取り出してから焼入れ開始までの時間はできるだけ短くし、(　　)以内にしなければならない。」と規定している。

イ 5 秒

ロ 10 秒

ハ 15 秒

ニ 20 秒

16 日本産業規格(JIS)によれば、QC七つ道具に含まれないものはどれか。

イ PDCA

ロ チェックシート

ハ グラフ

ニ 特性要因図

［B群（多肢択一法）］

17　下図のうち、パレート図はどれか。

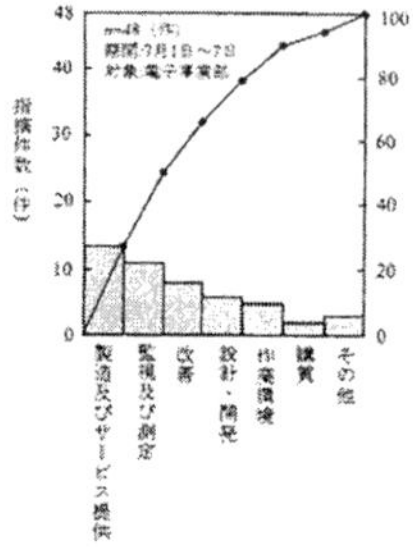

イ

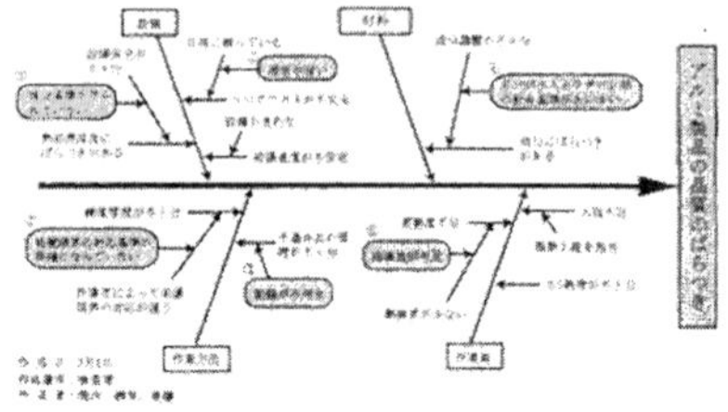

ロ

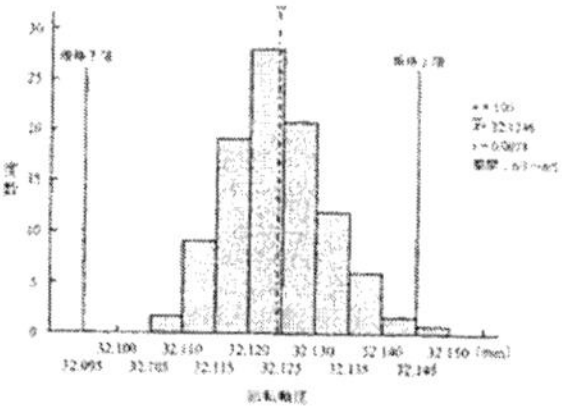

ハ

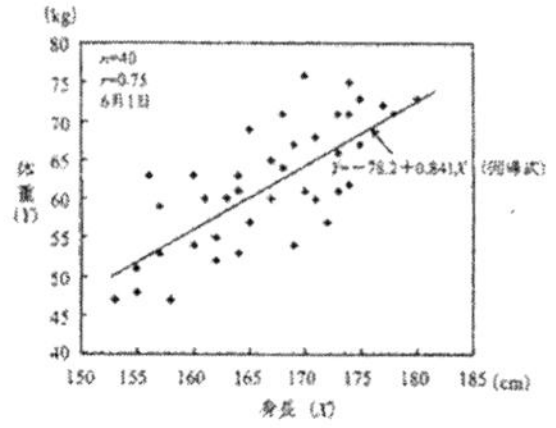

ニ

18　文中の(　　)内に当てはまる語句の組合せとして、正しいものはどれか。

労働安全衛生法関係法令によれば、事業者は、研削といしについては、その日の作業を開始する前には(　A　)、研削といしを取り替えたときには(　B　)試運転をしなければならない。

	A	B
イ	1分間以上	3分間以上
ロ	1分間以上	5分間以上
ハ	3分間以上	5分間以上
ニ	適宜に	充分に

19　鍛造焼入れについて、誤っているものはどれか。

イ　通常の焼入品よりも鍛造により結晶粒が細かくなる。

ロ　焼入加熱が不要であり、省エネルギー効果がある。

ハ　通常の焼入品より硬化層が深い。

ニ　焼入性のよくない炭素鋼においても鍛造焼入れの効果は大きい。

［B群（多肢択一法）］

20　熱処理に関する記述として、正しいものはどれか。

イ　オーステンパ処理は、機械構造用合金鋼であれば、肉厚に関係なく適用できる。

ロ　塩浴焼入れとは、オーステナイト化後、50～80℃に焼入れする処理である。

ハ　機械構造用合金鋼の焼入れでは、A_3変態点以上30～50℃に加熱し、急冷する。

ニ　SKS2を切削工具として使用する場合には、焼入後、約100℃で焼戻しする。

21　赤外線式ガス分析法に関する記述として、誤っているものはどれか。

イ　CO_2分析に用いられる。

ロ　応答速度は、露点法よりも速い。

ハ　応答速度は、O_2センサ法よりも遅い。

ニ　炉雰囲気の自動制御には使用できない。

22　熱処理油による冷却過程の各段階(蒸気膜－沸騰－対流)に関する記述として、誤っているものはどれか。

イ　塩浴冷却剤による冷却は、ほとんどが対流段階によって行われる。

ロ　特性温度とは、蒸気膜段階から沸騰段階に移るときの温度のことである。

ハ　蒸気膜段階では、穏やかな冷却が行われる。

ニ　沸騰段階は、蒸気膜段階に比べ、冷却速度が遅い。

23　ブロック材に貫通穴がある場合、次のうち、焼割れの最も発生しやすい穴の形状はどれか。

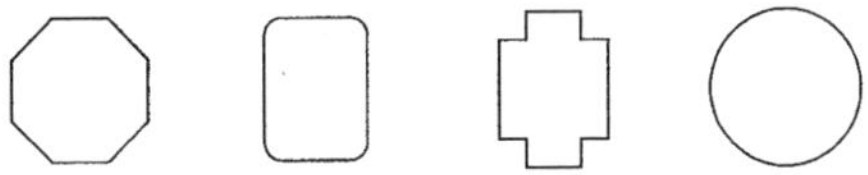

イ　　　ロ　　　ハ　　　ニ

24　日本産業規格(JIS)によれば、全脱炭層深さが0.28mmの場合、顕微鏡による測定方法における全脱炭層深さの表示記号として、正しいものはどれか。

イ　HD－M－T 0.28

ロ　DC－M－T 0.28

ハ　DM－F 0.28

ニ　DM－T 0.28

［B群（多肢択一法）］

25　日本産業規格(JIS)の「鋼の火花試験方法」によれば、C量が約0.5%の場合の炭素鋼火花の特徴として、正しいものはどれか。

イ　　　ロ　　　ハ　　　ニ

令和5年度 技能検定
1級 金属熱処理 学科試験問題
(一般熱処理作業)

1. 試験時間　1時間40分
2. 問題数　50題(A群25題、B群25題)
3. 注意事項

(1) 係員の指示があるまで、この表紙はあけないでください。

(2) 答案用紙(真偽法と多肢択一法の併用)に検定職種名、作業名、級別、受検番号、氏名を必ず記入してください。

(3) 係員の指示に従って、問題数を確かめてください。それらに異常がある場合は、黙って手を挙げてください。問題はA群(真偽法)とB群(多肢択一法)とに分かれています。

(4) 試験開始の合図で始めてください。

(5) 解答の方法(真偽法と多肢択一法の併用)は次のとおりです。

イ. A群の問題(真偽法)は、一つ一つの問題の内容が正しいか、誤っているかを判断して解答してください。

ロ. B群の問題(多肢択一法)は、正解と思うものを一つだけ選んで、解答してください。二つ以上に解答した場合は誤答となります。

ハ. 答案用紙(マークシート用紙)へ解答する際は、答案用紙に記載されている注意事項に従ってください。

ニ. 答案用紙の解答欄は、A群の問題とB群の問題とでは異なります。所定の解答欄に、試験問題の題数に応じて解答してください。解答欄はA群は50題まで、B群は25題まで解答できるようになっています。

(6) 電子式卓上計算機その他これと同等の機能を有するものは、使用してはいけません。

(7) 携帯電話、スマートフォン、ウェアラブル端末等は、使用してはいけません。

(8) 試験中、質問があるときは、黙って手を挙げてください。ただし、試験問題の内容、漢字の読み方等に関する質問にはお答えできません。

(9) 試験終了時刻前に解答ができあがった場合は、黙って手を挙げて、係員の指示に従ってください。

(10) 試験中に手洗いに立ちたいときは、黙って手を挙げて、係員の指示に従ってください。

(11) 試験終了の合図があったら、筆記用具を置き、係員の指示に従ってください。

［A群（真偽法）］

1 鉄－炭素系平衡状態図において、オーステナイトの炭素固溶限は4.32％である。

2 マルテンサイトを600～650℃で焼戻しして得られるソルバイトは、粒状に析出成長したセメンタイトとフェライトの混合組織である。

3 純鉄には融点以下の1392℃と911℃に固相の結晶構造が変化する変態点があり、911℃以下は面心立方晶、それ以上1392℃までは体心立方晶となる。

4 日本産業規格(JIS)の「鉄鋼用語(熱処理)」によれば、臨界直径について、「与えられた条件下での焼入れによって、その中心部において50％マルテンサイト組織をもつ長さ$3d$(d は直径)以上の丸棒の直径。」と規定している。

5 工具鋼では、焼入前のミクロ組織に層状や網目状炭化物が残留すると、焼入時の変形や割れの原因になることがある。

6 鋼においては、焼ならしよりも、焼なましの方がパーライトの層間隔が狭い。

7 熱処理品の防錆《せい》処理の一つとして、マンガンや亜鉛などを含むりん酸塩浴中に浸漬する化成処理がある。

8 炉温の比例制御において、比例帯を0％にすると、オンオフ制御となる。

9 ロックウェル硬さ試験では、球面や曲面の硬さを測定する場合、曲率ごとに測定値を補正する必要はない。

10 鋼表面の焼割れは、磁粉探傷試験で検出することができる。

11 日本産業規格(JIS)の「鋼の非金属介在物の顕微鏡試験方法」では、鋼の非金属介在物について、グループA系とグループB系の2種類に大別している。

12 砂型鋳造部品は、ダイカスト鋳造部品よりも鋳肌が優れている。

13 普通鋼に比べてステンレス鋼は、熱伝導率が高く、切削加工性に優れた被削材である。

14 ボール盤は、座ぐり、中ぐり及びリーマ通しの加工には利用できない。

15 日本産業規格(JIS)の「機械製図」によれば、基準線には細い一点鎖線を用いる。

16 電源トランスの出力電圧は、1次コイルと2次コイルの巻数比に無関係である。

［A群（真偽法）］

17　最大加熱能力が90kWの電気抵抗炉を用いて、昇温に1時間、指定温度に3時間保持した場合、消費電力量は360kWhである。

18　大気汚染防止法関係法令によれば、ばい煙が発生する熱処理用加熱炉では、硫黄酸化物、ばいじん等の排出基準が規定されている。

19　鋳鉄の黒鉛化焼なましは、700～750℃で加熱後徐冷する。

20　フェライト系ステンレス鋼の焼なまし作業は、1100～1150℃から急冷する方法で行われる。

21　SKD61を真空焼入加熱する場合、1×10^{-1}Paよりも圧力の低い1×10^{-4}Paの方が、脱Cr現象が少ない。

22　雰囲気熱処理作業において、露点とは、雰囲気ガスの温度を圧力一定のもとで下げていくとき、水蒸気が凝縮し始める温度のことである。

23　焼入れした高炭素鋼の残留オーステナイトは、経年変化の原因となることがある。

24　残留応力の測定方法の一つとして、X線の回折現象を利用して測定する方法がある。

25　日本産業規格(JIS)の「鋼の火花試験方法」によれば、炭素鋼火花における炭素破裂の特徴として、炭素量(%)が多くなるほど流線と破裂の数が減少する傾向にあることが挙げられる。

［B群（多肢択一法）］

1 鉄－炭素系平衡状態図における共晶反応として、正しいものはどれか。
イ 融液＋δフェライト → オーステナイト
ロ 融液 → オーステナイト＋セメンタイト
ハ オーステナイト → αフェライト＋セメンタイト
ニ オーステナイト → セメンタイト＋パーライト

2 マルテンサイトに関する記述として、誤っているものはどれか。
イ 拡散変態によって生じる組織である。
ロ 結晶構造は、体心正方晶である。
ハ レンズ状などの種類がある。
ニ 低炭素鋼では、ラスマルテンサイトが生成する。

3 焼入れ後の残留オーステナイトに関する記述として、正しいものはどれか。
イ 結晶構造は、体心立方晶である。
ロ 油焼入れの方が、水焼入れよりも、残留オーステナイト量が多くなる。
ハ 強磁性を有している。
ニ 時間が経過しても、マルテンサイトには変態しない。

4 熱処理における質量効果の程度を知る方法として、誤っているものはどれか。
イ 焼入性曲線による方法
ロ 理想臨界直径による方法
ハ 等温変態曲線による方法
ニ 連続冷却変態曲線による方法

5 機械構造用合金鋼に関する記述として、正しいものはどれか。
イ 一般的に焼なまし硬さは、機械構造用炭素鋼よりも低い。
ロ 機械構造用炭素鋼よりも、焼戻軟化抵抗が大きい。
ハ 機械構造用炭素鋼と比較して、等温変態曲線のノーズが短時間側に移行する。
ニ D_I値(理想臨界直径)は、機械構造用炭素鋼よりも小さい。

6 焼入作業に関する一般的な記述として、誤っているものはどれか。
イ 焼入れ後の硬さは、炭素含有率によって変化する。
ロ 焼入れにおいて発生する熱応力と変態応力は、焼割れの原因になる。
ハ マルテンサイト変態開始温度は、炭素含有率に影響されない。
ニ 焼入焼戻鋼とオーステンパした鋼では、硬さが同じであれば、オーステンパした鋼の方が、より強じん性である。

［B群（多肢択一法）］

7　鋼を油焼入れした場合の冷却過程に関する記述として、誤っているものはどれか。

　イ　蒸気膜段階とは、鋼が冷却剤の蒸気に包まれて冷却が遅い段階である。
　ロ　沸騰段階とは、鋼表面で激しく気泡が発生し、冷却速度が大きい段階である。
　ハ　対流段階とは、鋼の温度が冷却剤の沸騰点に近づき、対流によるゆっくりした冷却の段階である。
　ニ　特性温度とは、沸騰段階から対流段階に移るときの温度である。

8　ショットピーニングに関する一般的な記述として、誤っているものはどれか。

　イ　やわらかい表面部の微細なキズを潰す。
　ロ　表面近傍を加工硬化させる。
　ハ　表面近傍の残留オーステナイトの一部をマルテンサイトに変態させる。
　ニ　表面近傍に引張残留応力を与える。

9　温度計に関する記述として、誤っているものはどれか。

　イ　抵抗温度計　→　測温抵抗体の抵抗値の変化から温度を測定する。
　ロ　放射温度計　→　示温塗料を用い、色の変化から処理物の表面温度を測定する。
　ハ　光高温計　　→　測定対象物の輝度とフィラメントの輝度を合わせて測定する。
　ニ　熱電温度計　→　ゼーベック効果により発生する熱起電力を利用して測定する。

10　日本産業規格(JIS)の「熱電対」によれば、マイナス側導体が白金で構成されている熱電対はどれか。

　イ　J熱電対
　ロ　K熱電対
　ハ　R熱電対
　ニ　T熱電対

11　ステンレス鋼に関する記述として、正しいものはどれか。

　イ　フェライト系は、マルテンサイト系よりも耐食性が悪い。
　ロ　オーステナイト・フェライト系の二相ステンレス鋼は、オーステナイト系よりも応力腐食割れや粒界割れを起こしやすい。
　ハ　析出硬化系にはCr－Ni系にAlを添加したものがあり、耐食性、成形性、溶接性等が改善される。
　ニ　高炭素のマルテンサイト系は、機械構造用炭素鋼鋼材よりも焼入性が悪い。

12　金属材料の衝撃試験の目的として、誤っているものはどれか。

　イ　吸収エネルギーを調べる。
　ロ　遷移温度を調べる。
　ハ　ぜい性破面率を調べる。
　ニ　降伏点を調べる。

［B群（多肢択一法）］

13　金属組織現出用腐食液に関する記述として、正しいものはどれか。

イ　3%ピクリン酸アルコール溶液(ピクラル)は、一般に、3%硝酸アルコール溶液(ナイタル)に比べて、粒界の現れ方が弱い。

ロ　ピクリン酸ソーダ溶液は、樹枝状晶、インゴットパターン等の組織現出に適している。

ハ　塩化第二鉄アルコール塩酸溶液は、機械構造用炭素鋼の組織現出に適している。

ニ　赤血塩アルカリ溶液(村上試薬)では、複炭化物は着色されない。

14　文中の(　　)内に当てはまる語句の組合せとして、正しいものはどれか。

日本産業規格(JIS)の「鋼－結晶粒度の顕微鏡試験方法」では、混粒について、「1視野内において、最大頻度をもつ粒度番号の粒からおおむね(　①　)異なった粒度番号の粒が偏在し、これらの粒が約(　②　)の面積を占める状態にあるもの、又は視野間において(　①　)異なった粒度番号の視野が存在するもの。」と規定している。

	①	②
イ	1以上	5 %以上
ロ	1以上	10 %以上
ハ	3以上	20 %以上
ニ	3以上	40 %以上

15　日本産業規格(JIS)の「鋼の焼入性試験方法(一端焼入方法)」によれば、鋼の焼入性試験方法に関する記述として、誤っているものはどれか。

イ　焼入れは、試験片の下端面を噴水冷却して行う。

ロ　試験片の寸法は、規定されている。

ハ　焼入剤には、温度5～30℃の水を用いる。

ニ　硬さの測定位置は、通常、試験片の軸方向に焼入端から10mmを起点とする。

16　品質管理用語の説明として、誤っているものはどれか。

イ　抜取検査は、一般に、サンプルを抜き取って検査し、対象ロットの合否判定に用いる。

ロ　特性要因図とは、バラツキを判定する図である。

ハ　正規分布とは、一番多い数を中心に、中心から離れるほど数が少なくなる左右対称の確率分布をいう。

ニ　p 管理図とは、比率又はパーセントで表される計数値管理図である。

［B群（多肢択一法）］

17　文中の(　　)内に当てはまる語句として、正しいものはどれか。
品質管理の手法において、下図は(　　)と呼ばれている。

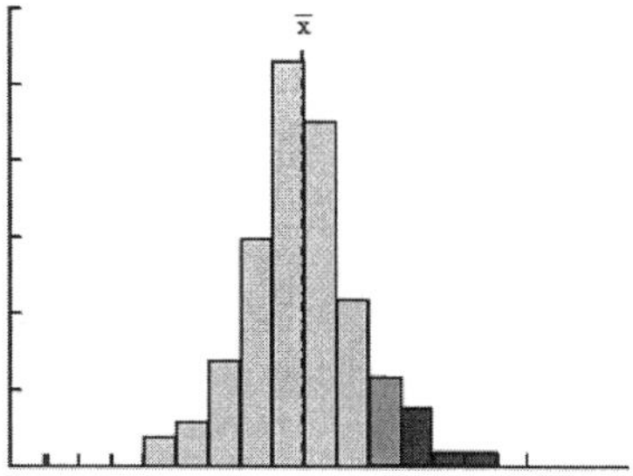

イ　パレート図
ロ　アローダイアグラム
ハ　マトリックス図
ニ　ヒストグラム

18　文中の(　　)内に当てはまる語句として、正しいものはどれか。
クレーン等安全規則では、リンクの断面の直径の減少が、当該つりチェーンが製造されたときの当該リンクの断面の直径の(　　)をこえるものについて、不適格なつりチェーンとして、その使用を禁止している。

イ　3％
ロ　5％
ハ　7％
ニ　10％

19　SKD61の熱処理に関する記述として、誤っているものはどれか。
イ　二次硬化は、500～550℃で現れる。
ロ　焼入加熱温度は、SKD11とほぼ同じである。
ハ　C%は、SKD11と同じである。
ニ　大型、形状複雑な金型では、一般に、焼戻しは二回行われる。

20　工具鋼の焼戻しにおける二次硬化に関する記述として、誤っているものはどれか。
イ　二次硬化は、炭化物の析出による。
ロ　二次硬化では、残留オーステナイトがマルテンサイトになる。
ハ　W、Mo、Vなどを添加した鋼種に生じる。
ニ　二次硬化温度の範囲において、二次硬化のピークで焼戻しを行うと、耐衝撃値が大きくなる。

［Ｂ群（多肢択一法）］

21　マルテンサイト系ステンレス鋼の熱処理に関する記述として、正しいものはどれか。

イ　SUS420J2の焼なましの加熱温度は、920～980℃である。

ロ　耐食性を重視する場合は、固溶化熱処理が行われる。

ハ　SUS440Cの焼入加熱温度は1010～1070℃であり、その後は油冷である。

ニ　焼戻温度は、通常、400～500℃である。

22　文中の(　　)内に当てはまる語句として、正しいものはどれか。

日本産業規格(JIS)の「金属熱処理設備－有効加熱帯及び有効処理帯試験方法」では、試験の負荷について、「有効加熱帯の温度測定は、無負荷試験による。ただし、(　　)によって負荷試験を行ってもよい。」と規定している。

イ　試験温度

ロ　加熱設備の大きさ

ハ　試験実施者の判断

ニ　受渡当事者間の協定

［Ｂ群（多肢択一法）］

23　焼割れ防止のための形状効果の良・不良を示した図の組合せとして、誤っているものはどれか。

イ

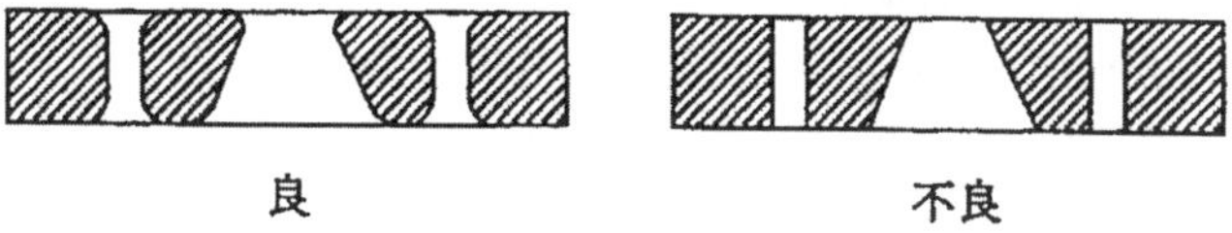

ロ

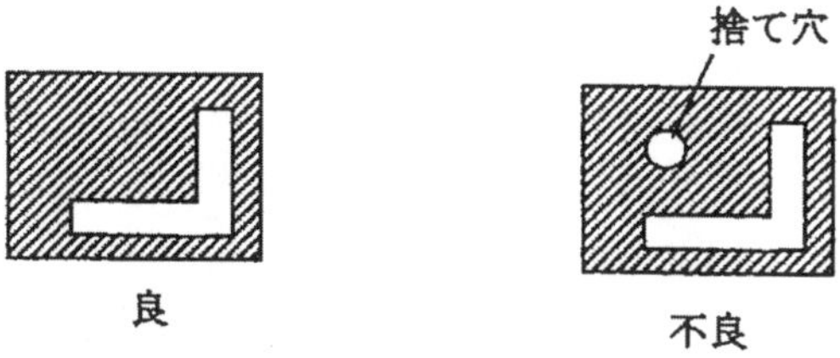

ハ

ニ

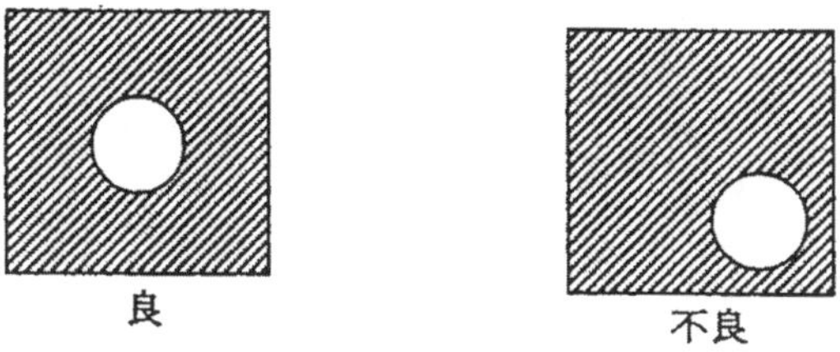

24　焼入れ後の硬さが全体的に不足している場合の原因として、次のうち最も影響が少ないものはどれか。

イ　加熱温度
ロ　加熱昇温速度
ハ　焼入冷却剤の種類
ニ　焼入冷却剤の撹拌《かくはん》

［B群（多肢択一法）］

25　日本産業規格(JIS)の鋼の火花試験によれば、火花の観察に関する記述として、誤っているものはどれか。

イ　中央から先端にわたり、観察する。

ロ　流線の色、明るさ、長さ、太さ、数を観察する。

ハ　破裂の形、大きさ、数、花粉を観察する。

ニ　手ごたえに基づいて観察する。

令和4年度 技能検定
1級 金属熱処理 学科試験問題
（一般熱処理作業）

1. 試験時間　1時間40分
2. 問題数　50題(A群25題、B群25題)
3. 注意事項

(1) 係員の指示があるまで、この表紙はあけないでください。

(2) 答案用紙(真偽法と多肢択一法の併用)に検定職種名、作業名、級別、受検番号、氏名を必ず記入してください。

(3) 係員の指示に従って、問題数を確かめてください。それらに異常がある場合は、黙って手を挙げてください。問題はA群(真偽法)とB群(多肢択一法)とに分かれています。

(4) 試験開始の合図で始めてください。

(5) 解答の方法(真偽法と多肢択一法の併用)は次のとおりです。

イ. A群の問題(真偽法)は、一つ一つの問題の内容が正しいか、誤っているかを判断して解答してください。

ロ. B群の問題(多肢択一法)は、正解と思うものを一つだけ選んで、解答してください。二つ以上に解答した場合は誤答となります。

ハ. 答案用紙(マークシート用紙)へ解答する際は、答案用紙に記載されている注意事項に従ってください。

ニ. 答案用紙の解答欄は、A群の問題とB群の問題とでは異なります。所定の解答欄に、試験問題の題数に応じて解答してください。解答欄はA群は50題まで、B群は25題まで解答できるようになっています。

(6) 電子式卓上計算機その他これと同等の機能を有するものは、使用してはいけません。

(7) 携帯電話、スマートフォン、ウェアラブル端末等は、使用してはいけません。

(8) 試験中、質問があるときは、黙って手を挙げてください。ただし、試験問題の内容、漢字の読み方等に関する質問にはお答えできません。

(9) 試験終了時刻前に解答ができあがった場合は、黙って手を挙げて、係員の指示に従ってください。

(10) 試験中に手洗いに立ちたいときは、黙って手を挙げて、係員の指示に従ってください。

(11) 試験終了の合図があったら、筆記用具を置き、係員の指示に従ってください。

［A群（真偽法）］

1 Fe－C系平衡状態図において、フェライトの炭素固溶量は最大で0.21%である。

2 ベイナイト組織において、上部ベイナイトでは、フェライト晶の境界にFe_3Cが析出する。

3 等温変態曲線のノーズ温度における変態開始線までの時間は、過冷オーステナイトが安定している鋼ほど長い。

4 同一鋼種において、オーステナイト結晶粒が大きいほど焼入性がよい。

5 工具鋼では、焼入前のミクロ組織において炭化物の球状化が不完全であると、焼入時の変形や割れの原因となる場合がある。

6 吸熱型変成ガスの主成分の一つは、CO_2である。

7 ショットピーニングにおけるピーニング強さは、一般に、アルメンアークハイトで表される。

8 R熱電対は、プラス側導体が白金ロジウム合金、マイナス側導体が白金である。

9 ブリネル硬さ試験では、鋼の場合、一般に、10mmの超硬合金球の圧子と試験力29.42kNが用いられる。

10 超音波探傷試験は、主に表面の割れやきずを検出する方法であり、内部欠陥の位置や大きさについては検出することができない。

11 日本産業規格(JIS)では、常温でオーステナイト組織でない鋼の結晶粒度の顕微鏡試験方法として、浸炭粒度試験方法と熱処理粒度試験方法を規定している。

12 ダイカスト鋳造品は、砂型鋳造品に比べ、一般に表面肌がきれいである。

13 オーステナイト系ステンレス鋼は、一般に、被削性が悪い。

14 マシニングセンタは、フライス削りはできるが、穴あけ加工やねじ立て加工はできない。

15 日本産業規格(JIS)の「機械製図」によれば、想像線には細い破線を用いる。

16 鋼の電気抵抗は、一般に、合金元素量の増加とともに小さくなり、さらに昇温に伴って減少する。

［A群（真偽法）］

17　50Hzで使用していた誘導電動機を60Hzで使用すると、単位時間当たりの回転数は多くなる。

18　水質汚濁防止法関係法令では、排水の汚染状態について基準を定める有害物質には、カドミウム及びシアン化合物が含まれる。

19　SKH51を切削工具用として使用する場合の熱処理は、等温変態曲線におけるベイナイト変態域を利用したオーステンパである。

20　1050℃から焼入れしたSKD11を180～200℃で焼戻しすると、残留オーステナイトはほとんど消失する。

21　真空熱処理では、一般に、酸化しやすい鋼ほど低真空でよい。

22　バーンアウトとは、変成炉や熱処理炉内に蓄積した遊離炭素を炉内に適量の空気を送入して燃焼除去する操作である。

23　冷間塑性加工を行った鋼は、再結晶温度以上に加熱したとき、加工度によっては結晶粒が粗大化することがある。

24　日本産業規格(JIS)の「鋼－結晶粒度の顕微鏡試験方法」では、オーステナイトの結晶粒度を測定する場合、炭素含有率が0.25%を超える炭素鋼には適用できないと規定している。

25　残留応力は、超音波探傷試験で測定できる。

［B群（多肢択一法）］

1　γ鉄固溶体の炭素固溶限の最大値として、正しいものはどれか。

イ　0.10%

ロ　0.77%

ハ　2.14%

ニ　4.32%

2　金属組織に関する記述として、正しいものはどれか。

イ　繊維状組織は、冷間加工によって生じやすい。

ロ　パーライト組織は、フェライトと黒鉛の共析晶である。

ハ　ソルバイト組織は、フェライト中に黒鉛が析出したものである。

ニ　マルテンサイト組織は、フェライト中にセメンタイトが析出した組織である。

3　Ar″ 点に関する記述として、正しいものはどれか。

イ　ベイナイト変態が開始する温度

ロ　パーライト変態が開始する温度

ハ　マルテンサイト変態が開始する温度

ニ　トルースタイトが生成し始める温度

4　次の元素のうち、鋼の焼入性に及ぼす影響が最も大きいものはどれか。

イ　Ni

ロ　Mn

ハ　Mo

ニ　Cr

5　鉄鋼の高温焼戻ぜい性の軽減に有効な元素は、次のうちどれか。

イ　Mo

ロ　Ni

ハ　Cr

ニ　Mn

6　表面硬化法に関する記述として、誤っているものはどれか。

イ　ガス浸炭処理に用いる吸熱型変成ガスの原料は、炭化水素ガスである。

ロ　プラズマ窒化は、グロー放電を利用した方法である。

ハ　ガス軟窒化処理には、吸熱型変成ガス＋NH_3などが用いられる。

ニ　高周波焼入れでは、周波数が高くなるほど硬化層深さは深くなる。

［B群（多肢択一法）］

7 文中の(　　)内に当てはまる語句として、正しいものはどれか。
熱処理炉の炉材として用いられる耐火材のうち、酸性耐火材は、一般に、(　　)を多量に含有している。
イ けい酸
ロ アルミナ
ハ マグネシア
ニ セラミックファイバ

8 脱脂に関する記述として、誤っているものはどれか。
イ 脱脂方法の一つとして、乳化剤脱脂法がある。
ロ 脱脂剤の一つとして、塩素系有機溶剤がある。
ハ 炭化水素系脱脂剤を使った脱脂方法には、蒸気法がある。
ニ アルカリ脱脂剤として、苛性ソーダを用いない。

9 温度測定に関する記述として、正しいものはどれか。
イ 熱電温度計は、測定子の電気抵抗を測定して測温する。
ロ 光高温計は、測定子の熱起電力を測定して測温する。
ハ 放射温度計は、測定対象からの放射エネルギーを測定して測温する。
ニ 示温塗料は、燃焼する温度を設定した塗料の燃焼状態から測温する。

10 日本産業規格(JIS)の「熱電対」によれば、次のうち、種類の記号として規定されていないものはどれか。
イ J熱電対
ロ K熱電対
ハ S熱電対
ニ Z熱電対

11 一般に、青銅は銅と他の元素との合金であるが、その主元素として次のうち最も適切なものはどれか。
イ Sn
ロ Al
ハ Si
ニ Ni

12 引張試験に関する記述として、正しいものはどれか。
イ 耐力は、原断面積を降伏点で除した値
ロ 引張強さは、最大試験力を原断面積で除した値
ハ 絞りは、破断後の最小断面積を原断面積で除した値
ニ 破断伸びは、破断後の最終標点距離を原標点距離で除した値

［B群（多肢択一法)］

13　日本産業規格(JIS)の「鋼－結晶粒度の顕微鏡試験方法」に関する記述として、誤っているものはどれか。

イ　フェライト結晶粒は、通常は炭素含有量が0.25%以下の炭素鋼又はフェライト系ステンレス鋼について規定している。

ロ　細粒鋼と粗粒鋼の区分がある。

ハ　視野間において3以上異なった粒度番号の視野が存在するものは混粒に該当する。

ニ　粒度番号の大きいものほど、単位面積当たりの結晶粒の数は少ない。

14　文中の(　　)内に当てはまる語句として、適切なものはどれか。

日本産業規格(JIS)によれば、結晶粒度の顕微鏡試験方法において、結晶粒の観察に用いられる顕微鏡倍率は、通常(　　)である。

イ　50 倍

ロ　100 倍

ハ　150 倍

ニ　200 倍

15　日本産業規格(JIS)における「鋼の焼入性試験方法(一端焼入方法)」に規定されている試験片の全長として、正しいものはどれか。

イ　50±0.5 mm

ロ　75±0.5 mm

ハ　100±0.5 mm

ニ　125±0.5 mm

16　文中の(　　)内に当てはまる語句として、適切なものはどれか。

日本産業規格(JIS)によれば、下図はQC七つ道具における(　　)の一例である。

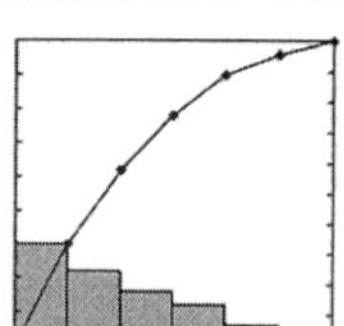

イ　パレート図

ロ　ヒストグラム

ハ　特性要因図

ニ　連関図

［B群（多肢択一法）］

17　文中の(　　)内に当てはまる語句として、正しいものはどれか。
日本産業規格(JIS)の「統計－用語及び記号」では、(　　)について、「サンプルサイズが変動する場合に、単位当たりの発生数を評価するための計数値管理図。」と規定している。
　イ　u管理図
　ロ　c管理図
　ハ　p管理図
　ニ　np管理図

18　労働安全衛生法関係法令による玉掛け作業の安全性に関する記述として、誤っているものはどれか。
　イ　ワイヤロープ一(ひと)よりの間において素線の数の10%以上の素線が切断しているものは使用してはならない。
　ロ　ワイヤロープの直径の減少が公称径の7%を超えるものは使用してはならない。
　ハ　鎖については、その伸びが当該鎖が製造されたときの長さの5%を超えるものは使用してはならない。
　ニ　揚貨装置の玉掛けに用いるフック又はシャックルの安全係数については、2以上としなければならない。

19　鋳鉄品の熱処理に関する記述として、正しいものはどれか。
　イ　焼ならしは、鋳造組織をできるだけ均一なパーライト基地にする処理である。
　ロ　球状黒鉛鋳鉄品は、オーステンパ処理して使用することはない。
　ハ　フェライト化焼なましは、900～950℃でチルを黒鉛化する処理である。
　ニ　ねずみ鋳鉄品の応力除去焼なましでは、急加熱しても悪影響はない。

20　等温焼なましに関する記述として、誤っているものはどれか。
　イ　目的は、完全焼なましと同じである。
　ロ　完全焼なましと比べて、処理時間が長い。
　ハ　自硬性の大きい合金鋼の焼なましに適している。
　ニ　各温度におけるオーステナイトの等温変態の開始及び終了時間は、TTT曲線より求めることができる。

21　ステンレス鋼の熱処理に関する記述として、正しいものはどれか。
　イ　オーステナイト系の安定化焼なましは、1010～1150℃から急冷する。
　ロ　フェライト系は、一般に、焼入焼戻しをして使用する。
　ハ　オーステナイト・フェライト系(二相ステンレス)は、一般に、950～1100℃から急冷する固溶化熱処理が行われる。
　ニ　マルテンサイト系は、一般に、固溶化熱処理が行われる。

［B群（多肢択一法）］

22　焼入油に関する記述として、誤っているものはどれか。

イ　焼入れの冷却状態は、沸騰段階→蒸気膜段階→対流段階の順番で進む。
ロ　一般に、セミホット油では、140℃より80℃の方が冷却能は大きい。
ハ　大気中で温度を上げて使用すると、劣化しやすい。
ニ　撹拌《かくはん》には、プロペラ方式やポンプによる噴流方式を用いる。

23　次のうち、水素ぜい性の原因となる工程はどれか。

イ　水溶液焼入剤による焼入れ
ロ　水(アルカリ)系洗浄液による脱脂
ハ　ドライアイス法によるサブゼロ処理
ニ　酸洗い

24　焼入れ後の硬さ不足(全体に硬さが低い)の原因として、次のうち、最も影響が少ないものはどれか。

イ　フェライト＋オーステナイトの2相領域から焼入れ
ロ　オーステナイトが多量に残留
ハ　スケールの付着による冷却速度の不足
ニ　加熱昇温速度の変化

25　日本産業規格(JIS)の「鋼の火花試験方法」に関する記述として、誤っているものはどれか。

イ　といしの円周速度は、原則として20m／s以上である。
ロ　グラインダに押しつける圧力は、できる限り等しくする。
ハ　火花の観察は、原則として屋外で行う。
ニ　鋼種の推定又は異材の鑑別を行うことを目的としている。

令和3年度 技能検定
1級 金属熱処理 学科試験問題
(一般熱処理作業)

1. 試験時間　1時間40分
2. 問題数　50題(A群25題、B群25題)
3. 注意事項

(1) 係員の指示があるまで、この表紙はあけないでください。

(2) 答案用紙(真偽法と多肢択一法の併用)に検定職種名、作業名、級別、受検番号、氏名を必ず記入してください。

(3) 係員の指示に従って、問題数を確かめてください。それらに異常がある場合は、黙って手を挙げてください。問題はA群(真偽法)とB群(多肢択一法)とに分かれています。

(4) 試験開始の合図で始めてください。

(5) 解答の方法(真偽法と多肢択一法の併用)は次のとおりです。

イ. A群の問題(真偽法)は、一つ一つの問題の内容が正しいか、誤っているかを判断して解答してください。

ロ. B群の問題(多肢択一法)は、正解と思うものを一つだけ選んで、解答してください。二つ以上に解答した場合は誤答となります。

ハ. 答案用紙(マークシート用紙)へ解答する際は、答案用紙に記載されている注意事項に従ってください。

ニ. 答案用紙の解答欄は、A群の問題とB群の問題とでは異なります。所定の解答欄に、試験問題の題数に応じて解答してください。解答欄はA群は50題まで、B群は25題まで解答できるようになっています。

(6) 電子式卓上計算機その他これと同等の機能を有するものは、使用してはいけません。

(7) 携帯電話、スマートフォン、ウェアラブル端末等は、使用してはいけません。

(8) 試験中、質問があるときは、黙って手を挙げてください。ただし、試験問題の内容、漢字の読み方等に関する質問にはお答えできません。

(9) 試験終了時刻前に解答ができあがった場合は、黙って手を挙げて、係員の指示に従ってください。

(10) 試験中に手洗いに立ちたいときは、黙って手を挙げて、係員の指示に従ってください。

(11) 試験終了の合図があったら、筆記用具を置き、係員の指示に従ってください。

［A群（真偽法）］

1　鉄－炭素系平衡状態図において、オーステナイト単相域とオーステナイト＋セメンタイトの二相域との境界温度はA_3線である。

2　オーステナイト域に加熱した鋼を、等温変態曲線のノーズ直上の温度で等温保持すると、上部ベイナイト組織となる。

3　マルテンサイト変態時に残留するオーステナイトの結晶構造は、体心立方晶である。

4　鋼を理想焼入れしたときに、中心部が100％マルテンサイト組織になる丸棒の直径を、理想臨界直径という。

5　工具鋼では、焼入前のミクロ組織に層状や網目状炭化物が残留すると、焼入時の変形や割れの原因になることがある。

6　物理蒸着法(PVD法)は、高温加熱やスパッタリングなどの物理的方法で物質を蒸発し、製品の表面に凝縮させて、薄膜を形成する処理である。

7　熱処理品の防錆《せい》処理の一つとして、マンガンや亜鉛などを含むりん酸塩浴中に浸漬する化成処理がある。

8　熱処理炉の炉温制御を比例動作で行う場合、昇温終了後の炉温は、常に設定温度と等しくなる。

9　シャルピー衝撃試験において、シャルピー衝撃値は、衝撃時の吸収エネルギーが小さいほど大きくなる。

10　超音波探傷試験は、内部のきずの位置を検出することができる。

11　磁粉探傷試験を行う場合、磁界の方向は、試験面に直角にする。

12　日本産業規格(JIS)によれば、ティグ溶接では、電極にタングステンを、シールドガスにアルゴン等を用いる。

13　オーステナイト系ステンレス鋼は、フェライト系ステンレス鋼と比べて、被削性が優れている。

14　フライス盤加工の仕上げ面粗さは、一般に、送り速度を速くすると粗くなる。

［A群（真偽法）］

15 日本産業規格(JIS)の機械製図では、線の種類として、実線、破線及び一点鎖線の3種類と規定されている。

16 抵抗が同じ導線を流れる電流の大きさは、電圧に反比例する。

17 湿気やじん埃の発生する場所で電動機を使用する場合は、全閉型が適している。

18 大気汚染防止法関係法令によれば、ばい煙には、「燃料その他の物の燃焼に伴い発生するいおう酸化物」も含まれる。

19 ベイナイト焼入れした部品は、一般に、焼戻しする必要はない。

20 共析鋼を焼入れしてマルテンサイト組織にしたものを焼戻しすると、およそ300℃から中間炭化物が析出してくる。

21 吸熱型ガス変成炉を用いて還元性の保護ガスを生成する場合、空気混合比(Air/Gas)はプロパンガスよりもブタンガスの方が小さい。

22 露点とは、雰囲気中の水分が凝縮し始める温度で、雰囲気ガスの管理に用いることができる。

23 熱処理後、残留オーステナイトがマルテンサイト変態によって膨張し最終的に収縮することを、一般に、経年変化という。

24 日本産業規格(JIS)の「鋼の脱炭層深さ測定方法」では、全脱炭層深さ、フェライト脱炭層深さ、特定残炭率脱炭層深さ及び実用脱炭層深さの4種類が定義されている。

25 残留応力の測定方法として、X線の回折現象を利用した方法がある。

［B群（多肢択一法）］

1 Fe－C系平衡状態図において、レデブライトを生成する変態として、正しいものはどれか。
　イ　磁気変態
　ロ　共析変態
　ハ　共晶変態
　ニ　包晶変態

2 セメンタイトに関する記述として、正しいものはどれか。
　イ　包晶反応によって生じる炭化物である。
　ロ　約780℃で磁気変態が発生する。
　ハ　FeとCの原子比が3：1の鉄炭化物で、Cの質量％は約6.7％である。
　ニ　結晶構造は面心立方格子である。

3 日本産業規格(JIS)の「熱処理油剤」において、熱処理油の1種2号の品質及び性状に係る項目として、定められていないものはどれか。
　イ　特性温度
　ロ　800℃から400℃までの冷却秒数
　ハ　全酸化
　ニ　水分

4 質量効果に関する記述として、誤っているものはどれか。
　イ　焼入性曲線から判定できる。
　ロ　連続冷却変態曲線の臨界冷却速度から判定できる。
　ハ　等温変態曲線から判定できる。
　ニ　理想臨界直径が大きいほど、質量効果が小さい。

5 機械構造用合金鋼鋼材に関する記述として、誤っているものはどれか。
　イ　SCM440Hは、SCr420Hよりも焼入性が良い。
　ロ　SNCM材は、SCM材よりも自硬性が大きい。
　ハ　Moの添加は、高温焼戻ぜい性を抑制する。
　ニ　SCM822とSNCM420は、理想臨界直径が同じである。

6 焼なまし処理に関する記述として、誤っているものはどれか。
　イ　焼なましの目的は、軟化、残留応力の除去、組織の調整などである。
　ロ　応力除去焼なましは、A_1変態点以下の焼なまし温度が適用され、これを低温焼なましともいう。
　ハ　高炭素鋼、工具鋼などは、焼入れの前処理として球状化焼なましを行う。
　ニ　完全焼なましを行うと、引張強さが改善され強くなる。

［Ｂ群（多肢択一法）］

7　焼入加熱炉に使用される炉材の説明として、誤っているものはどれか。
　イ　酸性耐火材は、けい酸を多量に含むレンガである。
　ロ　中性耐火材は、アルミナを主成分とするレンガである。
　ハ　塩基性耐火材は、マグネシアを主成分とするレンガである。
　ニ　耐火モルタルは、炉壁の断熱材としても用いられる。

8　ショットピーニングの効果に関する記述として、誤っているものはどれか。
　イ　疲労強度が向上する。
　ロ　表面近傍を加工硬化させる。
　ハ　表面近傍に引張残留応力が生じる。
　ニ　表面近傍の残留オーステナイトの一部をマルテンサイトに変態させる。

9　温度測定に関する記述として、誤っているものはどれか。
　イ　熱電温度計は、熱起電力を測定して測温する。
　ロ　光高温計は、電気抵抗を測定して測温する。
　ハ　放射温度計は、放射エネルギーを測定して測温する。
　ニ　示温塗料は、塗料表面の色の変化から温度を推測する。

10　熱電温度計に関する記述として、正しいものはどれか。
　イ　基準接点を必要としない。
　ロ　測温部に熱電対を用いる。
　ハ　測温範囲は、1000℃以下に限られる。
　ニ　補償導線を必ず使用しなければならない。

11　鉄鋼材料の素材欠陥に関する記述として、正しいものはどれか。
　イ　CやMnなどの偏析は、キルド鋼よりもリムド鋼の方が多い。
　ロ　鋳鋼品には、凝固するときに体積が収縮して生じる引け巣(パイプ)が少ない。
　ハ　鋼塊や鋳物などに生ずる気泡(ブローホール)は、冷間圧延で除去することができる。
　ニ　Ni－Cr－Mo鋼などに生じやすい白点は、酸素の影響である。

12　硬さ試験に関する記述として、誤っているものはどれか。
　イ　ブリネル硬さ　→　くぼみの直交する2方向の直径を測定して、その平均値から求める。
　ロ　ビッカース硬さ　→　くぼみの対角線長さを測定して、その平均値から求める。
　ハ　ロックウェル硬さ　→　Bスケールでは、永久くぼみ深さhから、100－h／0.002の式を用いて求める。
　ニ　ショア硬さ　→　測定値を0.5HSまで読み取り、連続して測定した5点の平均値から求める。

［B群（多肢択一法）］

13 光学顕微鏡を用いた組織の観察により調べることができるものとして、誤っているものはどれか。

イ 非金属介在物の有無

ロ 鋼のしま状組織の有無

ハ 鋼の結晶構造

ニ 鋼表面の脱炭の有無

14 日本産業規格(JIS)に規定されている鋼の結晶粒度の顕微鏡試験方法に関する記述として、誤っているものはどれか。

イ フェライト又はオーステナイトの結晶粒度を測定するための試験方法である。

ロ 負数(マイナス)を示す粒度番号がある。

ハ 細粒鋼と粗粒鋼の区分がある。

ニ 粒度番号の大きいものほど、単位面積当たりの結晶粒の数は少ない。

15 文中の(　　)内に当てはまる語句として、適切なものはどれか。

Uカーブ(U曲線)とは、焼入れされた丸棒の(　　)の硬さを測定して得られた硬さ曲線である。

イ 外周

ロ 軸

ハ 横断面

ニ 縦断面

16 品質管理において、測定値の存在する範囲をいくつかの区間に分けた場合、各区間を底辺とし、その区間に属する測定値の度数に比例する面積を持つ長方形を並べた図はどれか。

イ 管理図

ロ 正規分布図

ハ 特性要因図

ニ ヒストグラム

17 品質管理で用いる管理図に関する記述として、誤っているものはどれか。

イ $\overline{X}$管理図では、群の平均値$\overline{X}$を用いて工程水準を評価できる。

ロ R管理図では、特性値のばらつきの変化を評価できる。

ハ np管理図では、サンプルサイズが一定の場合、不適合品数を評価できる。

ニ $\overline{X}-$R管理図では、一つの群の計数値データを用いる。

［B群（多肢択一法）］

18　労働安全衛生法関係法令によれば、玉掛けの安全性に関する記述として、正しいものはどれか。

イ　ワイヤロープ一《ひと》よりの間において素線の20％程度の切断でも、使用可能であれば用いてもよい。

ロ　ワイヤロープの直径の減少が公称径の7％を超えるものは使用してはならない。

ハ　ワイヤロープに著しい形くずれ又は腐食があっても、使用可能であれば用いてもよい。

ニ　つり上げ荷重が、1トン未満のクレーンの玉掛け業務は、軽量なため特別教育を必要としない。

19　鍛造焼入れに関する記述として、誤っているものはどれか。

イ　熱間鍛造後、そのまま焼入れする。

ロ　普通焼入れよりも衝撃値が高くなる。

ハ　普通焼入れよりも焼入性がよい。

ニ　普通焼入れよりも結晶粒が大きい。

20　高速度工具鋼鋼材SKH51の熱処理に関する記述として、誤っているものはどれか。

イ　焼なまし温度は、一般に、800～880℃である。

ロ　焼入加熱温度は、一般に、1220℃である。

ハ　アンダーハードニングの焼入加熱温度は、一般に、1350℃である。

ニ　焼入加熱保持時間は、SKD61に比べ短時間である。

21　文中の(　　)内に当てはまる語句として、適切なものはどれか。

アルゴン(Ar)、ヘリウム(He)等のガスを(　　)という。

イ　酸化性ガス

ロ　還元性ガス

ハ　脱炭性ガス

ニ　不活性ガス

22　日本産業規格(JIS)によれば、有効加熱帯が幅1.2m×奥行き1.8m×高さ0.8mのバッチ式箱型加熱設備の有効加熱帯試験を行う場合、保持温度測定位置数として正しいものはどれか。

イ　3か所

ロ　5か所

ハ　9か所

ニ　12か所

［B群（多肢択一法）］

23 熱処理で生ずる変形の原因として、当てはまらないものはどれか。

イ　熱処理前の加工の残留応力

ロ　熱処理前の脱脂洗浄

ハ　熱応力と変態応力

ニ　加熱炉への装入荷姿

24 焼割れ発生防止手段として、次のうち適切なものはどれか。

イ　焼入加熱温度を30℃高くする。

ロ　Ms点直下まで冷却し、冷媒から引き上げ、空冷する。

ハ　焼入加熱の保持時間を延長する。

ニ　焼入れから焼戻しまでの時間を長くする。

25 下図は、日本産業規格(JIS)の「鋼の火花試験方法」における火花の形状と部分名称を示したものである。図中のAの部分の名称として、正しいものはどれか。

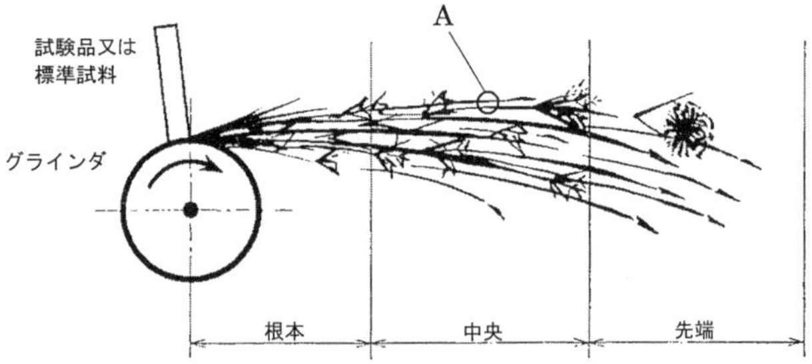

イ　波線

ロ　光輝線

ハ　裂線

ニ　流線

令和5年度 技能検定
2級 金属熱処理 学科試験問題
(浸炭・浸炭窒化・窒化処理作業)

1. 試験時間　1時間40分
2. 問題数　50題(A群25題、B群25題)
3. 注意事項

(1) 係員の指示があるまで、この表紙はあけないでください。

(2) 答案用紙(真偽法と多肢択一法の併用)に検定職種名、作業名、級別、受検番号、氏名を必ず記入してください。

(3) 係員の指示に従って、問題数を確かめてください。それらに異常がある場合は、黙って手を挙げてください。問題はA群(真偽法)とB群(多肢択一法)とに分かれています。

(4) 試験開始の合図で始めてください。

(5) 解答の方法(真偽法と多肢択一法の併用)は次のとおりです。

イ. A群の問題(真偽法)は、一つ一つの問題の内容が正しいか、誤っているかを判断して解答してください。

ロ. B群の問題(多肢択一法)は、正解と思うものを一つだけ選んで、解答してください。二つ以上に解答した場合は誤答となります。

ハ. 答案用紙(マークシート用紙)へ解答する際は、答案用紙に記載されている注意事項に従ってください。

ニ. 答案用紙の解答欄は、A群の問題とB群の問題とでは異なります。所定の解答欄に、試験問題の題数に応じて解答してください。解答欄はA群は50題まで、B群は25題まで解答できるようになっています。

(6) 電子式卓上計算機その他これと同等の機能を有するものは、使用してはいけません。

(7) 携帯電話、スマートフォン、ウェアラブル端末等は、使用してはいけません。

(8) 試験中、質問があるときは、黙って手を挙げてください。ただし、試験問題の内容、漢字の読み方等に関する質問にはお答えできません。

(9) 試験終了時刻前に解答ができあがった場合は、黙って手を挙げて、係員の指示に従ってください。

(10) 試験中に手洗いに立ちたいときは、黙って手を挙げて、係員の指示に従ってください。

(11) 試験終了の合図があったら、筆記用具を置き、係員の指示に従ってください。

［A群（真偽法）］

1 鉄－炭素系平衡状態図において、A_3線とA_{cm}線との交点は、共析点である。

2 炭素含有率0.45%の機械構造用炭素鋼を900℃から徐冷すると、金属組織は、初析セメンタイトとパーライトになる。

3 等温変態曲線とは、オーステナイトの等温変態の開始及び終了を、縦軸に温度、横軸に時間をとって図示したものである。

4 同一鋼種においては、オーステナイト結晶粒が小さいものほど、焼入性が良い。

5 軸受鋼の球状化焼なましの目的の一つは、焼入焼戻し後、優れた耐摩耗性等を得ることである。

6 焼入硬化した部品の変形を矯正するために行うプレステンパは、通常、組織の変化による塑性変形を利用したものである。

7 鋼にショットブラストを行うと、表面近傍に引張残留応力が発生する。

8 日本産業規格(JIS)の「熱電対」によれば、常用限度の温度が最も高いものは、K熱電対である。

9 熱電対による測温では、基準接点が必要である。

10 マクロ的な破面観察では、破損事故品に対して、疲労破壊かぜい性破壊かなどを判断することはできない。

11 超音波探傷試験には、一般に、反射波形法(パルス反射法)が用いられる。

12 ダイカスト鋳造法とは、溶融した金属を高圧で注入し、精度の良い鋳物を作る方法のことである。

13 フライス盤では、溝加工ができない。

14 日本産業規格(JIS)の「機械製図」によれば、実線、破線、一点鎖線及び二点鎖線は、いずれも製図に用いる線の種類に該当する。

15 日本産業規格(JIS)によれば、鉄鋼記号「SK」のKは、機械を意味する。

16 電力は、抵抗と電圧の積から求めることができる。

［A群（真偽法）］

17 周波数(ヘルツ)とは、電気振動などの現象が単位時間(1秒間)に繰り返される回数のことである。

18 大気汚染防止法関係法令によれば、金属の熱処理の用に供する加熱炉の中には、ばい煙発生施設に含まれるものもある。

19 吸熱型変成ガスは、変成炉の出口で徐冷して組成を安定化させる。

20 浸炭焼入焼戻しされた鋼の表面近傍には、一般に、圧縮残留応力が生じる。

21 日本産業規格(JIS)の金属熱処理用加熱設備の有効加熱帯試験では、保持温度測定位置については規定していない。

22 プラズマ窒化装置では、窒化対象の部品を陰極に、炉壁を陽極にセットする。

23 浸炭焼入焼戻しした鋼部品の表面硬化層に多量の残留オーステナイトが存在すると、経年変化の原因となる。

24 過剰浸炭を防止するには、高いカーボンポテンシャルに調整した雰囲気の中で行うと良い。

25 日本産業規格(JIS)における鋼の浸炭硬化層深さは、有効硬化層深さ及び全硬化層深さが規定されている。

［B群（多肢択一法）］

1　日本産業規格(JIS)によれば、Fe_3Cの化学式で示される鉄炭化物に該当するものはどれか。

イ　オーステナイト

ロ　フェライト

ハ　マルテンサイト

ニ　セメンタイト

2　炭素含有率が1.2%の鋼をオーステナイト状態に加熱した後、徐冷したときの常温における金属組織はどれか。

イ　初析フェライト＋パーライト

ロ　初析フェライト＋マルテンサイト

ハ　初析セメンタイト＋パーライト

ニ　初析セメンタイト＋レデブライト

3　残留オーステナイトに関する記述として、誤っているものはどれか。

イ　鋼を焼入硬化後、常温において残留する未変態オーステナイトのことである。

ロ　残留オーステナイトが多い鋼ほど、焼入硬さは低い。

ハ　炭素量が同一の鋼を焼入れした場合、水焼入れより油焼入れの方が残留オーステナイトは多い。

ニ　残留オーステナイトはサブゼロ処理のみによって、マルテンサイトに変化する。

4　鋼の質量効果に関する記述として、誤っているものはどれか。

イ　質量効果とは、質量及び断面寸法の大小で、焼入硬化層の深さが異なる度合いのことである。

ロ　質量効果が大きい鋼は、焼入性が悪い。

ハ　S35Cは、SCM435より質量効果が小さい。

ニ　U曲線から質量効果を求めることができる。

5　機械構造用炭素鋼の完全焼なまし処理に関する記述として、誤っているものはどれか。

イ　焼なまし温度は、炭素量によって変える必要がある。

ロ　鋼材中心まで均一に加熱する。

ハ　十分軟化させる目的で炉冷する。

ニ　同じ加熱条件の場合、機械構造用合金鋼に比べて、結晶粒が粗大化しにくい。

6　マルテンパに関する一般的な記述として、誤っているものはどれか。

イ　Ms直上の温度の熱浴で保持した後、冷却する。

ロ　処理後に焼戻しを必要としない。

ハ　マルクエンチとも呼ばれる。

ニ　オイルバスが利用できる。

［B群（多肢択一法）］

7　焼入剤の特徴に関する記述として、誤っているものはどれか。
　イ　空気は、水よりも冷却能が小さい。
　ロ　水は、水温が30℃の方が20℃よりも冷却能は小さい。
　ハ　焼入油は、一般に、粘度が高くなるほど冷却能は大きくなる。
　ニ　水溶液焼入剤は、濃度によって冷却能を調整できる。

8　脱脂に関する記述として、誤っているものはどれか。
　イ　脱脂方法の一つとして、乳化剤脱脂法がある。
　ロ　脱脂剤の一つとして、塩素系有機溶剤がある。
　ハ　炭化水素系脱脂剤を使った脱脂方法には、蒸気法がある。
　ニ　アルカリ脱脂剤には、苛性《かせい》ソーダを使用しない。

9　鉄鋼部品のショットピーニングに用いるショットの種類として、最も適切でないものはどれか。
　イ　鋳鋼ショット
　ロ　ガラスビーズ
　ハ　樹脂球
　ニ　カットワイヤショット

10　温度制御において、現在温度が設定温度以下では操作量を100%にし、設定温度を超えると操作量を0%にする動作に該当するものはどれか。
　イ　微分動作
　ロ　積分動作
　ハ　比例動作
　ニ　オンオフ動作

11　キルド鋼の特徴に関する一般的な記述として、誤っているものはどれか。
　イ　リムド鋼よりも介在物や偏析が多い。
　ロ　けい素やアルミニウムで脱酸した鋼である。
　ハ　熱処理を施して使用する場合が多い。
　ニ　機械構造用合金鋼は、キルド鋼である。

12　日本産業規格(JIS)によれば、ダイヤモンドハンマを一定の高さから落下させ、その跳ね上がり高さに比例する値を求める硬さ試験として、正しいものはどれか。
　イ　ロックウェル硬さ試験
　ロ　ビッカース硬さ試験
　ハ　ブリネル硬さ試験
　ニ　ショア硬さ試験

［B群（多肢択一法）］

13　金属材料の引張試験の目的として、誤っているものはどれか。

イ　ぜい性を調べる。

ロ　耐力を調べる。

ハ　伸びを調べる。

ニ　絞りを調べる。

14　日本産業規格(JIS)における「鋼－結晶粒度の顕微鏡試験方法」の適用に関する記述として、誤っているものはどれか。

イ　オーステナイト結晶粒度測定試験方法とフェライト結晶粒度測定試験方法が規定されている。

ロ　結晶粒度を測定する場合、顕微鏡の倍率は、通常は100倍である。

ハ　粒度番号が、＋1～＋10まで規定されている。

ニ　粒度番号の大きいものほど、単位面積に占める平均結晶粒数が多い。

15　日本産業規格(JIS)によれば、鋼の焼入性試験方法に関する記述として、正しいものはどれか。

イ　焼入剤として、油を使用する。

ロ　一端焼入方法とも呼ばれている。

ハ　試験片は、直径30mm、長さ120mmである。

ニ　試験片は、所定の焼入温度に保たれている炉に装入し、少なくとも10分をかけて中心部まで均一に昇温した後、その温度に15～20分間保つ。

16　品質管理用語の説明として、誤っているものはどれか。

イ　抜取検査は、対象とするグループから検査品を抜き取って行う検査である。

ロ　特性要因図とは、群のバラツキを判定する図である。

ハ　正規分布とは、一番多い数を中心に、中心から離れるほど数が少なくなる左右対象の確率分布をいう。

ニ　R管理図で、群のバラツキの変化を評価することができる。

［B群（多肢択一法）］

17 文中の(　　)内に当てはまる語句として、正しいものはどれか。
品質管理において、下図は、(　　)と呼ばれている。

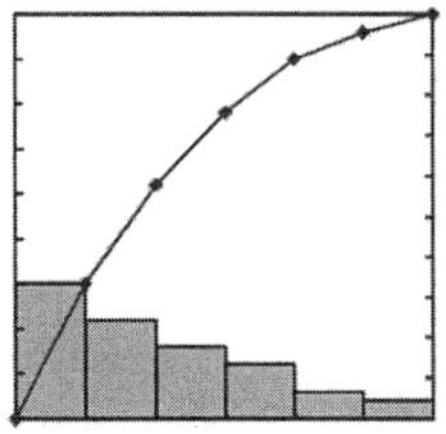

イ　パレート図
ロ　連関図
ハ　特性要因図
ニ　ヒストグラム

18 文中の(　　)内に当てはまる語句として、正しいものはどれか。
労働安全衛生法関係法令では、屋内に設ける通路について、通路面から高さ(　　)以内に障害物を置かないことと規定している。

イ　1.8 m
ロ　2.8 m
ハ　3.8 m
ニ　4.8 m

19 吸熱型変成ガスのCO濃度として、適切なものはどれか。

イ　 5～10 %
ロ　20～25 %
ハ　30～35 %
ニ　40～45 %

20 吸熱型変成ガスの変成温度として、次のうち最も適切なものはどれか。

イ　約 850 ℃
ロ　約 950 ℃
ハ　約1050 ℃
ニ　約1150 ℃

21 バーンアウトに関する記述として、正しいものはどれか。

イ　スーティングの発生がなくても、毎日行う必要がある。
ロ　行う時に、炉内に窒素ガスを導入する。
ハ　操業温度より50～100℃低い温度で行う。
ニ　炉内に処理物がある状態で行う。

［B群（多肢択一法）］

22　次のうち、同一条件でガス窒化した場合に、表面硬さが最も高くなる鋼種はどれか。

イ　SCM420

ロ　SCr435

ハ　SACM645

ニ　SCM440

23　加熱炉の加熱装置に関する記述として、誤っているものはどれか。

イ　加熱方式には、間接加熱と直接加熱とがある。

ロ　電気加熱には、抵抗加熱、誘導加熱、電子加熱などがある。

ハ　燃焼加熱では、燃焼騒音や排ガス中のNOx、SOxなどの公害対策が必要である。

ニ　ラジアントチューブは、雰囲気炉に用いられない。

24　浸炭焼入れの欠陥の原因に関する記述として、誤っているものはどれか。

イ　加熱温度が高く、保持時間が長いほど、結晶粒は粗大化しやすい。

ロ　焼入変形の原因には、加熱・冷却による熱応力と変態応力、材料のセット不良、前加工の残留応力などがある。

ハ　浸炭雰囲気中のCO_2濃度が高くても粒界酸化は生じない。

ニ　表面異常層の深い処理品は、表面硬さが低い。

25　日本産業規格(JIS)によれば、浸炭焼入焼戻処理部品の有効硬化層深さを測定する硬さ試験機として、次のうち適切なものはどれか。

イ　ビッカース硬さ試験機

ロ　ショア硬さ試験機

ハ　ブリネル硬さ試験機

ニ　ロックウェル硬さ試験機

令和4年度 技能検定
2級 金属熱処理 学科試験問題
（浸炭・浸炭窒化・窒化処理作業）

1. 試験時間　1時間40分
2. 問題数　50題(A群25題、B群25題)
3. 注意事項

(1)　係員の指示があるまで、この表紙はあけないでください。

(2)　答案用紙(真偽法と多肢択一法の併用)に検定職種名、作業名、級別、受検番号、氏名を必ず記入してください。

(3)　係員の指示に従って、問題数を確かめてください。それらに異常がある場合は、黙って手を挙げてください。問題はA群(真偽法)とB群(多肢択一法)とに分かれています。

(4)　試験開始の合図で始めてください。

(5)　解答の方法(真偽法と多肢択一法の併用)は次のとおりです。

イ．　A群の問題(真偽法)は、一つ一つの問題の内容が正しいか、誤っているかを判断して解答してください。

ロ．　B群の問題(多肢択一法)は、正解と思うものを一つだけ選んで、解答してください。二つ以上に解答した場合は誤答となります。

ハ．　答案用紙(マークシート用紙)へ解答する際は、答案用紙に記載されている注意事項に従ってください。

ニ．　答案用紙の解答欄は、A群の問題とB群の問題とでは異なります。所定の解答欄に、試験問題の題数に応じて解答してください。解答欄はA群は50題まで、B群は25題まで解答できるようになっています。

(6)　電子式卓上計算機その他これと同等の機能を有するものは、使用してはいけません。

(7)　携帯電話、スマートフォン、ウェアラブル端末等は、使用してはいけません。

(8)　試験中、質問があるときは、黙って手を挙げてください。ただし、試験問題の内容、漢字の読み方等に関する質問にはお答えできません。

(9)　試験終了時刻前に解答ができあがった場合は、黙って手を挙げて、係員の指示に従ってください。

(10)　試験中に手洗いに立ちたいときは、黙って手を挙げて、係員の指示に従ってください。

(11)　試験終了の合図があったら、筆記用具を置き、係員の指示に従ってください。

［A群（真偽法）］

1　炭素含有量1.0%の鋼を、Fe－C系平衡状態図における均一オーステナイト領域の温度から室温まで徐冷すると、初析セメンタイトとパーライトの組織となる。

2　日本産業規格(JIS)の「鋼－結晶粒度の顕微鏡試験方法」によれば、粗粒鋼は細粒鋼よりも粒度番号が大きい。

3　Acmとは、冷却時、フェライト変態が始まる温度である。

4　同一鋼種においては、オーステナイト結晶粒径が大きいものほど焼入性が悪い。

5　機械構造用炭素鋼の焼ならしは、A_3以上の温度に加熱して均一なオーステナイト組織にした後、炉冷する熱処理である。

6　ショットピーニングは、鋼の応力腐食割れに対する抵抗力を向上させる。

7　アルカリ脱脂浴に界面活性剤を添加すると、洗浄効果が下がる。

8　K熱電対の素線径は、常用限度温度に影響しない。

9　日本産業規格(JIS)の「光高温計による温度測定方法」によれば、光高温計による温度測定方法の適用温度範囲は、原則として約900～2000℃と規定されている。

10　マクロ的な破面観察では、破損品に対して、破壊の起点、き裂の進展方向等を判断することができる。

11　浸透探傷試験は、材質がセラミックスの場合には適用できない。

12　日本産業規格(JIS)では、ダイカストについて、「重力又は低圧力を用いて、溶融金属を金型の中に注湯して造られる鋳物。」と規定している。

13　研削盤では、円筒内面の研削加工はできない。

14　日本産業規格(JIS)によれば、SUPは、ばね鋼鋼材を表す記号である。

15　日本産業規格(JIS)の「機械製図」によれば、かくれ線には、細い破線又は太い破線を使用する。

16　三相モータの動力線を金属製の電線管に収めて配線する場合、それぞれの動力線を別々の電線管に収めなければならない。

［A群（真偽法）］

17 日本産業規格(JIS)によれば、交流の場合、低圧ヒューズの定格電圧及び定格電流は実効値で示す。

18 大気汚染防止法関係法令によれば、金属製品の熱処理炉は、ばい煙発生施設には当たらない。

19 吸熱型変成ガスは、ガス変成炉の出口でガスを急冷してガス組成を安定化させる。

20 ガス浸炭における浸炭防止方法の一つとして、銅めっきを利用する方法がある。

21 日本産業規格(JIS)の「鉄鋼の浸炭及び浸炭窒化焼入焼戻し加工」によれば、焼入冷却設備において、油槽の冷却剤の使用温度許容差は、目的温度±10℃に調整できなければならない。

22 ガス浸炭窒化処理において、浸炭性ガスに添加するガスは、炭酸ガスである。

23 結晶粒粗大化は、浸炭温度が高いほど発生しやすい。

24 浸炭層において炭素濃度勾配が急であると、剥離の原因となることがある。

25 日本産業規格(JIS)の「鋼の浸炭硬化層深さ測定方法」によれば、硬化層深さの表示において、全硬化層深さを表す表示記号は、CHDである。

［B群（多肢択一法）］

1 鋼を高温から冷却する場合、オーステナイトからパーライトに変態する温度を示す記号はどれか。

イ Ac_1

ロ Ac_3

ハ Ar_1

ニ Ar_3

2 パーライトを構成する組織として、正しいものはどれか。

イ フェライト＋セメンタイト

ロ フェライト＋オーステナイト

ハ オーステナイト＋セメンタイト

ニ フェライト＋グラファイト

3 Ms点に関する記述として、正しいものはどれか。

イ マルテンサイトが分解し始める温度

ロ オーステナイトがベイナイトに変態し始める温度

ハ オーステナイトがマルテンサイトに変態し始める温度

ニ トルースタイトが生成し始める温度

4 鋼の焼入性を向上させる元素として、誤っているものはどれか。

イ V

ロ Cr

ハ Mo

ニ Mn

5 炭素工具鋼の球状化焼なましに関する記述として、誤っているものはどれか。

イ 一般に、焼入れの前処理として行われる。

ロ 炭化物を球状化して、フェライト地に分散するために行う。

ハ 加熱温度は、790～810℃である。

ニ じん性を改善する。

6 マルテンパ(マルクエンチ)に関する記述として、誤っているものはどれか。

イ Ms点直上の温度の熱浴で保持した後、冷却する。

ロ 焼戻しを必要としない。

ハ ひずみの発生や焼割れを防止できる。

ニ 形状が複雑で肉厚不同の小形部品に適した処理である。

［B群（多肢択一法）］

7 加熱装置の熱源に関する記述として、誤っているものはどれか。

イ 熱処理炉の熱源には、液体燃料、気体燃料、電気等がある。
ロ 誘導加熱は、急速加熱ができない。
ハ 電気加熱の発熱体には、非金属発熱体がある。
ニ 気体燃料のプロパンガスは、同容量のブタンガスより発熱量が小さい。

8 日本産業規格(JIS)の「ばねのショットピーニング」によれば、ショットの概略形状が、球ではなく円柱であるものはどれか。

イ 鋳鋼ショット
ロ ガラスビーズ
ハ セラミックビーズ
ニ カットワイヤショット

9 防錆《せい》処理の方法として、適切でないものはどれか。

イ 化成処理
ロ 油塗布
ハ めっき
ニ サンドブラスト

10 電気炉の温度自動制御方式に関する記述として、誤っているものはどれか。

イ 動作には、比例動作、微分動作、積分動作がある。
ロ 比例動作は、設定値と測定値の差(偏差)に対し、出力が比例する。
ハ 比例動作は、オフセット(定常的に残る偏差)を防ぐことができない。
ニ 微分動作単独での制御も可能である。

11 合金工具鋼鋼材に関する記述として、誤っているものはどれか。

イ 日本産業規格(JIS)によれば、鋼材の種類は、その用途に応じ、主として切削工具鋼用、耐衝撃工具鋼用、冷間金型用、熱間金型用に分類されている。
ロ 鋼材の種類に応じて、W、Cr、Mo、V等を添加した鋼である。
ハ 鋼材は、リムド鋼から製造する。
ニ 焼入焼戻しをして使用される。

12 日本産業規格(JIS)の「金属材料引張試験方法」によれば、引張試験で求めることができない特性はどれか。

イ 引張強さ
ロ 絞り
ハ 遷移温度
ニ 伸び

［B群（多肢択一法）］

13　硬さ試験のうち、反発硬さを測定するものはどれか。

イ　ロックウェル硬さ試験

ロ　ブリネル硬さ試験

ハ　ショア硬さ試験

ニ　ビッカース硬さ試験

14　光学顕微鏡による組織試験に関する記述として、誤っているものはどれか。

イ　鋼中の非金属介在物を測定できない。

ロ　完全焼なましした機械構造用炭素鋼の炭素含有率を判定することができる。

ハ　鋼表面の脱炭の有無を調べることができる。

ニ　ステンレス鋼の固溶化熱処理が適切に行われたかどうかを判断することができる。

15　硬さ測定による冷却剤の冷却能試験に関する記述として、誤っているものはどれか。

イ　試験片の形状は、四角柱状である。

ロ　焼入後、長さ方向の中央部を切断し、断面の硬さ分布試験を行う。

ハ　焼入硬さ及び焼入深さから冷却剤の冷却能評価を行う。

ニ　得られる曲線は、Uカーブと呼ばれている。

16　品質管理において、特定の結果と原因系の関係を系統的に表した図はどれか。

イ　管理図

ロ　正規分布図

ハ　特性要因図

ニ　パレート図

17　品質管理に関する記述として、誤っているものはどれか。

イ　ロットとは、管理対象となる製品等における一つの集団をいう。

ロ　規格限界とは、製品、材料、検査等の特性について許容できる限界値をいう。

ハ　正規分布とは、平均を中心に左右対称の曲線分布をいう。

ニ　ヒストグラムとは、測定値のばらつきを折れ線グラフで表したものである。

18　文中の(　　)内に当てはまる語句として、正しいものはどれか。

労働安全衛生法関係法令では、研削といしの覆いについて、「事業者は、回転中の研削といしが労働者に危険を及ぼすおそれのあるときは、覆いを設けなければならない。ただし、直径が(　　)未満の研削といしについては、この限りではない。」と規定している。

イ　50 mm

ロ　60 mm

ハ　70 mm

ニ　80 mm

［B群（多肢択一法）］

19 雰囲気ガスに関する記述として、誤っているものはどれか。
- イ 吸熱型変成ガスの原料ガス中に硫黄を含むと、Ni触媒が腐食される。
- ロ メタノールの分解ガスの主成分は、COとH_2である。
- ハ 吸熱型変成ガスは、発熱型変成ガスよりもCO濃度が高い。
- ニ 発熱型変成ガスの主成分は、N_2とH_2である。

20 アルゴン、ヘリウム、ネオンのガスの分類として、次のうち適切なものはどれか。
- イ 不活性ガス
- ロ 還元性ガス
- ハ 脱炭性ガス
- ニ 中性ガス

21 雰囲気ガスのカーボンポテンシャル(CP)の測定機器として、適切でないものはどれか。
- イ 鉄線電気抵抗
- ロ マノメータ
- ハ 露点カップ
- ニ 赤外線式CO_2ガス分析計

22 ジルコニア式O_2センサを用いた炉内雰囲気制御に関する記述として、誤っているものはどれか。
- イ 起電力を測定する。
- ロ 自動制御に向かない。
- ハ 比較用ガスとして、空気を用いる。
- ニ エンリッチガスがプロパン、ブタン、メタンのいずれであっても使用することができる。

23 バッチ型ガス浸炭焼入炉における加熱室の攪拌《かくはん》ファンの役割として、誤っているものはどれか。
- イ 炉内雰囲気の均一化
- ロ 炉内温度分布の均一化
- ハ 処理品の心部硬さの向上
- ニ 処理品の浸炭深さむらの改善

24 過剰浸炭で、結晶粒界に生成する金属組織はどれか。
- イ 網状セメンタイト
- ロ フェライト
- ハ マルテンサイト
- ニ 残留オーステナイト

［B群（多肢択一法）］

25　全脱炭層深さの測定方法として、適切でないものはどれか。

イ　顕微鏡による測定方法

ロ　硬さ試験による測定方法

ハ　炭素含有率による測定方法

ニ　磁粉探傷試験による測定方法

令和３年度 技能検定

２級 金属熱処理 学科試験問題

(浸炭・浸炭窒化・窒化処理作業)

1. 試験時間　1時間40分
2. 問題数　50題(A群25題、B群25題)
3. 注意事項

(1)　係員の指示があるまで、この表紙はあけないでください。

(2)　答案用紙(真偽法と多肢択一法の併用)に検定職種名、作業名、級別、受検番号、氏名を必ず記入してください。

(3)　係員の指示に従って、問題数を確かめてください。それらに異常がある場合は、黙って手を挙げてください。問題はA群(真偽法)とB群(多肢択一法)とに分かれています。

(4)　試験開始の合図で始めてください。

(5)　解答の方法(真偽法と多肢択一法の併用)は次のとおりです。

イ.　A群の問題(真偽法)は、一つ一つの問題の内容が正しいか、誤っているかを判断して解答してください。

ロ.　B群の問題(多肢択一法)は、正解と思うものを一つだけ選んで、解答してください。二つ以上に解答した場合は誤答となります。

ハ.　答案用紙(マークシート用紙)へ解答する際は、答案用紙に記載されている注意事項に従ってください。

ニ.　答案用紙の解答欄は、A群の問題とB群の問題とでは異なります。所定の解答欄に、試験問題の題数に応じて解答してください。解答欄はA群は50題まで、B群は25題まで解答できるようになっています。

(6)　電子式卓上計算機その他これと同等の機能を有するものは、使用してはいけません。

(7)　携帯電話、スマートフォン、ウェアラブル端末等は、使用してはいけません。

(8)　試験中、質問があるときは、黙って手を挙げてください。ただし、試験問題の内容、漢字の読み方等に関する質問にはお答えできません。

(9)　試験終了時刻前に解答ができあがった場合は、黙って手を挙げて、係員の指示に従ってください。

(10)　試験中に手洗いに立ちたいときは、黙って手を挙げて、係員の指示に従ってください。

(11)　試験終了の合図があったら、筆記用具を置き、係員の指示に従ってください。

［A群（真偽法）］

1 Fe－C系平衡状態図において、共析反応は、次式で表すことができる。

オーステナイト ⇄ フェライト+セメンタイト

2 日本産業規格(JIS)の「鋼－結晶粒度の顕微鏡試験方法」では、粒度番号5以上の鋼を細粒鋼と規定している。

3 Ms点とは、オーステナイトからマルテンサイトへの変態が終了する温度である。

4 同一鋼種においては、オーステナイト結晶粒の大きさは、焼入性には影響を与えない。

5 合金工具鋼の球状化焼なまし温度における保持時間は、一般に、炭素工具鋼における保持時間よりも短めにする。

6 焼戻しの際、部分的な残留応力の解放によるひずみ発生の危険が大きい場合は、金型で押さえ込んだり、プレスしたままで加熱冷却することがある。

7 鋼にショットブラストを行うと、表面近傍に引張残留応力が発生する。

8 放射温度計で表面温度を測定する場合、窓ガラスを通して測定してもよい。

9 日本産業規格(JIS)によれば、K熱電対は、素線径に応じて常用限度と過熱使用限度が規定されている。

10 日本産業規格(JIS)の「鋼のサルファプリント試験方法」によれば、サルファプリントによるマクロ試験では、検出される硫化物のサイズ及び分布から材料の均質性を評価することができる。

11 磁粉探傷試験は、表面直下より深い内部の欠陥の検出に有効である。

12 アーク溶接とは、電源から供給する電力によってアークを発生させ、この熱エネルギーを利用して行う溶接である。

13 フライス盤は、平面削り、溝削り等の加工を行う工作機械である。

14 日本産業規格(JIS)の「機械製図」によれば、中心線には破線を用いる。

15 日本産業規格(JIS)によれば、合金工具鋼鋼材SKTのTは鍛造を意味する。

16 三相誘導電動機は、動力線3本中、2本を入れ替えると回転方向を逆にできる。

［A群（真偽法）］

17 一般に、電源のスイッチを切る場合は、主スイッチを切った後、末端のスイッチを切るようにする。

18 大気汚染防止法関係法令によれば、ばい煙には、燃料その他の物の燃焼に伴って発生するいおう酸化物は含まれていない。

19 ブタン(C_4H_{10})を原料ガスとして吸熱型ガスに変成する場合、原料ガスと空気の混合比は、約1：7.5である。

20 プラズマ窒化装置では、窒化しようとする鋼を陰極に、炉壁を陽極にセットする。

21 日本産業規格(JIS)の「鉄鋼の浸炭及び浸炭窒化焼入焼戻し加工」によれば、焼入れで使用する油槽において、冷却剤の使用温度は目的温度±10℃に調整できなければならない。

22 日本産業規格(JIS)によれば、金属熱処理設備の有効加熱帯の試験方法には、無負荷試験と負荷試験とがある。

23 高温浸炭処理では、二次焼入れを行うことによって、成長した鋼の結晶粒を微細化できる。

24 850℃でガス浸炭窒化を行う場合、雰囲気ガス中のNH_3量を多くすると、表面硬さを硬くすることができる。

25 日本産業規格(JIS)の「鋼の浸炭硬化層深さ測定方法」によれば、ビッカース硬さ試験による測定方法で、試験力2.9Nで測定し、有効硬化層深さ1.5mmの場合、CHD=1.5mmと表す。

［B群（多肢択一法）］

1 鋼を加熱する場合、オーステナイトが生成し始める温度を示す記号として、正しいものはどれか。

イ Ar_1

ロ Ar_3

ハ Ac_1

ニ Ac_3

2 炭素含有量が0.4%の炭素鋼をオーステナイト状態に加熱した後、徐冷したときの常温における金属組織はどれか。

イ 初析フェライト＋パーライト

ロ 初析フェライト＋マルテンサイト

ハ 初析セメンタイト＋レデブライト

ニ 初析セメンタイト＋パーライト

3 連続冷却変態曲線の別の呼び方として、適切なものはどれか。

イ CCT曲線

ロ I曲線

ハ TTT曲線

ニ S曲線

4 臨界冷却速度に関する記述として、誤っているものはどれか。

イ マルテンサイト変態を生じるために必要な最小の冷却速度のことである。

ロ 上部臨界冷却速度と下部臨界冷却速度がある。

ハ 上部臨界冷却速度とは、マルテンサイト組織だけとなる最小の冷却速度である。

ニ 添加元素の種類による影響はない。

5 オーステナイト系ステンレス鋼の固溶化熱処理に関する記述として、誤っているものはどれか。

イ 均一なオーステナイト組織にするために行う。

ロ 日本産業規格(JIS)では、固溶化熱処理後の機械的性質が規定されている。

ハ SUS304の固溶化熱処理温度は、1010～1150℃である。

ニ 加熱後の冷却により、硬くなる。

6 応力除去焼なましの目的として、誤っているものはどれか。

イ 鋳造で発生した残留応力の緩和

ロ ショットピーニングで生成された表面近傍の圧縮残留応力の緩和

ハ 溶接で発生した残留応力の緩和

ニ 機械加工で発生した残留応力の緩和

［B群（多肢択一法）］

7　加熱炉の炉材に関する記述として、適切でないものはどれか。

イ　加熱炉の内壁の炉材には、耐火材と断熱材が用いられる。

ロ　中性耐火材は、マグネシアを主成分としている。

ハ　耐火材には、中性の他に、酸性や塩基性のものもある。

ニ　断熱材として、セラミックファイバも使われる。

8　脱脂に関する記述として、誤っているものはどれか。

イ　脱脂方法の一つとして、乳化剤脱脂法がある。

ロ　脱脂剤の一つとして、塩素系有機溶剤がある。

ハ　炭化水素系脱脂剤を使った脱脂方法には、蒸気法がある。

ニ　アルカリ脱脂剤には、苛性《かせい》ソーダを使用しない。

9　鉄鋼部品のショットピーニングに使われるショットの種類として、最も適切でないものはどれか。

イ　鋳鋼ショット

ロ　ガラスビーズ

ハ　樹脂球

ニ　カットワイヤショット

10　次のうち、最も精度の高い温度制御方式はどれか。

イ　ON－OFF式

ロ　比例－積分－微分式

ハ　比例式

ニ　比例－積分式

11　炭素工具鋼の記述として、誤っているものはどれか。

イ　炭素量は、SK60よりもSK95の方が少ない。

ロ　合金工具鋼に比べて、焼入性が悪い。

ハ　キルド鋼から製造する。

ニ　合金工具鋼に比べて、焼戻軟化抵抗が小さい。

12　日本産業規格(JIS)によれば、ロックウェル硬さ試験において、円すい形ダイヤモンド以外の圧子を使用するスケールはどれか。

イ　Aスケール

ロ　Bスケール

ハ　Cスケール

ニ　Dスケール

［B群（多肢択一法）］

13　硬さ試験のうち、一定の高さから落下させたダイヤモンドハンマの跳ね上がり高さから硬さの値を求めるものはどれか。

イ　ヌープ硬さ試験

ロ　ブリネル硬さ試験

ハ　ショア硬さ試験

ニ　ビッカース硬さ試験

14　日本産業規格(JIS)における「鋼－結晶粒度の顕微鏡試験方法」の適用に関する記述として、誤っているものはどれか。

イ　オーステナイト結晶粒度測定試験方法とフェライト結晶粒度測定試験方法が規定されている。

ロ　結晶粒度を測定する場合、顕微鏡の倍率は、通常は100倍である。

ハ　粒度番号が、＋1～＋10まで規定されている。

ニ　粒度番号の大きいものほど、単位面積に占める平均結晶粒数が多い。

15　文中の(　　)内に当てはまる語句として、正しいものはどれか。

日本産業規格(JIS)の「鋼の焼入性試験方法(一端焼入方法)」では、焼入作業について、「試験片を加熱炉から取り出してから焼入れ開始までの時間はできるだけ短くし、(　　)以内にしなければならない。」と規定している。

イ　5 秒

ロ　10 秒

ハ　15 秒

ニ　20 秒

16　日本産業規格(JIS)によれば、QC七つ道具に含まれないものはどれか。

イ　PDCA

ロ　チェックシート

ハ　グラフ

ニ　特性要因図

［B群（多肢択一法)］

17　下図のうち、パレート図はどれか。

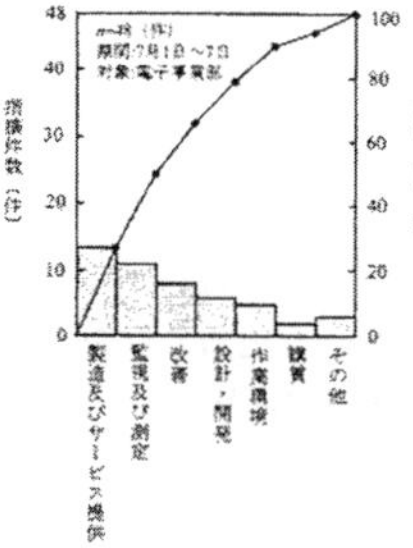

イ

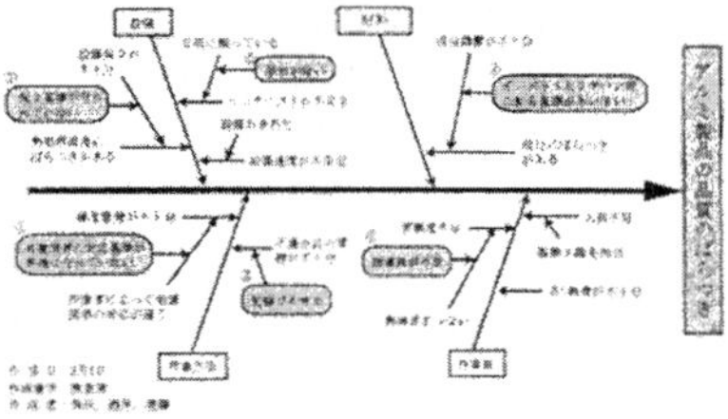

ロ

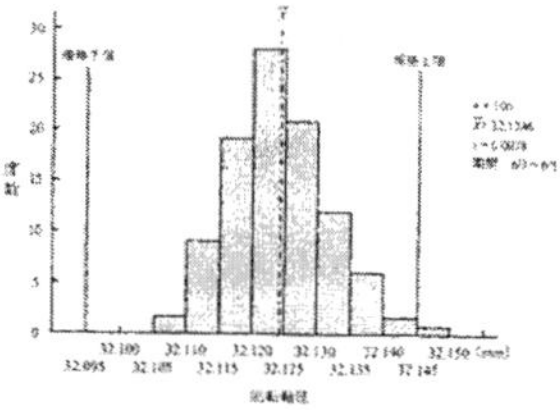

ハ

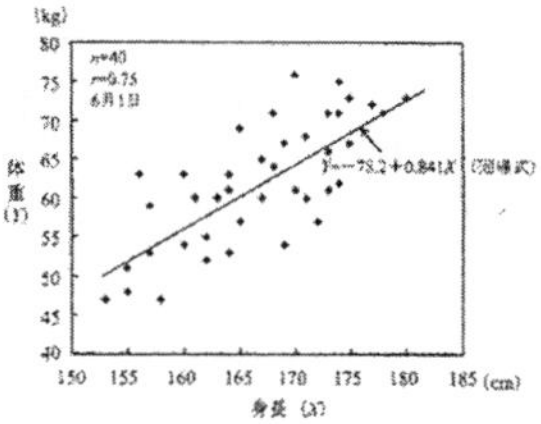

ニ

18　文中の(　　)内に当てはまる語句の組合せとして、正しいものはどれか。

労働安全衛生法関係法令によれば、事業者は、研削といしについては、その日の作業を開始する前には(　A　)、研削といしを取り替えたときには(　B　)試運転をしなければならない。

	A	B
イ	1分間以上	3分間以上
ロ	1分間以上	5分間以上
ハ	3分間以上	5分間以上
ニ	適宜に	充分に

19　ガス浸炭反応のブードア反応の式として、正しいものはどれか。

イ　$CO + H_2 = C + H_2O$

ロ　$2CO = C + CO_2$

ハ　$CO + H_2O = CO_2 + H_2$

ニ　$CH_4 + CO_2 = 2CO + 2H_2$

［Ｂ群（多肢択一法）］

20　浸炭焼入れにおける残留オーステナイト量に関する記述として、誤っているものはどれか。

イ　多いほど、硬さが低下する。

ロ　浸炭層よりも内部の方が発生しやすい。

ハ　焼入温度の影響を受ける。

ニ　表面の炭素濃度の影響を受ける。

21　一般的なガス浸炭処理において、浸炭処理を効率よく行うための拡散前の浸炭期のカーボンポテンシャル(CP)として、次のうち、最も適切なものはどれか。

イ　0.5 %

ロ　0.8 %

ハ　1.1 %

ニ　1.5 %

22　ガス浸炭処理における、カーボンポテンシャル(CP)の調整法と機器名称(分析材料)の組合せとして、誤っているものはどれか。

	調整法	機器名称(分析材料)
イ	直接計測法	鋼箔
ロ	露点法	デューカップ
ハ	O_2分圧測定法	ジルコニアセル
ニ	CO_2分析法	紫外線ガス分析計

23　焼入れに用いる冷却装置でないものはどれか。

イ　水冷装置

ロ　油冷装置

ハ　熱浴冷却装置

ニ　サブゼロ冷却装置

24　ガス浸炭焼入焼戻し処理において、処理後の硬化層深さが規格に対して浅くなった原因として、誤っているものはどれか。

イ　冷却速度が遅かった。

ロ　処理時間が短かった。

ハ　浸炭雰囲気でカーボンポテンシャル(CP)が低かった。

ニ　浸炭設定温度に対して実処理温度が高かった。

25　有効硬化層深さが0.25mm程度の浸炭焼入部品の表面硬さを測定する場合の硬さ試験方法として、適切なものはどれか。

イ　ショア硬さ試験

ロ　ロックウェル硬さ試験(Cスケール)

ハ　ブリネル硬さ試験

ニ　ビッカース硬さ試験

令和5年度 技能検定
1級 金属熱処理 学科試験問題
(浸炭・浸炭窒化・窒化処理作業)

1. 試験時間　1時間40分
2. 問題数　50題(A群25題、B群25題)
3. 注意事項

(1) 係員の指示があるまで、この表紙はあけないでください。

(2) 答案用紙(真偽法と多肢択一法の併用)に検定職種名、作業名、級別、受検番号、氏名を必ず記入してください。

(3) 係員の指示に従って、問題数を確かめてください。それらに異常がある場合は、黙って手を挙げてください。問題はA群(真偽法)とB群(多肢択一法)とに分かれています。

(4) 試験開始の合図で始めてください。

(5) 解答の方法(真偽法と多肢択一法の併用)は次のとおりです。

イ. A群の問題(真偽法)は、一つ一つの問題の内容が正しいか、誤っているかを判断して解答してください。

ロ. B群の問題(多肢択一法)は、正解と思うものを一つだけ選んで、解答してください。二つ以上に解答した場合は誤答となります。

ハ. 答案用紙(マークシート用紙)へ解答する際は、答案用紙に記載されている注意事項に従ってください。

ニ. 答案用紙の解答欄は、A群の問題とB群の問題とでは異なります。所定の解答欄に、試験問題の題数に応じて解答してください。解答欄はA群は50題まで、B群は25題まで解答できるようになっています。

(6) 電子式卓上計算機その他これと同等の機能を有するものは、使用してはいけません。

(7) 携帯電話、スマートフォン、ウェアラブル端末等は、使用してはいけません。

(8) 試験中、質問があるときは、黙って手を挙げてください。ただし、試験問題の内容、漢字の読み方等に関する質問にはお答えできません。

(9) 試験終了時刻前に解答ができあがった場合は、黙って手を挙げて、係員の指示に従ってください。

(10) 試験中に手洗いに立ちたいときは、黙って手を挙げて、係員の指示に従ってください。

(11) 試験終了の合図があったら、筆記用具を置き、係員の指示に従ってください。

［A群（真偽法）］

1 鉄－炭素系平衡状態図において、オーステナイトの炭素固溶限は4.32%である。

2 マルテンサイトを600～650℃で焼戻しして得られるソルバイトは、粒状に析出成長したセメンタイトとフェライトの混合組織である。

3 純鉄には融点以下の1392℃と911℃に固相の結晶構造が変化する変態点があり、911℃以下は面心立方晶、それ以上1392℃までは体心立方晶となる。

4 日本産業規格(JIS)の「鉄鋼用語(熱処理)」によれば、臨界直径について、「与えられた条件下での焼入れによって、その中心部において50%マルテンサイト組織をもつ長さ3d(d は直径)以上の丸棒の直径。」と規定している。

5 工具鋼では、焼入前のミクロ組織に層状や網目状炭化物が残留すると、焼入時の変形や割れの原因になることがある。

6 鋼においては、焼ならしよりも、焼なましの方がパーライトの層間隔が狭い。

7 熱処理品の防錆《せい》処理の一つとして、マンガンや亜鉛などを含むりん酸塩浴中に浸漬する化成処理がある。

8 炉温の比例制御において、比例帯を0%にすると、オンオフ制御となる。

9 ロックウェル硬さ試験では、球面や曲面の硬さを測定する場合、曲率ごとに測定値を補正する必要はない。

10 鋼表面の焼割れは、磁粉探傷試験で検出することができる。

11 日本産業規格(JIS)の「鋼の非金属介在物の顕微鏡試験方法」では、鋼の非金属介在物について、グループA系とグループB系の2種類に大別している。

12 砂型鋳造部品は、ダイカスト鋳造部品よりも鋳肌が優れている。

13 普通鋼に比べてステンレス鋼は、熱伝導率が高く、切削加工性に優れた被削材である。

14 ボール盤は、座ぐり、中ぐり及びリーマ通しの加工には利用できない。

15 日本産業規格(JIS)の「機械製図」によれば、基準線には細い一点鎖線を用いる。

16 電源トランスの出力電圧は、1次コイルと2次コイルの巻数比に無関係である。

［A群（真偽法）］

17 最大加熱能力が90kWの電気抵抗炉を用いて、昇温に1時間、指定温度に3時間保持した場合、消費電力量は360kWhである。

18 大気汚染防止法関係法令によれば、ばい煙が発生する熱処理用加熱炉では、硫黄酸化物、ばいじん等の排出基準が規定されている。

19 H_2雰囲気中で鋼を高温に加熱すると、酸化も脱炭も起こらない。

20 浸炭窒化した鋼は、浸炭した鋼よりも焼戻軟化抵抗が大きい。

21 吸熱型変成ガスやCH_3OH分解ガス等の雰囲気中で浸炭を行う場合、カーボンポテンシャル(Cp)は、「炉内CO分圧(P_{CO})」と「炉内O_2分圧(P_{O_2})の平方根」の比に比例する。

22 焼入油の熱交換器は、通常、冷却水の圧力よりも焼入油の圧力を高くして使用される。

23 ガス軟窒化処理で、雰囲気中に残留アンモニアが多いと、化合物層が深くなる。

24 ガス浸炭処理で発生する粒界酸化層が深いほど、疲労強度は低下する。

25 X線回折法では、残留オーステナイト量を測定できない。

［B群（多肢択一法）］

1　鉄－炭素系平衡状態図における共晶反応として、正しいものはどれか。

イ　融液＋δフェライト　→　オーステナイト

ロ　融液　→　オーステナイト＋セメンタイト

ハ　オーステナイト　→　αフェライト＋セメンタイト

ニ　オーステナイト　→　セメンタイト＋パーライト

2　マルテンサイトに関する記述として、誤っているものはどれか。

イ　拡散変態によって生じる組織である。

ロ　結晶構造は、体心正方晶である。

ハ　レンズ状などの種類がある。

ニ　低炭素鋼では、ラスマルテンサイトが生成する。

3　焼入れ後の残留オーステナイトに関する記述として、正しいものはどれか。

イ　結晶構造は、体心立方晶である。

ロ　油焼入れの方が、水焼入れよりも、残留オーステナイト量が多くなる。

ハ　強磁性を有している。

ニ　時間が経過しても、マルテンサイトには変態しない。

4　熱処理における質量効果の程度を知る方法として、誤っているものはどれか。

イ　焼入性曲線による方法

ロ　理想臨界直径による方法

ハ　等温変態曲線による方法

ニ　連続冷却変態曲線による方法

5　機械構造用合金鋼に関する記述として、正しいものはどれか。

イ　一般的に焼なまし硬さは、機械構造用炭素鋼よりも低い。

ロ　機械構造用炭素鋼よりも、焼戻軟化抵抗が大きい。

ハ　機械構造用炭素鋼と比較して、等温変態曲線のノーズが短時間側に移行する。

ニ　D_I値(理想臨界直径)は、機械構造用炭素鋼よりも小さい。

6　焼入作業に関する一般的な記述として、誤っているものはどれか。

イ　焼入れ後の硬さは、炭素含有率によって変化する。

ロ　焼入れにおいて発生する熱応力と変態応力は、焼割れの原因になる。

ハ　マルテンサイト変態開始温度は、炭素含有率に影響されない。

ニ　焼入焼戻鋼とオーステンパした鋼では、硬さが同じであれば、オーステンパした鋼の方が、より強じん性である。

［B群（多肢択一法）］

7 鋼を油焼入れした場合の冷却過程に関する記述として、誤っているものはどれか。

イ 蒸気膜段階とは、鋼が冷却剤の蒸気に包まれて冷却が遅い段階である。

ロ 沸騰段階とは、鋼表面で激しく気泡が発生し、冷却速度が大きい段階である。

ハ 対流段階とは、鋼の温度が冷却剤の沸騰点に近づき、対流によるゆっくりした冷却の段階である。

ニ 特性温度とは、沸騰段階から対流段階に移るときの温度である。

8 ショットピーニングに関する一般的な記述として、誤っているものはどれか。

イ やわらかい表面部の微細なキズを潰す。

ロ 表面近傍を加工硬化させる。

ハ 表面近傍の残留オーステナイトの一部をマルテンサイトに変態させる。

ニ 表面近傍に引張残留応力を与える。

9 温度計に関する記述として、誤っているものはどれか。

イ 抵抗温度計 → 測温抵抗体の抵抗値の変化から温度を測定する。

ロ 放射温度計 → 示温塗料を用い、色の変化から処理物の表面温度を測定する。

ハ 光高温計 → 測定対象物の輝度とフィラメントの輝度を合わせて測定する。

ニ 熱電温度計 → ゼーベック効果により発生する熱起電力を利用して測定する。

10 日本産業規格(JIS)の「熱電対」によれば、マイナス側導体が白金で構成されている熱電対はどれか。

イ J熱電対

ロ K熱電対

ハ R熱電対

ニ T熱電対

11 ステンレス鋼に関する記述として、正しいものはどれか。

イ フェライト系は、マルテンサイト系よりも耐食性が悪い。

ロ オーステナイト・フェライト系の二相ステンレス鋼は、オーステナイト系よりも応力腐食割れや粒界割れを起こしやすい。

ハ 析出硬化系にはCr－Ni系にAlを添加したものがあり、耐食性、成形性、溶接性等が改善される。

ニ 高炭素のマルテンサイト系は、機械構造用炭素鋼鋼材よりも焼入性が悪い。

12 金属材料の衝撃試験の目的として、誤っているものはどれか。

イ 吸収エネルギーを調べる。

ロ 遷移温度を調べる。

ハ ぜい性破面率を調べる。

ニ 降伏点を調べる。

［Ｂ群（多肢択一法）］

13　金属組織現出用腐食液に関する記述として、正しいものはどれか。

イ　3%ピクリン酸アルコール溶液(ピクラル)は、一般に、3%硝酸アルコール溶液(ナイタル)に比べて、粒界の現れ方が弱い。

ロ　ピクリン酸ソーダ溶液は、樹枝状晶、インゴットパターン等の組織現出に適している。

ハ　塩化第二鉄アルコール塩酸溶液は、機械構造用炭素鋼の組織現出に適している。

ニ　赤血塩アルカリ溶液(村上試薬)では、複炭化物は着色されない。

14　文中の(　　)内に当てはまる語句の組合せとして、正しいものはどれか。

日本産業規格(JIS)の「鋼－結晶粒度の顕微鏡試験方法」では、混粒について、「1視野内において、最大頻度をもつ粒度番号の粒からおおむね(　①　)異なった粒度番号の粒が偏在し、これらの粒が約(　②　)の面積を占める状態にあるもの、又は視野間において(　①　)異なった粒度番号の視野が存在するもの。」と規定している。

	①	②
イ	1以上	5 %以上
ロ	1以上	10 %以上
ハ	3以上	20 %以上
ニ	3以上	40 %以上

15　日本産業規格(JIS)の「鋼の焼入性試験方法(一端焼入方法)」によれば、鋼の焼入性試験方法に関する記述として、誤っているものはどれか。

イ　焼入れは、試験片の下端面を噴水冷却して行う。

ロ　試験片の寸法は、規定されている。

ハ　焼入剤には、温度5～30℃の水を用いる。

ニ　硬さの測定位置は、通常、試験片の軸方向に焼入端から10mmを起点とする。

16　品質管理用語の説明として、誤っているものはどれか。

イ　抜取検査は、一般に、サンプルを抜き取って検査し、対象ロットの合否判定に用いる。

ロ　特性要因図とは、バラツキを判定する図である。

ハ　正規分布とは、一番多い数を中心に、中心から離れるほど数が少なくなる左右対称の確率分布をいう。

ニ　p 管理図とは、比率又はパーセントで表される計数値管理図である。

［B群（多肢択一法）］

17 文中の(　　)内に当てはまる語句として、正しいものはどれか。
品質管理の手法において、下図は(　　)と呼ばれている。

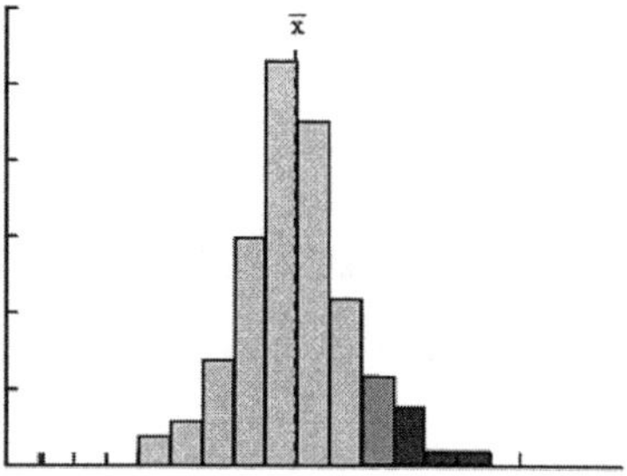

イ　パレート図
ロ　アローダイアグラム
ハ　マトリックス図
ニ　ヒストグラム

18 文中の(　　)内に当てはまる語句として、正しいものはどれか。
クレーン等安全規則では、リンクの断面の直径の減少が、当該つりチェーンが製造されたときの当該リンクの断面の直径の(　　)をこえるものについて、不適格なつりチェーンとして、その使用を禁止している。

イ　3％
ロ　5％
ハ　7％
ニ　10％

19 CH_3OH分解ガスの特徴として、誤っているものはどれか。

イ　還元性のガスである。
ロ　ガスの主成分は、CO、H_2、N_2である。
ハ　LPG吸熱型変成ガスよりもCO濃度が高い。
ニ　広い温度域で成分が安定している。

20 ガス窒化に関する記述として、正しいものはどれか。

イ　Fe－N系平衡状態図における共析変態温度は、500℃である。
ロ　安定した窒化物を形成する合金元素を多く含有する鋼種ほど、高い表面硬さが得られる。
ハ　NH_3の解離度が高いほど、炉内の未分解NH_3濃度は高くなる。
ニ　処理時間が長いほど、窒化層の最高硬さは高くなる。

［B群（多肢択一法）］

21 文中の(　　)内に当てはまるものとして、正しいものはどれか。
炉内温度が同一の場合、全硬化層深さは、浸炭時間をt とすると(　　)に比例する。

イ　$\sqrt{t}$
ロ　t
ハ　t^2
ニ　t^3

22 日本産業規格(JIS)の「鉄鋼の浸炭及び浸炭窒化焼入焼戻し加工」によれば、焼入冷却設備と冷却剤の使用温度許容差の組合せとして、適切でないものはどれか。

	焼入冷却設備	冷却剤の使用温度許容差
イ	水又は水溶液槽	目的温度の±10℃
ロ	油槽	目的温度の±15℃
ハ	熱浴槽	目的温度の±10℃
ニ	空気又はガス流域	特に指定がない限り室温とする。

23 浸炭焼入品の残留オーステナイト量が多くなる原因として、誤っているものはどれか。

イ　鋼中のNi量が多い。
ロ　冷却速度が速い。
ハ　表面C量が高い。
ニ　焼入加熱温度が高い。

24 ガス浸炭焼入れにおける結晶粒の粗大化防止又は微細化方法として、適切でないものはどれか。

イ　浸炭温度を低くする。
ロ　二次焼入れを行う。
ハ　冷却速度を速くする。
ニ　材料にNb等を添加する。

25 日本産業規格(JIS)の「鋼の浸炭硬化層深さ測定方法」によれば、ビッカース硬さ試験機を用いて2.9Nの試験力で鋼の有効硬化層深さを測定する場合、表示記号として、正しいものはどれか。

イ　CHD
ロ　DM−T
ハ　DC−H−T
ニ　DC−M−T

令和4年度 技能検定
1級 金属熱処理 学科試験問題
(浸炭・浸炭窒化・窒化処理作業)

1. 試験時間　1時間40分
2. 問題数　50題(A群25題、B群25題)
3. 注意事項
   (1) 係員の指示があるまで、この表紙はあけないでください。
   (2) 答案用紙(真偽法と多肢択一法の併用)に検定職種名、作業名、級別、受検番号、氏名を必ず記入してください。
   (3) 係員の指示に従って、問題数を確かめてください。それらに異常がある場合は、黙って手を挙げてください。問題はA群(真偽法)とB群(多肢択一法)とに分かれています。
   (4) 試験開始の合図で始めてください。
   (5) 解答の方法(真偽法と多肢択一法の併用)は次のとおりです。
      イ. A群の問題(真偽法)は、一つ一つの問題の内容が正しいか、誤っているかを判断して解答してください。
      ロ. B群の問題(多肢択一法)は、正解と思うものを一つだけ選んで、解答してください。二つ以上に解答した場合は誤答となります。
      ハ. 答案用紙(マークシート用紙)へ解答する際は、答案用紙に記載されている注意事項に従ってください。
      ニ. 答案用紙の解答欄は、A群の問題とB群の問題とでは異なります。所定の解答欄に、試験問題の題数に応じて解答してください。解答欄はA群は50題まで、B群は25題まで解答できるようになっています。
   (6) 電子式卓上計算機その他これと同等の機能を有するものは、使用してはいけません。
   (7) 携帯電話、スマートフォン、ウェアラブル端末等は、使用してはいけません。
   (8) 試験中、質問があるときは、黙って手を挙げてください。ただし、試験問題の内容、漢字の読み方等に関する質問にはお答えできません。
   (9) 試験終了時刻前に解答ができあがった場合は、黙って手を挙げて、係員の指示に従ってください。
   (10) 試験中に手洗いに立ちたいときは、黙って手を挙げて、係員の指示に従ってください。
   (11) 試験終了の合図があったら、筆記用具を置き、係員の指示に従ってください。

［A群（真偽法）］

1 Fe−C系平衡状態図において、フェライトの炭素固溶量は最大で0.21%である。

2 ベイナイト組織において、上部ベイナイトでは、フェライト晶の境界にFe_3Cが析出する。

3 等温変態曲線のノーズ温度における変態開始線までの時間は、過冷オーステナイトが安定している鋼ほど長い。

4 同一鋼種において、オーステナイト結晶粒が大きいほど焼入性がよい。

5 工具鋼では、焼入前のミクロ組織において炭化物の球状化が不完全であると、焼入時の変形や割れの原因となる場合がある。

6 吸熱型変成ガスの主成分の一つは、CO_2である。

7 ショットピーニングにおけるピーニング強さは、一般に、アルメンアークハイトで表される。

8 R熱電対は、プラス側導体が白金ロジウム合金、マイナス側導体が白金である。

9 ブリネル硬さ試験では、鋼の場合、一般に、10mmの超硬合金球の圧子と試験力29.42kNが用いられる。

10 超音波探傷試験は、主に表面の割れやきずを検出する方法であり、内部欠陥の位置や大きさについては検出することができない。

11 日本産業規格(JIS)では、常温でオーステナイト組織でない鋼の結晶粒度の顕微鏡試験方法として、浸炭粒度試験方法と熱処理粒度試験方法を規定している。

12 ダイカスト鋳造品は、砂型鋳造品に比べ、一般に表面肌がきれいである。

13 オーステナイト系ステンレス鋼は、一般に、被削性が悪い。

14 マシニングセンタは、フライス削りはできるが、穴あけ加工やねじ立て加工はできない。

15 日本産業規格(JIS)の「機械製図」によれば、想像線には細い破線を用いる。

16 鋼の電気抵抗は、一般に、合金元素量の増加とともに小さくなり、さらに昇温に伴って減少する。

［A群（真偽法）］

17 50Hzで使用していた誘導電動機を60Hzで使用すると、単位時間当たりの回転数は多くなる。

18 水質汚濁防止法関係法令では、排水の汚染状態について基準を定める有害物質には、カドミウム及びシアン化合物が含まれる。

19 吸熱型変成ガスのCO濃度は、LPG変成よりもLNG変成の方が高い。

20 液体浸炭の利点の一つとして、一般構造用圧延鋼(SS材)や冷間圧延鋼(SPCC材)をむらが少なく硬化できることが挙げられる。

21 ガス窒化において、窒化層の最高硬さは、処理時間が長くなるほど高くなる。

22 日本産業規格(JIS)によれば、金属熱処理用加熱設備の有効加熱帯試験における有効加熱帯の温度測定は、負荷試験によって行われる。

23 鋼の浸炭硬化層における表面硬さは、オーステナイト中の溶解炭素量が0.8%以上になると、一般に、残留オーステナイトの影響によって低下してくる。

24 浸炭した合金鋼の表面の結晶粒界で、SiやMn等の元素が酸化される現象を粒界酸化という。

25 リムド鋼は、キルド鋼より浸炭層に異常組織が発生しやすい。

［B群（多肢択一法）］

1　γ鉄固溶体の炭素固溶限の最大値として、正しいものはどれか。

イ　0.10%

ロ　0.77%

ハ　2.14%

ニ　4.32%

2　金属組織に関する記述として、正しいものはどれか。

イ　繊維状組織は、冷間加工によって生じやすい。

ロ　パーライト組織は、フェライトと黒鉛の共析晶である。

ハ　ソルバイト組織は、フェライト中に黒鉛が析出したものである。

ニ　マルテンサイト組織は、フェライト中にセメンタイトが析出した組織である。

3　Ar″点に関する記述として、正しいものはどれか。

イ　ベイナイト変態が開始する温度

ロ　パーライト変態が開始する温度

ハ　マルテンサイト変態が開始する温度

ニ　トルースタイトが生成し始める温度

4　次の元素のうち、鋼の焼入性に及ぼす影響が最も大きいものはどれか。

イ　Ni

ロ　Mn

ハ　Mo

ニ　Cr

5　鉄鋼の高温焼戻ぜい性の軽減に有効な元素は、次のうちどれか。

イ　Mo

ロ　Ni

ハ　Cr

ニ　Mn

6　表面硬化法に関する記述として、誤っているものはどれか。

イ　ガス浸炭処理に用いる吸熱型変成ガスの原料は、炭化水素ガスである。

ロ　プラズマ窒化は、グロー放電を利用した方法である。

ハ　ガス軟窒化処理には、吸熱型変成ガス＋NH_3などが用いられる。

ニ　高周波焼入れでは、周波数が高くなるほど硬化層深さは深くなる。

［B群（多肢択一法）］

7 文中の(　　)内に当てはまる語句として、正しいものはどれか。
熱処理炉の炉材として用いられる耐火材のうち、酸性耐火材は、一般に、(　　)を多量に含有している。
イ けい酸
ロ アルミナ
ハ マグネシア
ニ セラミックファイバ

8 脱脂に関する記述として、誤っているものはどれか。
イ 脱脂方法の一つとして、乳化剤脱脂法がある。
ロ 脱脂剤の一つとして、塩素系有機溶剤がある。
ハ 炭化水素系脱脂剤を使った脱脂方法には、蒸気法がある。
ニ アルカリ脱脂剤として、苛性ソーダを用いない。

9 温度測定に関する記述として、正しいものはどれか。
イ 熱電温度計は、測定子の電気抵抗を測定して測温する。
ロ 光高温計は、測定子の熱起電力を測定して測温する。
ハ 放射温度計は、測定対象からの放射エネルギーを測定して測温する。
ニ 示温塗料は、燃焼する温度を設定した塗料の燃焼状態から測温する。

10 日本産業規格(JIS)の「熱電対」によれば、次のうち、種類の記号として規定されていないものはどれか。
イ J熱電対
ロ K熱電対
ハ S熱電対
ニ Z熱電対

11 一般に、青銅は銅と他の元素との合金であるが、その主元素として次のうち最も適切なものはどれか。
イ Sn
ロ Al
ハ Si
ニ Ni

12 引張試験に関する記述として、正しいものはどれか。
イ 耐力は、原断面積を降伏点で除した値
ロ 引張強さは、最大試験力を原断面積で除した値
ハ 絞りは、破断後の最小断面積を原断面積で除した値
ニ 破断伸びは、破断後の最終標点距離を原標点距離で除した値

［B群（多肢択一法）］

13 日本産業規格(JIS)の「鋼－結晶粒度の顕微鏡試験方法」に関する記述として、誤っているものはどれか。

イ フェライト結晶粒は、通常は炭素含有量が0.25%以下の炭素鋼又はフェライト系ステンレス鋼について規定している。

ロ 細粒鋼と粗粒鋼の区分がある。

ハ 視野間において3以上異なった粒度番号の視野が存在するものは混粒に該当する。

ニ 粒度番号の大きいものほど、単位面積当たりの結晶粒の数は少ない。

14 文中の(　　)内に当てはまる語句として、適切なものはどれか。

日本産業規格(JIS)によれば、結晶粒度の顕微鏡試験方法において、結晶粒の観察に用いられる顕微鏡倍率は、通常(　　)である。

イ 50 倍

ロ 100 倍

ハ 150 倍

ニ 200 倍

15 日本産業規格(JIS)における「鋼の焼入性試験方法(一端焼入方法)」に規定されている試験片の全長として、正しいものはどれか。

イ 50±0.5 mm

ロ 75±0.5 mm

ハ 100±0.5 mm

ニ 125±0.5 mm

16 文中の(　　)内に当てはまる語句として、適切なものはどれか。

日本産業規格(JIS)によれば、下図はQC七つ道具における(　　)の一例である。

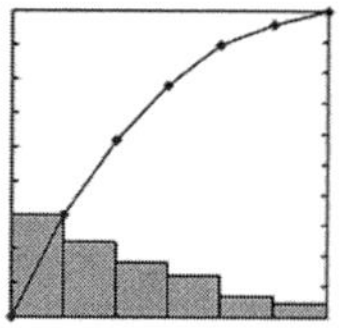

イ パレート図

ロ ヒストグラム

ハ 特性要因図

ニ 連関図

［B群（多肢択一法）］

17 文中の(　　)内に当てはまる語句として、正しいものはどれか。
日本産業規格(JIS)の「統計－用語及び記号」では、(　　)について、「サンプルサイズが変動する場合に、単位当たりの発生数を評価するための計数値管理図。」と規定している。

イ　u管理図
ロ　c管理図
ハ　p管理図
ニ　np管理図

18 労働安全衛生法関係法令による玉掛け作業の安全性に関する記述として、誤っているものはどれか。

イ　ワイヤロープ一(ひと)よりの間において素線の数の10%以上の素線が切断しているものは使用してはならない。
ロ　ワイヤロープの直径の減少が公称径の7%を超えるものは使用してはならない。
ハ　鎖については、その伸びが当該鎖が製造されたときの長さの5%を超えるものは使用してはならない。
ニ　揚貨装置の玉掛けに用いるフック又はシャックルの安全係数については、2以上としなければならない。

19 メタノール分解ガスのCOとH_2の濃度比率として、正しいものはどれか。

	CO	H_2
イ	約20 %	約40 %
ロ	約24 %	約29 %
ハ	約33 %	約67 %
ニ	約50 %	約50 %

20 減圧(真空)浸炭の特徴として、誤っているものはどれか。

イ　カーボンポテンシャル(CP)の制御が容易である。
ロ　ガス浸炭よりも浸炭時間を短くすることができる。
ハ　C_2H_2は、浸炭用ガスとして使用できる。
ニ　粒界酸化は生成されにくい。

21 浸炭温度が同一の場合、雰囲気ガスとカーボンポテンシャル(CP)との関係として、正しいものはどれか。

イ　CO_2濃度が高いほど高い。
ロ　露点が高いほど高い。
ハ　酸素センサの起電力が大きくなるほど高い。
ニ　CO_2濃度が同一の場合、LPG変成吸熱型ガスよりもCH_3OH分解ガスの方が低い。

［B群（多肢択一法）］

22　日本産業規格(JIS)によれば、設定温度570℃、有効加熱帯幅0.6m×高さ0.6m×奥行き1.2mのバッチ式軟窒化設備に関する記述として、誤っているものはどれか。

イ　有効加熱帯の保持温度測定位置は、9ヶ所である。

ロ　K熱電対は、使用できない。

ハ　熱電温度制御設備の温度指示総合誤差は、±5.7℃である。

ニ　有効加熱帯の保持温度許容差は、±10℃である。

23　浸炭焼入れにおいて、シャフトの曲がりが大きくなる直接の原因に該当しないものはどれか。

イ　偏析

ロ　鍛造も含む前加工の残留応力

ハ　焼入荷姿

ニ　均一で深い浸炭硬化層

24　浸炭焼入れを行った鋼を高純度N_2ガス雰囲気中で再加熱する場合、鋼表面の酸化と脱炭について、適切なものはどれか。

イ　酸化も脱炭もしない。

ロ　酸化しないが、脱炭する。

ハ　酸化するが、脱炭しない。

ニ　酸化も脱炭もする。

25　日本産業規格(JIS)によれば、ビッカース硬さ試験方法によって、試験力2.942Nで測定し、窒化層深さが0.30mmの場合の表示記号として、正しいものはどれか。

イ　ND-HV0.3-T0.30

ロ　ND-HK0.3-T0.30

ハ　ND-HV0.3-P0.30

ニ　ND-HK0.3-P0.30

令和３年度 技能検定

１級 金属熱処理 学科試験問題

（浸炭・浸炭窒化・窒化処理作業）

1. 試験時間　1 時間 40 分
2. 問題数　50 題(A 群 25 題、B 群 25 題)
3. 注意事項

(1)　係員の指示があるまで、この表紙はあけないでください。

(2)　答案用紙(真偽法と多肢択一法の併用)に検定職種名、作業名、級別、受検番号、氏名を必ず記入してください。

(3)　係員の指示に従って、問題数を確かめてください。それらに異常がある場合は、黙って手を挙げてください。問題は A 群(真偽法)と B 群(多肢択一法)とに分かれています。

(4)　試験開始の合図で始めてください。

(5)　解答の方法(真偽法と多肢択一法の併用)は次のとおりです。

イ.　A 群の問題(真偽法)は、一つ一つの問題の内容が正しいか、誤っているかを判断して解答してください。

ロ.　B 群の問題(多肢択一法)は、正解と思うものを一つだけ選んで、解答してください。二つ以上に解答した場合は誤答となります。

ハ.　答案用紙(マークシート用紙)へ解答する際は、答案用紙に記載されている注意事項に従ってください。

ニ.　答案用紙の解答欄は、A 群の問題と B 群の問題とでは異なります。所定の解答欄に、試験問題の題数に応じて解答してください。解答欄は A 群は 50 題まで、B 群は 25 題まで解答できるようになっています。

(6)　電子式卓上計算機その他これと同等の機能を有するものは、使用してはいけません。

(7)　携帯電話、スマートフォン、ウェアラブル端末等は、使用してはいけません。

(8)　試験中、質問があるときは、黙って手を挙げてください。ただし、試験問題の内容、漢字の読み方等に関する質問にはお答えできません。

(9)　試験終了時刻前に解答ができあがった場合は、黙って手を挙げて、係員の指示に従ってください。

(10)　試験中に手洗いに立ちたいときは、黙って手を挙げて、係員の指示に従ってください。

(11)　試験終了の合図があったら、筆記用具を置き、係員の指示に従ってください。

［A群（真偽法）］

1　鉄－炭素系平衡状態図において、オーステナイト単相域とオーステナイト＋セメンタイトの二相域との境界温度はA_3線である。

2　オーステナイト域に加熱した鋼を、等温変態曲線のノーズ直上の温度で等温保持すると、上部ベイナイト組織となる。

3　マルテンサイト変態時に残留するオーステナイトの結晶構造は、体心立方晶である。

4　鋼を理想焼入れしたときに、中心部が100％マルテンサイト組織になる丸棒の直径を、理想臨界直径という。

5　工具鋼では、焼入前のミクロ組織に層状や網目状炭化物が残留すると、焼入時の変形や割れの原因になることがある。

6　物理蒸着法(PVD法)は、高温加熱やスパッタリングなどの物理的方法で物質を蒸発し、製品の表面に凝縮させて、薄膜を形成する処理である。

7　熱処理品の防錆《せい》処理の一つとして、マンガンや亜鉛などを含むりん酸塩浴中に浸漬する化成処理がある。

8　熱処理炉の炉温制御を比例動作で行う場合、昇温終了後の炉温は、常に設定温度と等しくなる。

9　シャルピー衝撃試験において、シャルピー衝撃値は、衝撃時の吸収エネルギーが小さいほど大きくなる。

10　超音波探傷試験は、内部のきずの位置を検出することができる。

11　磁粉探傷試験を行う場合、磁界の方向は、試験面に直角にする。

12　日本産業規格(JIS)によれば、ティグ溶接では、電極にタングステンを、シールドガスにアルゴン等を用いる。

13　オーステナイト系ステンレス鋼は、フェライト系ステンレス鋼と比べて、被削性が優れている。

14　フライス盤加工の仕上げ面粗さは、一般に、送り速度を速くすると粗くなる。

［A群（真偽法）］

15 日本産業規格(JIS)の機械製図では、線の種類として、実線、破線及び一点鎖線の3種類と規定されている。

16 抵抗が同じ導線を流れる電流の大きさは、電圧に反比例する。

17 湿気やじん埃の発生する場所で電動機を使用する場合は、全閉型が適している。

18 大気汚染防止法関係法令によれば、ばい煙には、「燃料その他の物の燃焼に伴い発生するいおう酸化物」も含まれる。

19 真空中で鋼を加熱する場合、表面の光輝度は、鋼に含まれるCrの量に影響を受ける。

20 真空浸炭において、スーティングが発生しにくい原料ガスには、C_2H_2がある。

21 浸炭焼入れした鋼は、一般に、表面近傍に圧縮残留応力が存在するので、疲労強度が向上する。

22 ガス浸炭炉にラジアントチューブが使用される理由の一つとして、炉の有効加熱帯が広くなることがある。

23 SCr415のガス浸炭焼入れでは、150℃程度の油温で焼入れした場合、表面近傍に微細パーライトが発生することはない。

24 ガス浸炭焼入れにおいて、C量が高くなると、Ms及びMf点が低下するので、残留オーステナイト量が増加する。

25 日本産業規格(JIS)の「鋼の浸炭硬化層深さ測定方法」によれば、ビッカース硬さ試験の試験力は、通常、0.98Nである。

［B群（多肢択一法）］

1 Fe－C系平衡状態図において、レデブライトを生成する変態として、正しいものはどれか。

イ 磁気変態

ロ 共析変態

ハ 共晶変態

ニ 包晶変態

2 セメンタイトに関する記述として、正しいものはどれか。

イ 包晶反応によって生じる炭化物である。

ロ 約780℃で磁気変態が発生する。

ハ FeとCの原子比が3：1の鉄炭化物で、Cの質量%は約6.7%である。

ニ 結晶構造は面心立方格子である。

3 日本産業規格(JIS)の「熱処理油剤」において、熱処理油の1種2号の品質及び性状に係る項目として、定められていないものはどれか。

イ 特性温度

ロ 800℃から400℃までの冷却秒数

ハ 全酸化

ニ 水分

4 質量効果に関する記述として、誤っているものはどれか。

イ 焼入性曲線から判定できる。

ロ 連続冷却変態曲線の臨界冷却速度から判定できる。

ハ 等温変態曲線から判定できる。

ニ 理想臨界直径が大きいほど、質量効果が小さい。

5 機械構造用合金鋼鋼材に関する記述として、誤っているものはどれか。

イ SCM440Hは、SCr420Hよりも焼入性が良い。

ロ SNCM材は、SCM材よりも自硬性が大きい。

ハ Moの添加は、高温焼戻ぜい性を抑制する。

ニ SCM822とSNCM420は、理想臨界直径が同じである。

6 焼なまし処理に関する記述として、誤っているものはどれか。

イ 焼なましの目的は、軟化、残留応力の除去、組織の調整などである。

ロ 応力除去焼なましは、A_1変態点以下の焼なまし温度が適用され、これを低温焼なましともいう。

ハ 高炭素鋼、工具鋼などは、焼入れの前処理として球状化焼なましを行う。

ニ 完全焼なましを行うと、引張強さが改善され強くなる。

［B群（多肢択一法）］

7　焼入加熱炉に使用される炉材の説明として、誤っているものはどれか。
　イ　酸性耐火材は、けい酸を多量に含むレンガである。
　ロ　中性耐火材は、アルミナを主成分とするレンガである。
　ハ　塩基性耐火材は、マグネシアを主成分とするレンガである。
　ニ　耐火モルタルは、炉壁の断熱材としても用いられる。

8　ショットピーニングの効果に関する記述として、誤っているものはどれか。
　イ　疲労強度が向上する。
　ロ　表面近傍を加工硬化させる。
　ハ　表面近傍に引張残留応力が生じる。
　ニ　表面近傍の残留オーステナイトの一部をマルテンサイトに変態させる。

9　温度測定に関する記述として、誤っているものはどれか。
　イ　熱電温度計は、熱起電力を測定して測温する。
　ロ　光高温計は、電気抵抗を測定して測温する。
　ハ　放射温度計は、放射エネルギーを測定して測温する。
　ニ　示温塗料は、塗料表面の色の変化から温度を推測する。

10　熱電温度計に関する記述として、正しいものはどれか。
　イ　基準接点を必要としない。
　ロ　測温部に熱電対を用いる。
　ハ　測温範囲は、1000℃以下に限られる。
　ニ　補償導線を必ず使用しなければならない。

11　鉄鋼材料の素材欠陥に関する記述として、正しいものはどれか。
　イ　CやMnなどの偏析は、キルド鋼よりもリムド鋼の方が多い。
　ロ　鋳鋼品には、凝固するときに体積が収縮して生じる引け巣(パイプ)が少ない。
　ハ　鋼塊や鋳物などに生ずる気泡(ブローホール)は、冷間圧延で除去することができる。
　ニ　Ni－Cr－Mo鋼などに生じやすい白点は、酸素の影響である。

12　硬さ試験に関する記述として、誤っているものはどれか。
　イ　ブリネル硬さ　→　くぼみの直交する2方向の直径を測定して、その平均値から求める。
　ロ　ビッカース硬さ　→　くぼみの対角線長さを測定して、その平均値から求める。
　ハ　ロックウェル硬さ　→　Bスケールでは、永久くぼみ深さhから、100－h／0.002の式を用いて求める。
　ニ　ショア硬さ　→　測定値を0.5HSまで読み取り、連続して測定した5点の平均値から求める。

［B群（多肢択一法）］

13　光学顕微鏡を用いた組織の観察により調べることができるものとして、誤っているものはどれか。

イ　非金属介在物の有無

ロ　鋼のしま状組織の有無

ハ　鋼の結晶構造

ニ　鋼表面の脱炭の有無

14　日本産業規格(JIS)に規定されている鋼の結晶粒度の顕微鏡試験方法に関する記述として、誤っているものはどれか。

イ　フェライト又はオーステナイトの結晶粒度を測定するための試験方法である。

ロ　負数(マイナス)を示す粒度番号がある。

ハ　細粒鋼と粗粒鋼の区分がある。

ニ　粒度番号の大きいものほど、単位面積当たりの結晶粒の数は少ない。

15　文中の(　　)内に当てはまる語句として、適切なものはどれか。

Uカーブ(U曲線)とは、焼入れされた丸棒の(　　)の硬さを測定して得られた硬さ曲線である。

イ　外周

ロ　軸

ハ　横断面

ニ　縦断面

16　品質管理において、測定値の存在する範囲をいくつかの区間に分けた場合、各区間を底辺とし、その区間に属する測定値の度数に比例する面積を持つ長方形を並べた図はどれか。

イ　管理図

ロ　正規分布図

ハ　特性要因図

ニ　ヒストグラム

17　品質管理で用いる管理図に関する記述として、誤っているものはどれか。

イ　$\overline{X}$ 管理図では、群の平均値 $\overline{X}$ を用いて工程水準を評価できる。

ロ　R管理図では、特性値のばらつきの変化を評価できる。

ハ　np管理図では、サンプルサイズが一定の場合、不適合品数を評価できる。

ニ　$\overline{X}$ －R管理図では、一つの群の計数値データを用いる。

［Ｂ群（多肢択一法）］

18　労働安全衛生法関係法令によれば、玉掛けの安全性に関する記述として、正しいものはどれか。

イ　ワイヤロープ一《ひと》よりの間において素線の20%程度の切断でも、使用可能であれば用いてもよい。

ロ　ワイヤロープの直径の減少が公称径の7%を超えるものは使用してはならない。

ハ　ワイヤロープに著しい形くずれ又は腐食があっても、使用可能であれば用いてもよい。

ニ　つり上げ荷重が、1トン未満のクレーンの玉掛け業務は、軽量なため特別教育を必要としない。

19　LPG変成吸熱型ガスに関する記述として、誤っているものはどれか。

イ　キャリアガス(搬送ガス)としても使用される。

ロ　ガスには、微量のCO_2、H_2O、CH_4等が含まれる。

ハ　CO濃度は、約23%である。

ニ　爆発する可能性はない。

20　装入室(ベスチブル)付きガス浸炭炉で、焼入加熱中に突然停電し、長時間停止が予測される場合の安全を優先した処置として、次のうち適切なものはどれか。

イ　そのまま放置する。

ロ　中間扉を開け、処理品を装入室(ベスチブル)まで出す。

ハ　中間扉を開け、処理品を空冷する。

ニ　窒素ガスを使用して炉内ガスを置換する。

21　軟窒化法における雰囲気ガス又は塩浴として、誤っているものはどれか。

イ　吸熱型変成ガス＋NH_3ガス

ロ　N_2ガス＋CO_2ガス

ハ　KCN＋KCNO

ニ　N_2ガス＋NH_3ガス

22　箱形ガス浸炭炉の焼入油槽に具備すべき条件として、適切でないものはどれか。

イ　油量は、処理重量の3倍でよい。

ロ　使用温度範囲は、目的温度±20℃以内であること。

ハ　適切な流速で攪拌《かくはん》することができる装置であること。

ニ　油面高さの管理ができること。

［B群（多肢択一法)］

23　ガス浸炭焼入れにおける結晶粒粗大化防止又は細粒化方法として、適切でないものはどれか。

　イ　できるだけ浸炭温度を低くする。
　ロ　二次焼入れを行う。
　ハ　できるだけ浸炭時間を短くする。
　ニ　930℃で浸炭後、そのままの温度で直接焼入れを行う。

24　浸炭硬化した歯車について、歯元R部の深さ方向の残留応力分布を測定する際に用いられる方法として、最も適切なものはどれか。

　イ　硬さ試験法
　ロ　X線法
　ハ　渦流法
　ニ　超音波法

25　浸炭層の炭素量の分析方法として、適切でないものはどれか。

　イ　EPMA(電子線マイクロアナライザ)による方法
　ロ　硬さ試験による方法
　ハ　切削粉を試料とする燃焼方法
　ニ　発光分光分析による方法

令和５年度 技能検定
２級 金属熱処理 学科試験問題
（高周波・炎熱処理作業）

1. 試験時間　1時間 40 分
2. 問題数　50 題(A 群 25 題、B 群 25 題)
3. 注意事項

(1) 係員の指示があるまで、この表紙はあけないでください。

(2) 答案用紙(真偽法と多肢択一法の併用)に検定職種名、作業名、級別、受検番号、氏名を必ず記入してください。

(3) 係員の指示に従って、問題数を確かめてください。それらに異常がある場合は、黙って手を挙げてください。問題は A 群(真偽法)と B 群(多肢択一法)とに分かれています。

(4) 試験開始の合図で始めてください。

(5) 解答の方法(真偽法と多肢択一法の併用)は次のとおりです。

イ. A 群の問題(真偽法)は、一つ一つの問題の内容が正しいか、誤っているかを判断して解答してください。

ロ. B 群の問題(多肢択一法)は、正解と思うものを一つだけ選んで、解答してください。二つ以上に解答した場合は誤答となります。

ハ. 答案用紙(マークシート用紙)へ解答する際は、答案用紙に記載されている注意事項に従ってください。

ニ. 答案用紙の解答欄は、A 群の問題と B 群の問題とでは異なります。所定の解答欄に、試験問題の題数に応じて解答してください。解答欄は A 群は 50 題まで、B 群は 25 題まで解答できるようになっています。

(6) 電子式卓上計算機その他これと同等の機能を有するものは、使用してはいけません。

(7) 携帯電話、スマートフォン、ウェアラブル端末等は、使用してはいけません。

(8) 試験中、質問があるときは、黙って手を挙げてください。ただし、試験問題の内容、漢字の読み方等に関する質問にはお答えできません。

(9) 試験終了時刻前に解答ができあがった場合は、黙って手を挙げて、係員の指示に従ってください。

(10) 試験中に手洗いに立ちたいときは、黙って手を挙げて、係員の指示に従ってください。

(11) 試験終了の合図があったら、筆記用具を置き、係員の指示に従ってください。

［A群（真偽法）］

1　鉄－炭素系平衡状態図において、A_3線とA_{cm}線との交点は、共析点である。

2　炭素含有率0.45％の機械構造用炭素鋼を900℃から徐冷すると、金属組織は、初析セメンタイトとパーライトになる。

3　等温変態曲線とは、オーステナイトの等温変態の開始及び終了を、縦軸に温度、横軸に時間をとって図示したものである。

4　同一鋼種においては、オーステナイト結晶粒が小さいものほど、焼入性が良い。

5　軸受鋼の球状化焼なましの目的の一つは、焼入焼戻し後、優れた耐摩耗性等を得ることである。

6　焼入硬化した部品の変形を矯正するために行うプレステンパは、通常、組織の変化による塑性変形を利用したものである。

7　鋼にショットブラストを行うと、表面近傍に引張残留応力が発生する。

8　日本産業規格(JIS)の「熱電対」によれば、常用限度の温度が最も高いものは、K熱電対である。

9　熱電対による測温では、基準接点が必要である。

10　マクロ的な破面観察では、破損事故品に対して、疲労破壊かぜい性破壊かなどを判断することはできない。

11　超音波探傷試験には、一般に、反射波形法(パルス反射法)が用いられる。

12　ダイカスト鋳造法とは、溶融した金属を高圧で注入し、精度の良い鋳物を作る方法のことである。

13　フライス盤では、溝加工ができない。

14　日本産業規格(JIS)の「機械製図」によれば、実線、破線、一点鎖線及び二点鎖線は、いずれも製図に用いる線の種類に該当する。

15　日本産業規格(JIS)によれば、鉄鋼記号「SK」のKは、機械を意味する。

16　電力は、抵抗と電圧の積から求めることができる。

［A群（真偽法）］

17 周波数(ヘルツ)とは、電気振動などの現象が単位時間(1秒間)に繰り返される回数のことである。

18 大気汚染防止法関係法令によれば、金属の熱処理の用に供する加熱炉の中には、ばい煙発生施設に含まれるものもある。

19 高周波加熱は、急速加熱のため、鋼のオーステナイト化の開始温度が高温側にずれる。

20 高周波焼入れした歯車は、焼入硬化部の体積が全体の体積に比べて小さいため、焼戻しする必要はない。

21 高周波発振装置の種類には、真空管式、サイリスタ式、トランジスタ式などがある。

22 高周波加熱では、コイル(誘導子)の一部に磁性材料(コア)を使用し、磁束を集中させることによって、加熱効率を向上させることができる。

23 被加熱物が凹部を有する場合、その曲率を大きくした方が割れにくい。

24 日本産業規格(JIS)の「鋼の炎焼入及び高周波焼入硬化層深さ測定方法」では、焼入硬化層深さの測定方法として、硬さ試験による測定方法とマクロ組織試験による測定方法を規定している。

25 日本産業規格(JIS)の「鉄鋼の高周波焼入焼戻し加工」によれば、有効硬化層深さのばらつきの許容値は、硬化層深さが2.5mmを超え3.5mm以下の場合、単体内では、0.2mmである。

［B群（多肢択一法）］

1 日本産業規格(JIS)によれば、Fe_3Cの化学式で示される鉄炭化物に該当するものはどれか。

イ オーステナイト

ロ フェライト

ハ マルテンサイト

ニ セメンタイト

2 炭素含有率が1.2%の鋼をオーステナイト状態に加熱した後、徐冷したときの常温における金属組織はどれか。

イ 初析フェライト＋パーライト

ロ 初析フェライト＋マルテンサイト

ハ 初析セメンタイト＋パーライト

ニ 初析セメンタイト＋レデブライト

3 残留オーステナイトに関する記述として、誤っているものはどれか。

イ 鋼を焼入硬化後、常温において残留する未変態オーステナイトのことである。

ロ 残留オーステナイトが多い鋼ほど、焼入硬さは低い。

ハ 炭素量が同一の鋼を焼入れした場合、水焼入れより油焼入れの方が残留オーステナイトは多い。

ニ 残留オーステナイトはサブゼロ処理のみによって、マルテンサイトに変化する。

4 鋼の質量効果に関する記述として、誤っているものはどれか。

イ 質量効果とは、質量及び断面寸法の大小で、焼入硬化層の深さが異なる度合いのことである。

ロ 質量効果が大きい鋼は、焼入性が悪い。

ハ S35Cは、SCM435より質量効果が小さい。

ニ U曲線から質量効果を求めることができる。

5 機械構造用炭素鋼の完全焼なまし処理に関する記述として、誤っているものはどれか。

イ 焼なまし温度は、炭素量によって変える必要がある。

ロ 鋼材中心まで均一に加熱する。

ハ 十分軟化させる目的で炉冷する。

ニ 同じ加熱条件の場合、機械構造用合金鋼に比べて、結晶粒が粗大化しにくい。

6 マルテンパに関する一般的な記述として、誤っているものはどれか。

イ Ms直上の温度の熱浴で保持した後、冷却する。

ロ 処理後に焼戻しを必要としない。

ハ マルクエンチとも呼ばれる。

ニ オイルバスが利用できる。

［B群（多肢択一法）］

7 焼入剤の特徴に関する記述として、誤っているものはどれか。

イ 空気は、水よりも冷却能が小さい。

ロ 水は、水温が30℃の方が20℃よりも冷却能は小さい。

ハ 焼入油は、一般に、粘度が高くなるほど冷却能は大きくなる。

ニ 水溶液焼入剤は、濃度によって冷却能を調整できる。

8 脱脂に関する記述として、誤っているものはどれか。

イ 脱脂方法の一つとして、乳化剤脱脂法がある。

ロ 脱脂剤の一つとして、塩素系有機溶剤がある。

ハ 炭化水素系脱脂剤を使った脱脂方法には、蒸気法がある。

ニ アルカリ脱脂剤には、苛性《かせい》ソーダを使用しない。

9 鉄鋼部品のショットピーニングに用いるショットの種類として、最も適切でないものはどれか。

イ 鋳鋼ショット

ロ ガラスビーズ

ハ 樹脂球

ニ カットワイヤショット

10 温度制御において、現在温度が設定温度以下では操作量を100%にし、設定温度を超えると操作量を0%にする動作に該当するものはどれか。

イ 微分動作

ロ 積分動作

ハ 比例動作

ニ オンオフ動作

11 キルド鋼の特徴に関する一般的な記述として、誤っているものはどれか。

イ リムド鋼よりも介在物や偏析が多い。

ロ けい素やアルミニウムで脱酸した鋼である。

ハ 熱処理を施して使用する場合が多い。

ニ 機械構造用合金鋼は、キルド鋼である。

12 日本産業規格(JIS)によれば、ダイヤモンドハンマを一定の高さから落下させ、その跳ね上がり高さに比例する値を求める硬さ試験として、正しいものはどれか。

イ ロックウェル硬さ試験

ロ ビッカース硬さ試験

ハ ブリネル硬さ試験

ニ ショア硬さ試験

［B群（多肢択一法）］

13 金属材料の引張試験の目的として、誤っているものはどれか。

イ ぜい性を調べる。

ロ 耐力を調べる。

ハ 伸びを調べる。

ニ 絞りを調べる。

14 日本産業規格(JIS)における「鋼－結晶粒度の顕微鏡試験方法」の適用に関する記述として、誤っているものはどれか。

イ オーステナイト結晶粒度測定試験方法とフェライト結晶粒度測定試験方法が規定されている。

ロ 結晶粒度を測定する場合、顕微鏡の倍率は、通常は100倍である。

ハ 粒度番号が、＋1～＋10まで規定されている。

ニ 粒度番号の大きいものほど、単位面積に占める平均結晶粒数が多い。

15 日本産業規格(JIS)によれば、鋼の焼入性試験方法に関する記述として、正しいものはどれか。

イ 焼入剤として、油を使用する。

ロ 一端焼入方法とも呼ばれている。

ハ 試験片は、直径30mm、長さ120mmである。

ニ 試験片は、所定の焼入温度に保たれている炉に装入し、少なくとも10分をかけて中心部まで均一に昇温した後、その温度に15～20分間保つ。

16 品質管理用語の説明として、誤っているものはどれか。

イ 抜取検査は、対象とするグループから検査品を抜き取って行う検査である。

ロ 特性要因図とは、群のバラツキを判定する図である。

ハ 正規分布とは、一番多い数を中心に、中心から離れるほど数が少なくなる左右対象の確率分布をいう。

ニ R管理図で、群のバラツキの変化を評価することができる。

［B群（多肢択一法）］

17 文中の(　　)内に当てはまる語句として、正しいものはどれか。
品質管理において、下図は、(　　)と呼ばれている。

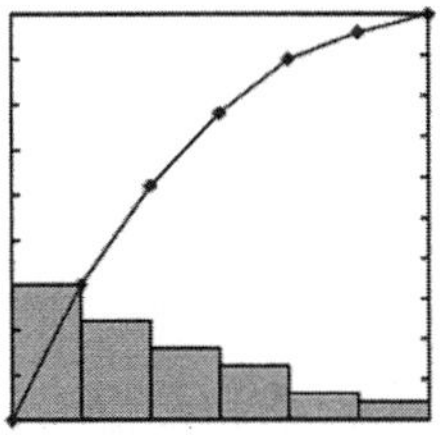

イ　パレート図
ロ　連関図
ハ　特性要因図
ニ　ヒストグラム

18 文中の(　　)内に当てはまる語句として、正しいものはどれか。
労働安全衛生法関係法令では、屋内に設ける通路について、通路面から高さ(　　)以内に障害物を置かないことと規定している。

イ　1.8 m
ロ　2.8 m
ハ　3.8 m
ニ　4.8 m

19 鉄鋼の高周波焼入れにおいて、加熱温度を1000℃にする場合、うず電流の浸透深さを6mm得るための電源周波数として、次のうち、最も適切なものはどれか。

イ　2 kHz
ロ　10 kHz
ハ　50 kHz
ニ　100 kHz

20 日本産業規格(JIS)の「鉄鋼の高周波焼入焼戻し加工」によれば、高周波焼入焼戻しを示す記号として、正しいものはどれか。

イ　HNR
ロ　HQI－HT
ハ　HCG－HQ－HT
ニ　HQO－HT

［B群（多肢択一法）］

21　炎焼入れの目的・特徴として、誤っているものはどれか。

イ　特殊な火口を使用しないときは、焼入れのための段取りは簡単で速やかに作業できる。

ロ　被処理品の寸法や質量の制限がなく、多品種少量生産に向いている。

ハ　焼入硬化層深さや範囲を自由に選択できない。

ニ　肉薄品は、全体加熱になりやすく表面硬化に向いていない。

22　高周波加熱の注意事項に関する記述として、誤っているものはどれか。

イ　複雑形状の部品は、均一に加熱するために予熱を行う。

ロ　コイル(誘導子)の抵抗が大きいほど、加熱効率は良くなる。

ハ　加工材料の肉厚の不足する部分には、当て金などを行う。

ニ　コイル(誘導子)の巻数が多いほど、加熱効率は良くなる。

23　高周波熱処理によって生じる欠陥に関する記述として、誤っているものはどれか。

イ　回転移動焼入れの場合、冷却の不均一によって、加工材表面に縞模様等が発生することがある。

ロ　高周波加熱によって急速に焼戻しを行うと、割れが発生することがある。

ハ　一般に、炉加熱による焼入れに比べ、溶損が生じる可能性が高い。

ニ　焼戻しをしないで長時間放置しても、置割れは生じない。

24　炎焼入れの焼入ひずみを抑制する対策として、誤っているものはどれか。

イ　前処理として調質を行う。

ロ　焼むらの発生を防止する。

ハ　長尺レールなどの焼入れにおいて、あらかじめ焼入面を炙《あぶ》ってひずみを与えておく。

ニ　焼入れされない母材の部分を冷却水中に浸漬した状態で焼入れを行う。

25　日本産業規格(JIS)の「鋼の炎焼入及び高周波焼入硬化層深さ測定方法」によれば、炭素含有率0.33％以上0.43％未満の鋼の硬さ測定をビッカース硬さ試験機で行う場合の限界硬さ(HV)として、適切なものはどれか。

イ　350

ロ　400

ハ　450

ニ　500

令和4年度 技能検定
2級 金属熱処理 学科試験問題
（高周波・炎熱処理作業）

1. 試験時間　1時間40分
2. 問題数　50題(A群25題、B群25題)
3. 注意事項

(1) 係員の指示があるまで、この表紙はあけないでください。

(2) 答案用紙(真偽法と多肢択一法の併用)に検定職種名、作業名、級別、受検番号、氏名を必ず記入してください。

(3) 係員の指示に従って、問題数を確かめてください。それらに異常がある場合は、黙って手を挙げてください。問題はA群(真偽法)とB群(多肢択一法)とに分かれています。

(4) 試験開始の合図で始めてください。

(5) 解答の方法(真偽法と多肢択一法の併用)は次のとおりです。

イ．　A群の問題(真偽法)は、一つ一つの問題の内容が正しいか、誤っているかを判断して解答してください。

ロ．　B群の問題(多肢択一法)は、正解と思うものを一つだけ選んで、解答してください。二つ以上に解答した場合は誤答となります。

ハ．　答案用紙(マークシート用紙)へ解答する際は、答案用紙に記載されている注意事項に従ってください。

ニ．　答案用紙の解答欄は、A群の問題とB群の問題とでは異なります。所定の解答欄に、試験問題の題数に応じて解答してください。解答欄はA群は50題まで、B群は25題まで解答できるようになっています。

(6) 電子式卓上計算機その他これと同等の機能を有するものは、使用してはいけません。

(7) 携帯電話、スマートフォン、ウェアラブル端末等は、使用してはいけません。

(8) 試験中、質問があるときは、黙って手を挙げてください。ただし、試験問題の内容、漢字の読み方等に関する質問にはお答えできません。

(9) 試験終了時刻前に解答ができあがった場合は、黙って手を挙げて、係員の指示に従ってください。

(10) 試験中に手洗いに立ちたいときは、黙って手を挙げて、係員の指示に従ってください。

(11) 試験終了の合図があったら、筆記用具を置き、係員の指示に従ってください。

［A群（真偽法）］

1 炭素含有量1.0%の鋼を、Fe－C系平衡状態図における均一オーステナイト領域の温度から室温まで徐冷すると、初析セメンタイトとパーライトの組織となる。

2 日本産業規格(JIS)の「鋼－結晶粒度の顕微鏡試験方法」によれば、粗粒鋼は細粒鋼よりも粒度番号が大きい。

3 Acmとは、冷却時、フェライト変態が始まる温度である。

4 同一鋼種においては、オーステナイト結晶粒径が大きいものほど焼入性が悪い。

5 機械構造用炭素鋼の焼ならしは、A_3以上の温度に加熱して均一なオーステナイト組織にした後、炉冷する熱処理である。

6 ショットピーニングは、鋼の応力腐食割れに対する抵抗力を向上させる。

7 アルカリ脱脂浴に界面活性剤を添加すると、洗浄効果が下がる。

8 K熱電対の素線径は、常用限度温度に影響しない。

9 日本産業規格(JIS)の「光高温計による温度測定方法」によれば、光高温計による温度測定方法の適用温度範囲は、原則として約900～2000℃と規定されている。

10 マクロ的な破面観察では、破損品に対して、破壊の起点、き裂の進展方向等を判断することができる。

11 浸透探傷試験は、材質がセラミックスの場合には適用できない。

12 日本産業規格(JIS)では、ダイカストについて、「重力又は低圧力を用いて、溶融金属を金型の中に注湯して造られる鋳物。」と規定している。

13 研削盤では、円筒内面の研削加工はできない。

14 日本産業規格(JIS)によれば、SUPは、ばね鋼鋼材を表す記号である。

15 日本産業規格(JIS)の「機械製図」によれば、かくれ線には、細い破線又は太い破線を使用する。

16 三相モータの動力線を金属製の電線管に収めて配線する場合、それぞれの動力線を別々の電線管に収めなければならない。

［A群（真偽法）］

17 日本産業規格(JIS)によれば、交流の場合、低圧ヒューズの定格電圧及び定格電流は実効値で示す。

18 大気汚染防止法関係法令によれば、金属製品の熱処理炉は、ばい煙発生施設には当たらない。

19 電動発電機式高周波発振装置では、電動機の並列運転はできない。

20 焼戻しで同じ硬さを得るには、高周波加熱による焼戻温度は、炉加熱による焼戻温度よりも高くする。

21 高周波焼入れの冷却速度には、水溶液焼入剤の濃度や液温度は影響しない。

22 同一ワークを周波数を変えて誘導加熱する場合の発生電力は、低い周波数では周波数の二乗に比例し、高い周波数では周波数の平方根に比例する。

23 高周波焼入れにおける焼割れは、局部加熱による熱応力の影響で発生するので、変態応力の影響はない。

24 炎焼入装置における火口の構造は、部品の形状、焼入深さ、燃料ガスの種類等によって換える必要がある。

25 高周波焼入れで加熱温度を監視・制御するときは、放射温度計を使用することがある。

［Ｂ群（多肢択一法）］

1　鋼を高温から冷却する場合、オーステナイトからパーライトに変態する温度を示す記号はどれか。

イ　Ac_1

ロ　Ac_3

ハ　Ar_1

ニ　Ar_3

2　パーライトを構成する組織として、正しいものはどれか。

イ　フェライト＋セメンタイト

ロ　フェライト＋オーステナイト

ハ　オーステナイト＋セメンタイト

ニ　フェライト＋グラファイト

3　Ms点に関する記述として、正しいものはどれか。

イ　マルテンサイトが分解し始める温度

ロ　オーステナイトがベイナイトに変態し始める温度

ハ　オーステナイトがマルテンサイトに変態し始める温度

ニ　トルースタイトが生成し始める温度

4　鋼の焼入性を向上させる元素として、誤っているものはどれか。

イ　V

ロ　Cr

ハ　Mo

ニ　Mn

5　炭素工具鋼の球状化焼なましに関する記述として、誤っているものはどれか。

イ　一般に、焼入れの前処理として行われる。

ロ　炭化物を球状化して、フェライト地に分散するために行う。

ハ　加熱温度は、790～810℃である。

ニ　じん性を改善する。

6　マルテンパ(マルクエンチ)に関する記述として、誤っているものはどれか。

イ　Ms点直上の温度の熱浴で保持した後、冷却する。

ロ　焼戻しを必要としない。

ハ　ひずみの発生や焼割れを防止できる。

ニ　形状が複雑で肉厚不同の小形部品に適した処理である。

［B群（多肢択一法)］

7　加熱装置の熱源に関する記述として、誤っているものはどれか。

イ　熱処理炉の熱源には、液体燃料、気体燃料、電気等がある。

ロ　誘導加熱は、急速加熱ができない。

ハ　電気加熱の発熱体には、非金属発熱体がある。

ニ　気体燃料のプロパンガスは、同容量のブタンガスより発熱量が小さい。

8　日本産業規格(JIS)の「ばねのショットピーニング」によれば、ショットの概略形状が、球ではなく円柱であるものはどれか。

イ　鋳鋼ショット

ロ　ガラスビーズ

ハ　セラミックビーズ

ニ　カットワイヤショット

9　防錆《せい》処理の方法として、適切でないものはどれか。

イ　化成処理

ロ　油塗布

ハ　めっき

ニ　サンドブラスト

10　電気炉の温度自動制御方式に関する記述として、誤っているものはどれか。

イ　動作には、比例動作、微分動作、積分動作がある。

ロ　比例動作は、設定値と測定値の差(偏差)に対し、出力が比例する。

ハ　比例動作は、オフセット(定常的に残る偏差)を防ぐことができない。

ニ　微分動作単独での制御も可能である。

11　合金工具鋼鋼材に関する記述として、誤っているものはどれか。

イ　日本産業規格(JIS)によれば、鋼材の種類は、その用途に応じ、主として切削工具鋼用、耐衝撃工具鋼用、冷間金型用、熱間金型用に分類されている。

ロ　鋼材の種類に応じて、W、Cr、Mo、V等を添加した鋼である。

ハ　鋼材は、リムド鋼から製造する。

ニ　焼入焼戻しをして使用される。

12　日本産業規格(JIS)の「金属材料引張試験方法」によれば、引張試験で求めることができない特性はどれか。

イ　引張強さ

ロ　絞り

ハ　遷移温度

ニ　伸び

［B群（多肢択一法）］

13　硬さ試験のうち、反発硬さを測定するものはどれか。

　イ　ロックウェル硬さ試験
　ロ　ブリネル硬さ試験
　ハ　ショア硬さ試験
　ニ　ビッカース硬さ試験

14　光学顕微鏡による組織試験に関する記述として、誤っているものはどれか。

　イ　鋼中の非金属介在物を測定できない。
　ロ　完全焼なましした機械構造用炭素鋼の炭素含有率を判定することができる。
　ハ　鋼表面の脱炭の有無を調べることができる。
　ニ　ステンレス鋼の固溶化熱処理が適切に行われたかどうかを判断することができる。

15　硬さ測定による冷却剤の冷却能試験に関する記述として、誤っているものはどれか。

　イ　試験片の形状は、四角柱状である。
　ロ　焼入後、長さ方向の中央部を切断し、断面の硬さ分布試験を行う。
　ハ　焼入硬さ及び焼入深さから冷却剤の冷却能評価を行う。
　ニ　得られる曲線は、Uカーブと呼ばれている。

16　品質管理において、特定の結果と原因系の関係を系統的に表した図はどれか。

　イ　管理図
　ロ　正規分布図
　ハ　特性要因図
　ニ　パレート図

17　品質管理に関する記述として、誤っているものはどれか。

　イ　ロットとは、管理対象となる製品等における一つの集団をいう。
　ロ　規格限界とは、製品、材料、検査等の特性について許容できる限界値をいう。
　ハ　正規分布とは、平均を中心に左右対称の曲線分布をいう。
　ニ　ヒストグラムとは、測定値のばらつきを折れ線グラフで表したものである。

18　文中の(　　)内に当てはまる語句として、正しいものはどれか。

労働安全衛生法関係法令では、研削といしの覆いについて、「事業者は、回転中の研削といしが労働者に危険を及ぼすおそれのあるときは、覆いを設けなければならない。ただし、直径が(　　)未満の研削といしについては、この限りではない。」と規定している。

　イ　50 mm
　ロ　60 mm
　ハ　70 mm
　ニ　80 mm

［B群（多肢択一法)］

19　被加熱物と加熱コイル(誘導子)の隙間が同じ場合、高周波加熱の加熱効率に関する記述として、適切なものはどれか。

イ　平面加熱が最も高い。

ロ　内周面加熱が最も高い。

ハ　外周面加熱が最も高い。

ニ　平面加熱、内周面加熱、外周面加熱ともに同等である。

20　炎焼入れの特徴として、誤っているものはどれか。

イ　高周波焼入れに比べて設備費が高く、大型である。

ロ　硬化を必要とする部分のみ加熱し焼入れするため、省エネルギー的な焼入法である。

ハ　被処理品の寸法や重量に制限がなく、多品種、少量生産に適している。

ニ　正確な温度測定及び調整が難しい。

21　水溶液焼入剤の一般的な温度管理範囲として、適切なものはどれか。

イ　 0～20℃

ロ　20～40℃

ハ　40～60℃

ニ　60～80℃

22　高周波焼入れの特徴として、誤っているものはどれか。

イ　加熱効率がよく、処理時間が短く、省エネルギー、省力化によるコストの低減が可能である。

ロ　加熱温度を炉加熱より高めにするのは、焼入加熱時間が短いのを補うためである。

ハ　一般に、炉加熱焼入れした鋼よりも表面硬さが高い。

ニ　加熱・冷却が急速なので、表面圧縮残留応力は小さい。

23　炎焼入れの焼割れ防止策として、誤っているものはどれか。

イ　稜《りょう》角、キー溝、偏肉には、面取り、余肉付け等を行う。

ロ　燃焼ガスと酸素の混合比において、酸素の割合を高くする。

ハ　焼入性の良い鋼種や形状複雑なものは予熱し、網状セメンタイトは球状化処理をする。

ニ　脱炭層、黒皮をあらかじめ除去する。

24　高周波焼入れにおける焼割れの原因として、誤っているものはどれか。

イ　オーバヒート

ロ　寸法急変部の存在

ハ　冷却の不均一

ニ　一次電圧の変動

［B群（多肢択一法）］

25　日本産業規格(JIS)の「鋼の炎焼入及び高周波焼入硬化層深さ測定方法」に関する記述として、誤っているものはどれか。

イ　有効硬化層深さの測定方法を、炎焼入れと高周波焼入れの場合で区別してる。

ロ　有効硬化層の限界硬さを、鋼の炭素含有率によって規定している。

ハ　硬化層深さの測定方法には、硬さ試験による測定方法とマクロ組織試験による測定方法とがある。

ニ　有効硬化層深さは、焼入れのまま、又は焼入れ後、通常、200℃以下の温度で焼戻ししたものを測定する。

令和３年度 技能検定

２級 金属熱処理 学科試験問題

（高周波・炎熱処理作業）

1. 試験時間　1時間40分
2. 問題数　50題(A群25題、B群25題)
3. 注意事項

(1)　係員の指示があるまで、この表紙はあけないでください。

(2)　答案用紙(真偽法と多肢択一法の併用)に検定職種名、作業名、級別、受検番号、氏名を必ず記入してください。

(3)　係員の指示に従って、問題数を確かめてください。それらに異常がある場合は、黙って手を挙げてください。問題はA群(真偽法)とB群(多肢択一法)とに分かれています。

(4)　試験開始の合図で始めてください。

(5)　解答の方法(真偽法と多肢択一法の併用)は次のとおりです。

イ.　A群の問題(真偽法)は、一つ一つの問題の内容が正しいか、誤っているかを判断して解答してください。

ロ.　B群の問題(多肢択一法)は、正解と思うものを一つだけ選んで、解答してください。二つ以上に解答した場合は誤答となります。

ハ.　答案用紙(マークシート用紙)へ解答する際は、答案用紙に記載されている注意事項に従ってください。

ニ.　答案用紙の解答欄は、A群の問題とB群の問題とでは異なります。所定の解答欄に、試験問題の題数に応じて解答してください。解答欄はA群は50題まで、B群は25題まで解答できるようになっています。

(6)　電子式卓上計算機その他これと同等の機能を有するものは、使用してはいけません。

(7)　携帯電話、スマートフォン、ウェアラブル端末等は、使用してはいけません。

(8)　試験中、質問があるときは、黙って手を挙げてください。ただし、試験問題の内容、漢字の読み方等に関する質問にはお答えできません。

(9)　試験終了時刻前に解答ができあがった場合は、黙って手を挙げて、係員の指示に従ってください。

(10)　試験中に手洗いに立ちたいときは、黙って手を挙げて、係員の指示に従ってください。

(11)　試験終了の合図があったら、筆記用具を置き、係員の指示に従ってください。

［A群（真偽法）］

1 Fe－C系平衡状態図において、共析反応は、次式で表すことができる。
オーステナイト ⇄ フェライト+セメンタイト

2 日本産業規格(JIS)の「鋼－結晶粒度の顕微鏡試験方法」では、粒度番号5以上の鋼を細粒鋼と規定している。

3 Ms点とは、オーステナイトからマルテンサイトへの変態が終了する温度である。

4 同一鋼種においては、オーステナイト結晶粒の大きさは、焼入性には影響を与えない。

5 合金工具鋼の球状化焼なまし温度における保持時間は、一般に、炭素工具鋼における保持時間よりも短めにする。

6 焼戻しの際、部分的な残留応力の解放によるひずみ発生の危険が大きい場合は、金型で押さえ込んだり、プレスしたままで加熱冷却することがある。

7 鋼にショットブラストを行うと、表面近傍に引張残留応力が発生する。

8 放射温度計で表面温度を測定する場合、窓ガラスを通して測定してもよい。

9 日本産業規格(JIS)によれば、K熱電対は、素線径に応じて常用限度と過熱使用限度が規定されている。

10 日本産業規格(JIS)の「鋼のサルファプリント試験方法」によれば、サルファプリントによるマクロ試験では、検出される硫化物のサイズ及び分布から材料の均質性を評価することができる。

11 磁粉探傷試験は、表面直下より深い内部の欠陥の検出に有効である。

12 アーク溶接とは、電源から供給する電力によってアークを発生させ、この熱エネルギーを利用して行う溶接である。

13 フライス盤は、平面削り、溝削り等の加工を行う工作機械である。

14 日本産業規格(JIS)の「機械製図」によれば、中心線には破線を用いる。

15 日本産業規格(JIS)によれば、合金工具鋼鋼材SKTのTは鍛造を意味する。

16 三相誘導電動機は、動力線3本中、2本を入れ替えると回転方向を逆にできる。

［A群（真偽法）］

17　一般に、電源のスイッチを切る場合は、主スイッチを切った後、末端のスイッチを切るようにする。

18　大気汚染防止法関係法令によれば、ばい煙には、燃料その他の物の燃焼に伴って発生するいおう酸化物は含まれていない。

19　炎焼入れでは、火力の調節が難しいため、硬化層深さの調節はできない。

20　高周波・炎焼入れは、炉加熱焼入れに比べて加熱速度が速いため、焼入硬さは炭素量に影響されない。

21　焼入冷却剤として使用される水溶液焼入剤は、その濃度によって冷却能が異なる。

22　炎焼入れに使用する炎には、一般に、還元炎が用いられる。

23　高周波焼入れの変形は、前工程の切削加工時の残留応力の影響を受けることがある。

24　高周波焼入れでは、急速加熱、急速冷却されるため、被加熱物の肉厚が場所によって異なっても、変形には影響しない。

25　日本産業規格(JIS)によれば、鉄系焼結材料は高周波焼入焼戻しの対象に含まれない。

［B群（多肢択一法）］

1 鋼を加熱する場合、オーステナイトが生成し始める温度を示す記号として、正しいものはどれか。
 イ Ar_1
 ロ Ar_3
 ハ Ac_1
 ニ Ac_3

2 炭素含有量が0.4%の炭素鋼をオーステナイト状態に加熱した後、徐冷したときの常温における金属組織はどれか。
 イ 初析フェライト＋パーライト
 ロ 初析フェライト＋マルテンサイト
 ハ 初析セメンタイト＋レデブライト
 ニ 初析セメンタイト＋パーライト

3 連続冷却変態曲線の別の呼び方として、適切なものはどれか。
 イ CCT曲線
 ロ I曲線
 ハ TTT曲線
 ニ S曲線

4 臨界冷却速度に関する記述として、誤っているものはどれか。
 イ マルテンサイト変態を生じるために必要な最小の冷却速度のことである。
 ロ 上部臨界冷却速度と下部臨界冷却速度がある。
 ハ 上部臨界冷却速度とは、マルテンサイト組織だけとなる最小の冷却速度である。
 ニ 添加元素の種類による影響はない。

5 オーステナイト系ステンレス鋼の固溶化熱処理に関する記述として、誤っているものはどれか。
 イ 均一なオーステナイト組織にするために行う。
 ロ 日本産業規格(JIS)では、固溶化熱処理後の機械的性質が規定されている。
 ハ SUS304の固溶化熱処理温度は、1010～1150℃である。
 ニ 加熱後の冷却により、硬くなる。

6 応力除去焼なましの目的として、誤っているものはどれか。
 イ 鋳造で発生した残留応力の緩和
 ロ ショットピーニングで生成された表面近傍の圧縮残留応力の緩和
 ハ 溶接で発生した残留応力の緩和
 ニ 機械加工で発生した残留応力の緩和

［B群（多肢択一法）］

7　加熱炉の炉材に関する記述として、適切でないものはどれか。
　イ　加熱炉の内壁の炉材には、耐火材と断熱材が用いられる。
　ロ　中性耐火材は、マグネシアを主成分としている。
　ハ　耐火材には、中性の他に、酸性や塩基性のものもある。
　ニ　断熱材として、セラミックファイバも使われる。

8　脱脂に関する記述として、誤っているものはどれか。
　イ　脱脂方法の一つとして、乳化剤脱脂法がある。
　ロ　脱脂剤の一つとして、塩素系有機溶剤がある。
　ハ　炭化水素系脱脂剤を使った脱脂方法には、蒸気法がある。
　ニ　アルカリ脱脂剤には、苛性《かせい》ソーダを使用しない。

9　鉄鋼部品のショットピーニングに使われるショットの種類として、最も適切でないものはどれか。
　イ　鋳鋼ショット
　ロ　ガラスビーズ
　ハ　樹脂球
　ニ　カットワイヤショット

10　次のうち、最も精度の高い温度制御方式はどれか。
　イ　ON－OFF式
　ロ　比例－積分－微分式
　ハ　比例式
　ニ　比例－積分式

11　炭素工具鋼の記述として、誤っているものはどれか。
　イ　炭素量は、SK60よりもSK95の方が少ない。
　ロ　合金工具鋼に比べて、焼入性が悪い。
　ハ　キルド鋼から製造する。
　ニ　合金工具鋼に比べて、焼戻軟化抵抗が小さい。

12　日本産業規格(JIS)によれば、ロックウェル硬さ試験において、円すい形ダイヤモンド以外の圧子を使用するスケールはどれか。
　イ　Aスケール
　ロ　Bスケール
　ハ　Cスケール
　ニ　Dスケール

［B群（多肢択一法）］

13　硬さ試験のうち、一定の高さから落下させたダイヤモンドハンマの跳ね上がり高さから硬さの値を求めるものはどれか。

イ　ヌープ硬さ試験

ロ　ブリネル硬さ試験

ハ　ショア硬さ試験

ニ　ビッカース硬さ試験

14　日本産業規格(JIS)における「鋼－結晶粒度の顕微鏡試験方法」の適用に関する記述として、誤っているものはどれか。

イ　オーステナイト結晶粒度測定試験方法とフェライト結晶粒度測定試験方法が規定されている。

ロ　結晶粒度を測定する場合、顕微鏡の倍率は、通常は100倍である。

ハ　粒度番号が、＋1～＋10まで規定されている。

ニ　粒度番号の大きいものほど、単位面積に占める平均結晶粒数が多い。

15　文中の(　　)内に当てはまる語句として、正しいものはどれか。

日本産業規格(JIS)の「鋼の焼入性試験方法(一端焼入方法)」では、焼入作業について、「試験片を加熱炉から取り出してから焼入れ開始までの時間はできるだけ短くし、(　　)以内にしなければならない。」と規定している。

イ　5 秒

ロ　10 秒

ハ　15 秒

ニ　20 秒

16　日本産業規格(JIS)によれば、QC七つ道具に含まれないものはどれか。

イ　PDCA

ロ　チェックシート

ハ　グラフ

ニ　特性要因図

［B群（多肢択一法）］

17　下図のうち、パレート図はどれか。

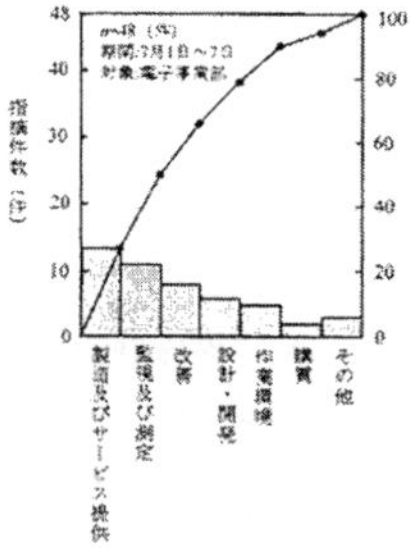

イ

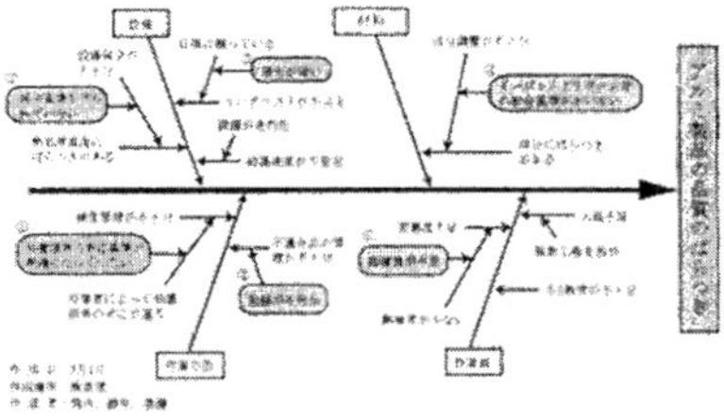

ロ

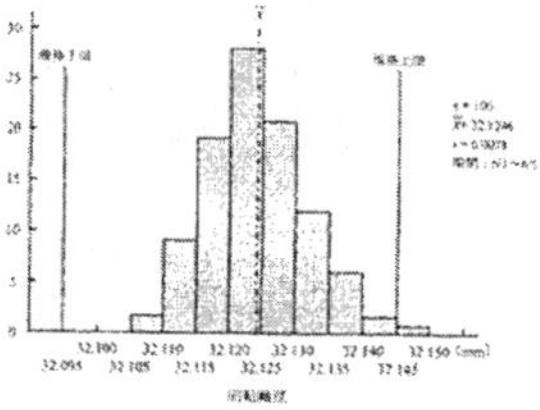

ハ

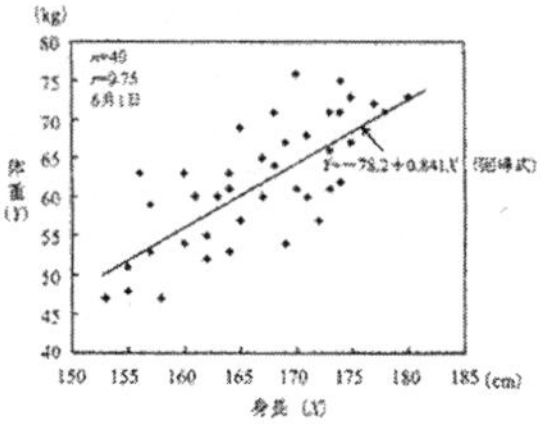

ニ

18　文中の(　　)内に当てはまる語句の組合せとして、正しいものはどれか。

労働安全衛生法関係法令によれば、事業者は、研削といしについては、その日の作業を開始する前には(　A　)、研削といしを取り替えたときには(　B　)試運転をしなければならない。

	A	B
イ	1分間以上	3分間以上
ロ	1分間以上	5分間以上
ハ	3分間以上	5分間以上
ニ	適宜に	充分に

19　高周波焼入れの冷却に関する記述として、誤っているものはどれか。

イ　水溶液焼入剤は、使用温度や種類によって冷却能が異なる。

ロ　水溶液焼入剤には、PAG系、PEG系、PVA系等がある。

ハ　コイル(誘導子)と冷却ジャケット一体型移動焼入れでは、水溶液焼入剤の噴射方向を鋼表面に対して直角にすると、冷却能が良くなる。

ニ　水溶液焼入剤は、噴射圧力と流量によって冷却能が異なる。

［B群（多肢択一法）］

20　高周波加熱において、コイル(誘導子)に使用される材料として、適切なものはどれか。

イ　アルミニウム

ロ　無酸素銅

ハ　ステンレス

ニ　炭素鋼

21　コイル(誘導子)とその周辺設備に関する記述として、適切なものはどれか。

イ　連結リードの長さは、できるだけ長い方がエネルギー変換効率は良い。

ロ　電流変成器は電源から供給される電圧を高め、電流を下げる働きがある。

ハ　通常、加熱中のコイル(誘導子)の冷却は不要である。

ニ　多巻タイプコイル(誘導子)におけるコイル(誘導子)の巻数は、被加熱物へのエネルギー変換効率に影響する。

22　高周波熱処理に関する記述として、正しいものはどれか。

イ　高周波焼入れされた鋼の焼戻しは、必ず炉加熱で行う。

ロ　高周波誘導加熱における加熱効率は、加熱温度が同一な場合、ワークとコイルの間隔が大きいほど良くなる。

ハ　高周波焼入れした鋼は、炉加熱焼入れした鋼より、結晶粒は微細である。

ニ　硬化層深さの調節は、冷却速度変更の方が投入電力変更より効果が大きい。

23　鋼を1000℃に加熱するときに電流透過深度が1.5mmとなる周波数として、次のうち、適切なものはどれか。

イ　3kHz

ロ　10kHz

ハ　50kHz

ニ　100kHz

24　高周波焼入れの特徴に関する記述として、適切でないものはどれか。

イ　炉加熱全体焼入れに比べて、熱処理変形(変化量)は少ない。

ロ　置割れは生じない。

ハ　部品の形状、コイル(誘導子)の形状、周波数等と関連して溶損を起こすことがある。

ニ　表面温度が高いほど、焼割れ感受性は高い。

［B群（多肢択一法）］

25　文中の(　　)内に当てはまる数値として、正しいものはどれか。

日本産業規格(JIS)の「鉄鋼の高周波焼入焼戻し加工」では、硬化層深さのばらつきの許容値について、有効硬化層深さが1.5mmを超え2.5mm以下の場合、単体内では(　　)と規定している。

イ　0.2 mm
ロ　0.4 mm
ハ　0.6 mm
ニ　0.8 mm

令和５年度 技能検定

１級 金属熱処理 学科試験問題

（高周波・炎熱処理作業）

1. 試験時間　1時間40分
2. 問題数　50題(A群25題、B群25題)
3. 注意事項

(1)　係員の指示があるまで、この表紙はあけないでください。

(2)　答案用紙(真偽法と多肢択一法の併用)に検定職種名、作業名、級別、受検番号、氏名を必ず記入してください。

(3)　係員の指示に従って、問題数を確かめてください。それらに異常がある場合は、黙って手を挙げてください。問題はA群(真偽法)とB群(多肢択一法)とに分かれています。

(4)　試験開始の合図で始めてください。

(5)　解答の方法(真偽法と多肢択一法の併用)は次のとおりです。

イ.　A群の問題(真偽法)は、一つ一つの問題の内容が正しいか、誤っているかを判断して解答してください。

ロ.　B群の問題(多肢択一法)は、正解と思うものを一つだけ選んで、解答してください。二つ以上に解答した場合は誤答となります。

ハ.　答案用紙(マークシート用紙)へ解答する際は、答案用紙に記載されている注意事項に従ってください。

ニ.　答案用紙の解答欄は、A群の問題とB群の問題とでは異なります。所定の解答欄に、試験問題の題数に応じて解答してください。解答欄はA群は50題まで、B群は25題まで解答できるようになっています。

(6)　電子式卓上計算機その他これと同等の機能を有するものは、使用してはいけません。

(7)　携帯電話、スマートフォン、ウェアラブル端末等は、使用してはいけません。

(8)　試験中、質問があるときは、黙って手を挙げてください。ただし、試験問題の内容、漢字の読み方等に関する質問にはお答えできません。

(9)　試験終了時刻前に解答ができあがった場合は、黙って手を挙げて、係員の指示に従ってください。

(10)　試験中に手洗いに立ちたいときは、黙って手を挙げて、係員の指示に従ってください。

(11)　試験終了の合図があったら、筆記用具を置き、係員の指示に従ってください。

［A群（真偽法）］

1 鉄－炭素系平衡状態図において、オーステナイトの炭素固溶限は4.32%である。

2 マルテンサイトを600～650℃で焼戻しして得られるソルバイトは、粒状に析出成長したセメンタイトとフェライトの混合組織である。

3 純鉄には融点以下の1392℃と911℃に固相の結晶構造が変化する変態点があり、911℃以下は面心立方晶、それ以上1392℃までは体心立方晶となる。

4 日本産業規格(JIS)の「鉄鋼用語(熱処理)」によれば、臨界直径について、「与えられた条件下での焼入れによって、その中心部において50%マルテンサイト組織をもつ長さ$3d$(d は直径)以上の丸棒の直径。」と規定している。

5 工具鋼では、焼入前のミクロ組織に層状や網目状炭化物が残留すると、焼入時の変形や割れの原因になることがある。

6 鋼においては、焼ならしよりも、焼なましの方がパーライトの層間隔が狭い。

7 熱処理品の防錆《せい》処理の一つとして、マンガンや亜鉛などを含むりん酸塩浴中に浸漬する化成処理がある。

8 炉温の比例制御において、比例帯を0%にすると、オンオフ制御となる。

9 ロックウェル硬さ試験では、球面や曲面の硬さを測定する場合、曲率ごとに測定値を補正する必要はない。

10 鋼表面の焼割れは、磁粉探傷試験で検出することができる。

11 日本産業規格(JIS)の「鋼の非金属介在物の顕微鏡試験方法」では、鋼の非金属介在物について、グループA系とグループB系の2種類に大別している。

12 砂型鋳造部品は、ダイカスト鋳造部品よりも鋳肌が優れている。

13 普通鋼に比べてステンレス鋼は、熱伝導率が高く、切削加工性に優れた被削材である。

14 ボール盤は、座ぐり、中ぐり及びリーマ通しの加工には利用できない。

15 日本産業規格(JIS)の「機械製図」によれば、基準線には細い一点鎖線を用いる。

16 電源トランスの出力電圧は、1次コイルと2次コイルの巻数比に無関係である。

［A群（真偽法）］

17 最大加熱能力が90kWの電気抵抗炉を用いて、昇温に1時間、指定温度に3時間保持した場合、消費電力量は360kWhである。

18 大気汚染防止法関係法令によれば、ばい煙が発生する熱処理用加熱炉では、硫黄酸化物、ばいじん等の排出基準が規定されている。

19 高周波焼入品の表面に発生するバーバーズマークは、冷却条件よりも加熱条件の方が、影響は大きい。

20 炎焼入れにおいて鋼を予熱する目的は、焼入れ時の割れ防止、硬化層深さの確保等である。

21 酸化炎は、中性炎と比較して炎全体の長さが長く、白心も大きくなる。

22 高周波及び低周波の両方の周波数を重《ちょう》畳《じょう》させることで、歯車を一つのコイルで歯形に沿って均一に加熱させる処理方法がある。

23 炭素鋼の丸棒を炎焼入れした場合、硬さむらを生じた部分に、微細パーライトが見られる場合がある。

24 高周波焼入れでは、前組織がフェライトと球状セメンタイトの場合、球状セメンタイト粒径が大きいほど、オーステナイト化しにくくなる。

25 日本産業規格(JIS)の「鋼の炎焼入及び高周波焼入硬化層深さ測定方法」では、ビッカース硬さ試験により硬さ推移曲線を作成する場合、測定点の間隔は、通常、0.1mm以下とすると規定されている。

［B群（多肢択一法）］

1　鉄－炭素系平衡状態図における共晶反応として、正しいものはどれか。

イ　融液＋δフェライト　→　オーステナイト

ロ　融液　→　オーステナイト＋セメンタイト

ハ　オーステナイト　→　αフェライト＋セメンタイト

ニ　オーステナイト　→　セメンタイト＋パーライト

2　マルテンサイトに関する記述として、誤っているものはどれか。

イ　拡散変態によって生じる組織である。

ロ　結晶構造は、体心正方晶である。

ハ　レンズ状などの種類がある。

ニ　低炭素鋼では、ラスマルテンサイトが生成する。

3　焼入れ後の残留オーステナイトに関する記述として、正しいものはどれか。

イ　結晶構造は、体心立方晶である。

ロ　油焼入れの方が、水焼入れよりも、残留オーステナイト量が多くなる。

ハ　強磁性を有している。

ニ　時間が経過しても、マルテンサイトには変態しない。

4　熱処理における質量効果の程度を知る方法として、誤っているものはどれか。

イ　焼入性曲線による方法

ロ　理想臨界直径による方法

ハ　等温変態曲線による方法

ニ　連続冷却変態曲線による方法

5　機械構造用合金鋼に関する記述として、正しいものはどれか。

イ　一般的に焼なまし硬さは、機械構造用炭素鋼よりも低い。

ロ　機械構造用炭素鋼よりも、焼戻軟化抵抗が大きい。

ハ　機械構造用炭素鋼と比較して、等温変態曲線のノーズが短時間側に移行する。

ニ　D_I値(理想臨界直径)は、機械構造用炭素鋼よりも小さい。

6　焼入作業に関する一般的な記述として、誤っているものはどれか。

イ　焼入れ後の硬さは、炭素含有率によって変化する。

ロ　焼入れにおいて発生する熱応力と変態応力は、焼割れの原因になる。

ハ　マルテンサイト変態開始温度は、炭素含有率に影響されない。

ニ　焼入焼戻鋼とオーステンパした鋼では、硬さが同じであれば、オーステンパした鋼の方が、より強じん性である。

［B群（多肢択一法）］

7 鋼を油焼入れした場合の冷却過程に関する記述として、誤っているものはどれか。

イ 蒸気膜段階とは、鋼が冷却剤の蒸気に包まれて冷却が遅い段階である。

ロ 沸騰段階とは、鋼表面で激しく気泡が発生し、冷却速度が大きい段階である。

ハ 対流段階とは、鋼の温度が冷却剤の沸騰点に近づき、対流によるゆっくりした冷却の段階である。

ニ 特性温度とは、沸騰段階から対流段階に移るときの温度である。

8 ショットピーニングに関する一般的な記述として、誤っているものはどれか。

イ やわらかい表面部の微細なキズを潰す。

ロ 表面近傍を加工硬化させる。

ハ 表面近傍の残留オーステナイトの一部をマルテンサイトに変態させる。

ニ 表面近傍に引張残留応力を与える。

9 温度計に関する記述として、誤っているものはどれか。

イ 抵抗温度計 → 測温抵抗体の抵抗値の変化から温度を測定する。

ロ 放射温度計 → 示温塗料を用い、色の変化から処理物の表面温度を測定する。

ハ 光高温計 → 測定対象物の輝度とフィラメントの輝度を合わせて測定する。

ニ 熱電温度計 → ゼーベック効果により発生する熱起電力を利用して測定する。

10 日本産業規格(JIS)の「熱電対」によれば、マイナス側導体が白金で構成されている熱電対はどれか。

イ J熱電対

ロ K熱電対

ハ R熱電対

ニ T熱電対

11 ステンレス鋼に関する記述として、正しいものはどれか。

イ フェライト系は、マルテンサイト系よりも耐食性が悪い。

ロ オーステナイト・フェライト系の二相ステンレス鋼は、オーステナイト系よりも応力腐食割れや粒界割れを起こしやすい。

ハ 析出硬化系にはCr－Ni系にAlを添加したものがあり、耐食性、成形性、溶接性等が改善される。

ニ 高炭素のマルテンサイト系は、機械構造用炭素鋼鋼材よりも焼入性が悪い。

12 金属材料の衝撃試験の目的として、誤っているものはどれか。

イ 吸収エネルギーを調べる。

ロ 遷移温度を調べる。

ハ ぜい性破面率を調べる。

ニ 降伏点を調べる。

［B群（多肢択一法）］

13 金属組織現出用腐食液に関する記述として、正しいものはどれか。

イ 3%ピクリン酸アルコール溶液(ピクラル)は、一般に、3%硝酸アルコール溶液(ナイタル)に比べて、粒界の現れ方が弱い。

ロ ピクリン酸ソーダ溶液は、樹枝状晶、インゴットパターン等の組織現出に適している。

ハ 塩化第二鉄アルコール塩酸溶液は、機械構造用炭素鋼の組織現出に適している。

ニ 赤血塩アルカリ溶液(村上試薬)では、複炭化物は着色されない。

14 文中の(　　)内に当てはまる語句の組合せとして、正しいものはどれか。

日本産業規格(JIS)の「鋼－結晶粒度の顕微鏡試験方法」では、混粒について、「1視野内において、最大頻度をもつ粒度番号の粒からおおむね(　①　)異なった粒度番号の粒が偏在し、これらの粒が約(　②　)の面積を占める状態にあるもの、又は視野間において(　①　)異なった粒度番号の視野が存在するもの。」と規定している。

	①	②
イ	1以上	5 %以上
ロ	1以上	10 %以上
ハ	3以上	20 %以上
ニ	3以上	40 %以上

15 日本産業規格(JIS)の「鋼の焼入性試験方法(一端焼入方法)」によれば、鋼の焼入性試験方法に関する記述として、誤っているものはどれか。

イ 焼入れは、試験片の下端面を噴水冷却して行う。

ロ 試験片の寸法は、規定されている。

ハ 焼入剤には、温度5～30℃の水を用いる。

ニ 硬さの測定位置は、通常、試験片の軸方向に焼入端から10mmを起点とする。

16 品質管理用語の説明として、誤っているものはどれか。

イ 抜取検査は、一般に、サンプルを抜き取って検査し、対象ロットの合否判定に用いる。

ロ 特性要因図とは、バラツキを判定する図である。

ハ 正規分布とは、一番多い数を中心に、中心から離れるほど数が少なくなる左右対称の確率分布をいう。

ニ p 管理図とは、比率又はパーセントで表される計数値管理図である。

［B群（多肢択一法）］

17　文中の(　　)内に当てはまる語句として、正しいものはどれか。
品質管理の手法において、下図は(　　)と呼ばれている。

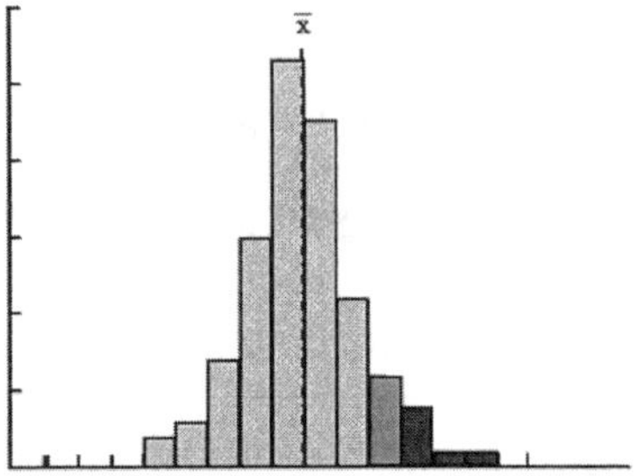

イ　パレート図
ロ　アローダイアグラム
ハ　マトリックス図
ニ　ヒストグラム

18　文中の(　　)内に当てはまる語句として、正しいものはどれか。
クレーン等安全規則では、リンクの断面の直径の減少が、当該つりチェーンが製造されたときの当該リンクの断面の直径の(　　)をこえるものについて、不適格なつりチェーンとして、その使用を禁止している。

イ　3％
ロ　5％
ハ　7％
ニ　10％

19　高周波加熱に用いるカレントトランス(電流変成器)の働きに関する記述として、正しいものはどれか。

イ　カレントトランスの形状は、加熱効率に影響しない。
ロ　コイルの電圧を大きくする。
ハ　コイルの電流を大きくする。
ニ　コイルの電流・電圧を共に大きくする。

20　高周波焼入れにおける処理条件設定に関する記述として、誤っているものはどれか。

イ　炉加熱より焼入温度を高くする。
ロ　高周波焼入れした鋼に誘導加熱を利用した焼戻しを行う場合には、焼入時の周波数より低い方が望ましい。
ハ　大径シャフトで有効硬化層深さ10mm以上を得る場合、電源発振装置としては、電子管式より、トランジスタインバータ式が適している。
ニ　有効硬化層深さは、加熱パワーと加熱時間によって決まり、冷却速度は影響しない。

［B群（多肢択一法）］

21　高周波焼入れに用いる水溶液焼入剤に関する一般的な記述として、適切でないものはどれか。

イ　濃度が高くなるほど、冷却能は低下する。

ロ　噴射量が多いほど、冷却能は向上する。

ハ　スラッジや油が混入すると、冷却能が変化する場合がある。

ニ　液温は20～60℃の範囲で管理する。

22　日本産業規格(JIS)の「鉄鋼の高周波焼入焼戻し加工」によれば、移動焼入れにより高周波焼入れを行う機械において、移動速度(mm／s)の変動範囲の精度として、正しいものはどれか。

イ　±1％

ロ　±5％

ハ　±10％

ニ　±15％

23　高周波電流発生装置に関する記述として、適切なものはどれか。

イ　電動発電機式は、トランジスタインバータ式と変換効率は同じである。

ロ　電子管式は、10kHz以下の低周波用に使用される。

ハ　電動発電機式は、50kHz以上の高周波用に使用される。

ニ　トランジスタインバータ式は、電子管式より変換効率は高い。

24　高周波焼入れの品質に関する記述として、誤っているものはどれか。

イ　炉加熱に比べて、圧縮残留応力が高い。

ロ　同一鋼種において、焼入硬さは、炉加熱による焼入れに比べて低い。

ハ　結晶粒が微細である。

ニ　大気加熱焼入れに比べ、酸化や脱炭が少ない。

25　日本産業規格(JIS)の「鋼の炎焼入及び高周波焼入硬化層深さ測定方法」によれば、ビッカース硬さ試験によって試験力4.9Nで測定し、400HVまでの高周波焼入有効硬化層深さ1.5mmが得られた場合、硬化層深さの表示記号として、正しいものはどれか。

イ　HD－H(400)1.5－E0.5

ロ　HD－H0.5－E(400)1.5

ハ　H0.5－E(400)1.5－HD

ニ　H(400)1.5－E0.5－HD

令和4年度 技能検定

1級 金属熱処理 学科試験問題

(高周波・炎熱処理作業)

1. 試験時間　1時間40分
2. 問題数　50題(A群25題、B群25題)
3. 注意事項

(1) 係員の指示があるまで、この表紙はあけないでください。

(2) 答案用紙(真偽法と多肢択一法の併用)に検定職種名、作業名、級別、受検番号、氏名を必ず記入してください。

(3) 係員の指示に従って、問題数を確かめてください。それらに異常がある場合は、黙って手を挙げてください。問題はA群(真偽法)とB群(多肢択一法)とに分かれています。

(4) 試験開始の合図で始めてください。

(5) 解答の方法(真偽法と多肢択一法の併用)は次のとおりです。

イ. A群の問題(真偽法)は、一つ一つの問題の内容が正しいか、誤っているかを判断して解答してください。

ロ. B群の問題(多肢択一法)は、正解と思うものを一つだけ選んで、解答してください。二つ以上に解答した場合は誤答となります。

ハ. 答案用紙(マークシート用紙)へ解答する際は、答案用紙に記載されている注意事項に従ってください。

ニ. 答案用紙の解答欄は、A群の問題とB群の問題とでは異なります。所定の解答欄に、試験問題の題数に応じて解答してください。解答欄はA群は50題まで、B群は25題まで解答できるようになっています。

(6) 電子式卓上計算機その他これと同等の機能を有するものは、使用してはいけません。

(7) 携帯電話、スマートフォン、ウェアラブル端末等は、使用してはいけません。

(8) 試験中、質問があるときは、黙って手を挙げてください。ただし、試験問題の内容、漢字の読み方等に関する質問にはお答えできません。

(9) 試験終了時刻前に解答ができあがった場合は、黙って手を挙げて、係員の指示に従ってください。

(10) 試験中に手洗いに立ちたいときは、黙って手を挙げて、係員の指示に従ってください。

(11) 試験終了の合図があったら、筆記用具を置き、係員の指示に従ってください。

［A群（真偽法）］

1　Fe－C系平衡状態図において、フェライトの炭素固溶量は最大で0.21％である。

2　ベイナイト組織において、上部ベイナイトでは、フェライト晶の境界にFe_3Cが析出する。

3　等温変態曲線のノーズ温度における変態開始線までの時間は、過冷オーステナイトが安定している鋼ほど長い。

4　同一鋼種において、オーステナイト結晶粒が大きいほど焼入性がよい。

5　工具鋼では、焼入前のミクロ組織において炭化物の球状化が不完全であると、焼入時の変形や割れの原因となる場合がある。

6　吸熱型変成ガスの主成分の一つは、CO_2である。

7　ショットピーニングにおけるピーニング強さは、一般に、アルメンアークハイトで表される。

8　R熱電対は、プラス側導体が白金ロジウム合金、マイナス側導体が白金である。

9　ブリネル硬さ試験では、鋼の場合、一般に、10mmの超硬合金球の圧子と試験力29.42kNが用いられる。

10　超音波探傷試験は、主に表面の割れやきずを検出する方法であり、内部欠陥の位置や大きさについては検出することができない。

11　日本産業規格(JIS)では、常温でオーステナイト組織でない鋼の結晶粒度の顕微鏡試験方法として、浸炭粒度試験方法と熱処理粒度試験方法を規定している。

12　ダイカスト鋳造品は、砂型鋳造品に比べ、一般に表面肌がきれいである。

13　オーステナイト系ステンレス鋼は、一般に、被削性が悪い。

14　マシニングセンタは、フライス削りはできるが、穴あけ加工やねじ立て加工はできない。

15　日本産業規格(JIS)の「機械製図」によれば、想像線には細い破線を用いる。

16　鋼の電気抵抗は、一般に、合金元素量の増加とともに小さくなり、さらに昇温に伴って減少する。

［A群（真偽法）］

17　50Hzで使用していた誘導電動機を60Hzで使用すると、単位時間当たりの回転数は多くなる。

18　水質汚濁防止法関係法令では、排水の汚染状態について基準を定める有害物質には、カドミウム及びシアン化合物が含まれる。

19　酸素―アセチレン炎の最高温度は、炎の白心部分の先端近傍にある。

20　日本産業規格(JIS)の「鉄鋼の高周波焼入焼戻し加工」によれば、加工の種類のうち、高周波焼入れ・高周波焼戻しは、HQI－HTIと表記する。

21　歯車の歯部を定置回転一発焼入れする場合、モジュールの小さいものほど、高周波電源の周波数を低くする。

22　高周波焼入れした鋼に誘導加熱を利用した焼戻しを行う場合は、焼入れ時の周波数より低い方が望ましい。

23　高周波熱処理は、オーステナイト域に加熱後、急冷すると、A_3又はA_1変態点直下からマルテンサイト変態が進行する。

24　鋼の高周波焼入れで、キー溝部で焼割れが発生するのは冷却速度の不均一が主な原因である。

25　高周波焼入れした鋼表面の残留応力は、X線応力測定法では、測定できない。

［B群（多肢択一法）］

1　γ鉄固溶体の炭素固溶限の最大値として、正しいものはどれか。
　イ　0.10％
　ロ　0.77％
　ハ　2.14％
　ニ　4.32％

2　金属組織に関する記述として、正しいものはどれか。
　イ　繊維状組織は、冷間加工によって生じやすい。
　ロ　パーライト組織は、フェライトと黒鉛の共析晶である。
　ハ　ソルバイト組織は、フェライト中に黒鉛が析出したものである。
　ニ　マルテンサイト組織は、フェライト中にセメンタイトが析出した組織である。

3　Ar″点に関する記述として、正しいものはどれか。
　イ　ベイナイト変態が開始する温度
　ロ　パーライト変態が開始する温度
　ハ　マルテンサイト変態が開始する温度
　ニ　トルースタイトが生成し始める温度

4　次の元素のうち、鋼の焼入性に及ぼす影響が最も大きいものはどれか。
　イ　Ni
　ロ　Mn
　ハ　Mo
　ニ　Cr

5　鉄鋼の高温焼戻ぜい性の軽減に有効な元素は、次のうちどれか。
　イ　Mo
　ロ　Ni
　ハ　Cr
　ニ　Mn

6　表面硬化法に関する記述として、誤っているものはどれか。
　イ　ガス浸炭処理に用いる吸熱型変成ガスの原料は、炭化水素ガスである。
　ロ　プラズマ窒化は、グロー放電を利用した方法である。
　ハ　ガス軟窒化処理には、吸熱型変成ガス＋NH_3などが用いられる。
　ニ　高周波焼入れでは、周波数が高くなるほど硬化層深さは深くなる。

［B群（多肢択一法）］

7 文中の(　　)内に当てはまる語句として、正しいものはどれか。
熱処理炉の炉材として用いられる耐火材のうち、酸性耐火材は、一般に、(　　)を多量に含有している。
イ けい酸
ロ アルミナ
ハ マグネシア
ニ セラミックファイバ

8 脱脂に関する記述として、誤っているものはどれか。
イ 脱脂方法の一つとして、乳化剤脱脂法がある。
ロ 脱脂剤の一つとして、塩素系有機溶剤がある。
ハ 炭化水素系脱脂剤を使った脱脂方法には、蒸気法がある。
ニ アルカリ脱脂剤として、苛性ソーダを用いない。

9 温度測定に関する記述として、正しいものはどれか。
イ 熱電温度計は、測定子の電気抵抗を測定して測温する。
ロ 光高温計は、測定子の熱起電力を測定して測温する。
ハ 放射温度計は、測定対象からの放射エネルギーを測定して測温する。
ニ 示温塗料は、燃焼する温度を設定した塗料の燃焼状態から測温する。

10 日本産業規格(JIS)の「熱電対」によれば、次のうち、種類の記号として規定されていないものはどれか。
イ J熱電対
ロ K熱電対
ハ S熱電対
ニ Z熱電対

11 一般に、青銅は銅と他の元素との合金であるが、その主元素として次のうち最も適切なものはどれか。
イ Sn
ロ Al
ハ Si
ニ Ni

12 引張試験に関する記述として、正しいものはどれか。
イ 耐力は、原断面積を降伏点で除した値
ロ 引張強さは、最大試験力を原断面積で除した値
ハ 絞りは、破断後の最小断面積を原断面積で除した値
ニ 破断伸びは、破断後の最終標点距離を原標点距離で除した値

［B群（多肢択一法）］

13　日本産業規格(JIS)の「鋼－結晶粒度の顕微鏡試験方法」に関する記述として、誤っているものはどれか。

イ　フェライト結晶粒は、通常は炭素含有量が0.25%以下の炭素鋼又はフェライト系ステンレス鋼について規定している。

ロ　細粒鋼と粗粒鋼の区分がある。

ハ　視野間において3以上異なった粒度番号の視野が存在するものは混粒に該当する。

ニ　粒度番号の大きいものほど、単位面積当たりの結晶粒の数は少ない。

14　文中の(　　)内に当てはまる語句として、適切なものはどれか。

日本産業規格(JIS)によれば、結晶粒度の顕微鏡試験方法において、結晶粒の観察に用いられる顕微鏡倍率は、通常(　　)である。

イ　50 倍

ロ　100 倍

ハ　150 倍

ニ　200 倍

15　日本産業規格(JIS)における「鋼の焼入性試験方法(一端焼入方法)」に規定されている試験片の全長として、正しいものはどれか。

イ　50±0.5 mm

ロ　75±0.5 mm

ハ　100±0.5 mm

ニ　125±0.5 mm

16　文中の(　　)内に当てはまる語句として、適切なものはどれか。

日本産業規格(JIS)によれば、下図はQC七つ道具における(　　)の一例である。

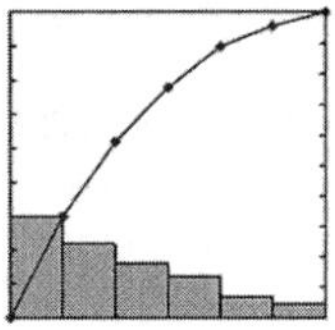

イ　パレート図

ロ　ヒストグラム

ハ　特性要因図

ニ　連関図

［Ｂ群（多肢択一法）］

17　文中の(　　)内に当てはまる語句として、正しいものはどれか。

日本産業規格(JIS)の「統計－用語及び記号」では、(　　)について、「サンプルサイズが変動する場合に、単位当たりの発生数を評価するための計数値管理図。」と規定している。

イ　u管理図

ロ　c管理図

ハ　p管理図

ニ　np管理図

18　労働安全衛生法関係法令による玉掛け作業の安全性に関する記述として、誤っているものはどれか。

イ　ワイヤロープ一(ひと)よりの間において素線の数の10%以上の素線が切断しているものは使用してはならない。

ロ　ワイヤロープの直径の減少が公称径の7%を超えるものは使用してはならない。

ハ　鎖については、その伸びが当該鎖が製造されたときの長さの5%を超えるものは使用してはならない。

ニ　揚貨装置の玉掛けに用いるフック又はシャックルの安全係数については、2以上としなければならない。

19　炎焼入れの燃料として用いられるガスにおいて、次のうち、最高炎温度が最も高いものはどれか。

イ　ブタン(C_4H_{10})

ロ　プロパン(C_3H_8)

ハ　プロピレン(C_3H_6)

ニ　アセチレン(C_2H_2)

20　高周波誘導加熱に関する記述として、誤っているものはどれか。

イ　高周波電流による発熱現象は、ヒステリシス損とうず電流損によるものがある。

ロ　高周波加熱による円筒状金属体に発生する電力は、近似的にはコイル(誘導子)に流れる電流の二乗に比例する。

ハ　高周波加熱において、ワークの半径が小さくなると、臨界周波数は低くなる。

ニ　表皮効果とは、被加熱物に流れる電流は周波数が高いほど、表面に集中してくる性質をいう。

［Ｂ群（多肢択一法）］

21 コイル(誘導子)及びカレントトランス(電流変成器)が加熱効率に及ぼす影響に関する記述として、誤っているものはどれか。

イ　高周波加熱に使用されるコイルの加熱効率は、巻き数が多い方が悪い。

ロ　高周波焼入装置におけるカレントトランスの役割は、電源から供給される高電圧小電流を加熱コイルに必要とされる低電圧大電流に変換することである。

ハ　高周波加熱でコイルの一部に使用される磁性コアは、加熱効率を良くするが、透磁率の高いものが適している。

ニ　高周波電力の伝送効率は、加熱コイルとカレントトランスの設計によって著しく異なる。

22 高周波焼入れに関する記述として、誤っているものはどれか。

イ　加熱効率が良く、作業時間が短いので、省エネルギーである。

ロ　量産工場の機械加工工程と同様に、流れ作業ができる。

ハ　電気エネルギーを用いた直接加熱であるため、作業環境が比較的清潔である。

ニ　硬化層深さは、加熱時間や加熱温度では調整することができない。

23 高周波熱処理における作業条件設定に関する記述として、誤っているものはどれか。

イ　焼入加熱温度は、焼入れが可能な範囲であれば、より低い方が望ましい。

ロ　直径が小さい長尺品を移動焼入れする場合、横型では、支持ローラを用いて、変形低減を図る。

ハ　焼戻しは、一般に、加熱炉を用いて100～200℃での低温焼戻しが行われる。

ニ　水溶液焼入剤のうち、PEG系とPAG系は、PVA系に比べて被膜強度が高い。

24 高周波焼入れにおいて、置割れの原因となる金属組織はどれか。

イ　ベイナイト

ロ　残留オーステナイト

ハ　ソルバイト

ニ　微細パーライト

25 日本産業規格(JIS)の「鋼の炎焼入及び高周波焼入硬化層深さ測定方法」に関する記述として、誤っているものはどれか。

イ　高周波焼入れにおいて、ビッカース硬さ試験によって試験力2.9Nで測定し、450HVまでの高周波焼入有効硬化層深さ1.5mmの場合、表示記号で表すと、HD-H0.3-E(450)1.5となる。

ロ　測定方法の一つとして、マクロ組織試験による測定方法が規定されている。

ハ　炭素含有率0.43％以上0.53％未満の鋼についてビッカース硬さ試験を行う場合、有効硬化層の限界硬さの値は500HVである。

ニ　ビッカース硬さ試験を行う場合、隣り合うくぼみの中心の間隔は、くぼみの対角線の長さの3倍以上とする。

令和３年度 技能検定

１級 金属熱処理 学科試験問題

（高周波・炎熱処理作業）

1. 試験時間　1時間40分
2. 問題数　50題(A群25題、B群25題)
3. 注意事項

(1)　係員の指示があるまで、この表紙はあけないでください。

(2)　答案用紙(真偽法と多肢択一法の併用)に検定職種名、作業名、級別、受検番号、氏名を必ず記入してください。

(3)　係員の指示に従って、問題数を確かめてください。それらに異常がある場合は、黙って手を挙げてください。問題はA群(真偽法)とB群(多肢択一法)とに分かれています。

(4)　試験開始の合図で始めてください。

(5)　解答の方法(真偽法と多肢択一法の併用)は次のとおりです。

イ．　A群の問題(真偽法)は、一つ一つの問題の内容が正しいか、誤っているかを判断して解答してください。

ロ．　B群の問題(多肢択一法)は、正解と思うものを一つだけ選んで、解答してください。二つ以上に解答した場合は誤答となります。

ハ．　答案用紙(マークシート用紙)へ解答する際は、答案用紙に記載されている注意事項に従ってください。

ニ．　答案用紙の解答欄は、A群の問題とB群の問題とでは異なります。所定の解答欄に、試験問題の題数に応じて解答してください。解答欄はA群は50題まで、B群は25題まで解答できるようになっています。

(6)　電子式卓上計算機その他これと同等の機能を有するものは、使用してはいけません。

(7)　携帯電話、スマートフォン、ウェアラブル端末等は、使用してはいけません。

(8)　試験中、質問があるときは、黙って手を挙げてください。ただし、試験問題の内容、漢字の読み方等に関する質問にはお答えできません。

(9)　試験終了時刻前に解答ができあがった場合は、黙って手を挙げて、係員の指示に従ってください。

(10)　試験中に手洗いに立ちたいときは、黙って手を挙げて、係員の指示に従ってください。

(11)　試験終了の合図があったら、筆記用具を置き、係員の指示に従ってください。

［A群（真偽法）］

1　鉄－炭素系平衡状態図において、オーステナイト単相域とオーステナイト＋セメンタイトの二相域との境界温度はA_3線である。

2　オーステナイト域に加熱した鋼を、等温変態曲線のノーズ直上の温度で等温保持すると、上部ベイナイト組織となる。

3　マルテンサイト変態時に残留するオーステナイトの結晶構造は、体心立方晶である。

4　鋼を理想焼入れしたときに、中心部が100％マルテンサイト組織になる丸棒の直径を、理想臨界直径という。

5　工具鋼では、焼入前のミクロ組織に層状や網目状炭化物が残留すると、焼入時の変形や割れの原因になることがある。

6　物理蒸着法(PVD法)は、高温加熱やスパッタリングなどの物理的方法で物質を蒸発し、製品の表面に凝縮させて、薄膜を形成する処理である。

7　熱処理品の防錆《せい》処理の一つとして、マンガンや亜鉛などを含むりん酸塩浴中に浸漬する化成処理がある。

8　熱処理炉の炉温制御を比例動作で行う場合、昇温終了後の炉温は、常に設定温度と等しくなる。

9　シャルピー衝撃試験において、シャルピー衝撃値は、衝撃時の吸収エネルギーが小さいほど大きくなる。

10　超音波探傷試験は、内部のきずの位置を検出することができる。

11　磁粉探傷試験を行う場合、磁界の方向は、試験面に直角にする。

12　日本産業規格(JIS)によれば、ティグ溶接では、電極にタングステンを、シールドガスにアルゴン等を用いる。

13　オーステナイト系ステンレス鋼は、フェライト系ステンレス鋼と比べて、被削性が優れている。

14　フライス盤加工の仕上げ面粗さは、一般に、送り速度を速くすると粗くなる。

［A群（真偽法）］

15 日本産業規格(JIS)の機械製図では、線の種類として、実線、破線及び一点鎖線の3種類と規定されている。

16 抵抗が同じ導線を流れる電流の大きさは、電圧に反比例する。

17 湿気やじん埃の発生する場所で電動機を使用する場合は、全閉型が適している。

18 大気汚染防止法関係法令によれば、ばい煙には、「燃料その他の物の燃焼に伴い発生するいおう酸化物」も含まれる。

19 高周波焼入れした鋼の表面に生じる圧縮残留応力は、じん性の向上に大きな効果がある。

20 焼入れ時の硬さに差があっても、焼戻し後の硬さが同一であれば、機械的性質は変わらない。

21 S45Cの高周波焼入れでは、前組織のフェライト面積率が大きくなるに従って、有効硬化層深さが深くなる。

22 シャフトの外周を高周波焼入れで縦型移動焼入れする場合、コイルからの冷却剤の噴射方向は、外周面に対して直角にするとよい。

23 高周波焼入れにおける焼割れ防止の1つとして、焼きの入る温度範囲内で、冷却を遅らせて焼入れする方法がある。

24 高周波焼入れにおいて、鋼中に存在する偏析や非金属介在物は、割れ感受性を高める。

25 高周波焼入れした鋼表面の残留応力は、X線応力測定法以外でも測定が可能である。

［B群（多肢択一法）］

1 Fe－C系平衡状態図において、レデブライトを生成する変態として、正しいものはどれか。

イ　磁気変態
ロ　共析変態
ハ　共晶変態
ニ　包晶変態

2 セメンタイトに関する記述として、正しいものはどれか。

イ　包晶反応によって生じる炭化物である。
ロ　約780℃で磁気変態が発生する。
ハ　FeとCの原子比が3：1の鉄炭化物で、Cの質量%は約6.7%である。
ニ　結晶構造は面心立方格子である。

3 日本産業規格(JIS)の「熱処理油剤」において、熱処理油の1種2号の品質及び性状に係る項目として、定められていないものはどれか。

イ　特性温度
ロ　800℃から400℃までの冷却秒数
ハ　全酸化
ニ　水分

4 質量効果に関する記述として、誤っているものはどれか。

イ　焼入性曲線から判定できる。
ロ　連続冷却変態曲線の臨界冷却速度から判定できる。
ハ　等温変態曲線から判定できる。
ニ　理想臨界直径が大きいほど、質量効果が小さい。

5 機械構造用合金鋼鋼材に関する記述として、誤っているものはどれか。

イ　SCM440Hは、SCr420Hよりも焼入性が良い。
ロ　SNCM材は、SCM材よりも自硬性が大きい。
ハ　Moの添加は、高温焼戻ぜい性を抑制する。
ニ　SCM822とSNCM420は、理想臨界直径が同じである。

6 焼なまし処理に関する記述として、誤っているものはどれか。

イ　焼なましの目的は、軟化、残留応力の除去、組織の調整などである。
ロ　応力除去焼なましは、A_1変態点以下の焼なまし温度が適用され、これを低温焼なましともいう。
ハ　高炭素鋼、工具鋼などは、焼入れの前処理として球状化焼なましを行う。
ニ　完全焼なましを行うと、引張強さが改善され強くなる。

［B群（多肢択一法）］

7 焼入加熱炉に使用される炉材の説明として、誤っているものはどれか。

イ 酸性耐火材は、けい酸を多量に含むレンガである。

ロ 中性耐火材は、アルミナを主成分とするレンガである。

ハ 塩基性耐火材は、マグネシアを主成分とするレンガである。

ニ 耐火モルタルは、炉壁の断熱材としても用いられる。

8 ショットピーニングの効果に関する記述として、誤っているものはどれか。

イ 疲労強度が向上する。

ロ 表面近傍を加工硬化させる。

ハ 表面近傍に引張残留応力が生じる。

ニ 表面近傍の残留オーステナイトの一部をマルテンサイトに変態させる。

9 温度測定に関する記述として、誤っているものはどれか。

イ 熱電温度計は、熱起電力を測定して測温する。

ロ 光高温計は、電気抵抗を測定して測温する。

ハ 放射温度計は、放射エネルギーを測定して測温する。

ニ 示温塗料は、塗料表面の色の変化から温度を推測する。

10 熱電温度計に関する記述として、正しいものはどれか。

イ 基準接点を必要としない。

ロ 測温部に熱電対を用いる。

ハ 測温範囲は、1000℃以下に限られる。

ニ 補償導線を必ず使用しなければならない。

11 鉄鋼材料の素材欠陥に関する記述として、正しいものはどれか。

イ CやMnなどの偏析は、キルド鋼よりもリムド鋼の方が多い。

ロ 鋳鋼品には、凝固するときに体積が収縮して生じる引け巣(パイプ)が少ない。

ハ 鋼塊や鋳物などに生ずる気泡(ブローホール)は、冷間圧延で除去することができる。

ニ Ni−Cr−Mo鋼などに生じやすい白点は、酸素の影響である。

12 硬さ試験に関する記述として、誤っているものはどれか。

イ ブリネル硬さ → くぼみの直交する2方向の直径を測定して、その平均値から求める。

ロ ビッカース硬さ → くぼみの対角線長さを測定して、その平均値から求める。

ハ ロックウェル硬さ → Bスケールでは、永久くぼみ深さhから、100−h／0.002の式を用いて求める。

ニ ショア硬さ → 測定値を0.5HSまで読み取り、連続して測定した5点の平均値から求める。

［B群（多肢択一法）］

13 光学顕微鏡を用いた組織の観察により調べることができるものとして、誤っているものはどれか。

イ　非金属介在物の有無

ロ　鋼のしま状組織の有無

ハ　鋼の結晶構造

ニ　鋼表面の脱炭の有無

14 日本産業規格(JIS)に規定されている鋼の結晶粒度の顕微鏡試験方法に関する記述として、誤っているものはどれか。

イ　フェライト又はオーステナイトの結晶粒度を測定するための試験方法である。

ロ　負数(マイナス)を示す粒度番号がある。

ハ　細粒鋼と粗粒鋼の区分がある。

ニ　粒度番号の大きいものほど、単位面積当たりの結晶粒の数は少ない。

15 文中の(　　)内に当てはまる語句として、適切なものはどれか。

Uカーブ(U曲線)とは、焼入れされた丸棒の(　　)の硬さを測定して得られた硬さ曲線である。

イ　外周

ロ　軸

ハ　横断面

ニ　縦断面

16 品質管理において、測定値の存在する範囲をいくつかの区間に分けた場合、各区間を底辺とし、その区間に属する測定値の度数に比例する面積を持つ長方形を並べた図はどれか。

イ　管理図

ロ　正規分布図

ハ　特性要因図

ニ　ヒストグラム

17 品質管理で用いる管理図に関する記述として、誤っているものはどれか。

イ　$\overline{X}$管理図では、群の平均値$\overline{X}$を用いて工程水準を評価できる。

ロ　R管理図では、特性値のばらつきの変化を評価できる。

ハ　np管理図では、サンプルサイズが一定の場合、不適合品数を評価できる。

ニ　$\overline{X}-$R管理図では、一つの群の計数値データを用いる。

［B群（多肢択一法）］

18　労働安全衛生法関係法令によれば、玉掛けの安全性に関する記述として、正しいものはどれか。

イ　ワイヤロープ一《ひと》よりの間において素線の20%程度の切断でも、使用可能であれば用いてもよい。

ロ　ワイヤロープの直径の減少が公称径の7%を超えるものは使用してはならない。

ハ　ワイヤロープに著しい形くずれ又は腐食があっても、使用可能であれば用いてもよい。

ニ　つり上げ荷重が、1トン未満のクレーンの玉掛け業務は、軽量なため特別教育を必要としない。

19　高周波電源に関する記述として、適切なものはどれか。

イ　電動発電機式は、変換効率がトランジスタインバータ式と同等である。

ロ　電子管式は、10kHz未満の周波数で使用される。

ハ　トランジスタインバータ式は、変換効率が電子管式よりも高い。

ニ　サイリスタインバータ式は、20kHz以上の高周波用に使用される。

20　高周波焼入れに用いる水溶液焼入剤に関する記述として、正しいものはどれか。

イ　PEG系とPAG系では、光屈折計(糖度計)を用いて液濃度を測定する。

ロ　水溶液焼入剤は、濃度を高くするほど、焼入冷却能は向上する。

ハ　水溶液焼入剤は、種類が異なっても、最適な濃度範囲や濃度に対する冷却速度範囲は同じである。

ニ　日本産業規格(JIS)では、鉄鋼の高周波焼入焼戻し加工について、水溶液焼入剤の温度は40～80℃、濃度は5～10%と規定している。

21　高周波焼入れに関する記述として、誤っているものはどれか。

イ　高周波焼入れによって得られる高い表面硬さによって、耐摩耗性を向上させることができる。

ロ　加熱時間が短く、実用的に問題となる表面の脱炭及び酸化はほとんどない。

ハ　要求硬化層深さに対応した周波数を選定することによって、硬化層深さの調節が可能である。

ニ　急速短時間加熱のため、オーステナイト結晶粒の成長が進行しやすい。

22　高周波焼入れにより生じる圧縮残留応力に関する記述のうち、誤っているものはどれか。

イ　一般に、移動焼入材は一発焼入材に比べて、硬化部における圧縮残留応力の最大値が大きい。

ロ　炭素鋼に含まれる炭素量によって、高周波焼入れで得られる圧縮残留応力の最大値は変化する。

ハ　疲労強度が向上する。

ニ　圧縮残留応力により硬さが高くなる。

［B群（多肢択一法）］

23　高周波焼入れに関する記述として、誤っているものはどれか。

　イ　高周波焼入れにおいて置割れ発生の原因となる金属組織は、残留オーステナイトである。

　ロ　焼入温度は、焼入れが可能な範囲で低い方が望ましい。

　ハ　硬化層深さの調節は、周波数を一定にして投入電力を変更するより、冷却速度を変更する方が、効果が大きい。

　ニ　高周波加熱でコイルの一部に使用される磁性コアは、透磁率の大きいものが適している。

24　高周波焼入れの品質に関する記述として、誤っているものはどれか。

　イ　炉加熱による焼入組織のマルテンサイトに比べ、高周波焼入れのマルテンサイトは微細な組織となる。

　ロ　同一鋼種において、最高焼入硬さは、炉加熱による焼入れに比べて低くなる。

　ハ　短時間の表面加熱、部分加熱のため変形は少ない。

　ニ　大気加熱焼入れに比べ、酸化脱炭が少ない。

25　日本産業規格(JIS)の「鋼の炎焼入及び高周波焼入硬化層深さ測定方法」に関する記述として、誤っているものはどれか。

　イ　高周波焼入れにおいて、ビッカース硬さ試験によって試験力2.9Nで測定し、450HVまでの高周波焼入有効硬化層深さ1.5mmの場合、表示記号で表すと、HD-H0.3-E(450)1.5となる。

　ロ　測定方法として、硬さ試験による測定方法とマクロ組織試験による測定方法が規定されている。

　ハ　炭素含有率0.43%以上0.53%未満の鋼についてビッカース硬さ試験を行う場合、有効硬化層の限界硬さの値は450HVである。

　ニ　ビッカース硬さ試験を行う場合、隣り合うくぼみの中心の間隔は、くぼみの対角線の長さの2倍以上とする。

金属熱処理

正解表

令和５年度　２級　実技試験（計画立案等作業試験）正解表
金属熱処理（一般熱処理作業）

問題番号	正　解			
	設問1	設問2		
		(A)	(B)	(C)
1	ウ	ウ	イ	ア

問題番号	正　解				
	設問3				
	(A)	(B)	(C)	(D)	(E)
1	イ	イ	ウ	ウ	イ

問題番号	正　解				
	設問1		設問2	設問3	
	(A)	(B)		(A)	(B)
2	ア	ア	ア	イ	ア

問題番号	正　解				
	設問 1	設問 2		設問 3	設問 4
		(A)	(B)		
3	ア	イ	イ	エ	イ

問題番号	正　解			
	設問1	設問2	設問 3	設問 4
4	イ	ウ	ウ	エ

令和4年度　2級　実技試験（計画立案等作業試験）正解表
金属熱処理（一般熱処理作業）

問題番号	正　解

1

設問1	設問2	設問3	設問4
ア	エ	イ	ア

2

設問1	設問2	設問3	設問4
ア	エ	ア	イ

3

設問1		設問2	設問3		設問4	設問5
焼ならし温度	冷却方法		焼入加熱温度	冷却方法		
イ	イ	ア	ウ	ウ	ア	ウ

4

設問1	設問2					設問3
	A	B	C	D	E	
ウ	ケ	ア	サ	エ	イ	エ

令和3年度　2級　実技試験（計画立案等作業試験）正解表
金属熱処理（一般熱処理作業）

問題番号	正　　　　解

1

設問1	設問2					設問3
	A	B	C	D	E	
ハ	ヘ	ロ	イ	ハ	ハ	ニ

2

設問1	設問2	設問3		設問4	設問5
		A	B		
イ	ハ	ロ	ロ	ハ	ニ

3

設問1	設問2	設問3				設問4
		A	B	C	D	
ロ	ロ	ハ	ロ	イ	ニ	ニ

4

設問1	設問2					設問3
	A	B	C	D	E	
ハ	ホ	ハ	ロ	ロ	ニ	ハ

令和５年度　１級　実技試験（計画立案等作業試験）正解表
金属熱処理（一般熱処理作業）

問題番号	設問1	設問2	設問3	設問4
1	ア	ウ	ア	イ

問題番号	設問1	設問2			設問3			
		(A)	(B)	(C)	(A)	(B)	(C)	(D)
2	イ	エ	イ	イ	エ	ア	カ	ウ

問題番号	(A)	(B)	(C)	(D)	(E)	(F)	(G)	(H)	(I)	(J)
3	イ	キ	エ	ウ	ウ	エ	イ	ク	コ	ア

問題番号	設問1	設問2	設問3
4	56～62 mm	23～28 mm	0.6 %

問題番号	①	②	③	④	⑤
5	オ	カ	ウ	コ	ク

問題番号	設問 1	設問 2		設問 3	設問 4
		①	②		
6	イ	イ	エ	ダイヤル	0.72 mm

令和４年度　１級　実技試験（計画立案等作業試験）正解表
金属熱処理（一般熱処理作業）

問題番号	正解

1

設問 1	設問 2				設問 3
	A	B	C	D	
エ	キ	ケ	ア	エ	ウ

2

設問 1	設問 2				
	A	B	C	D	E
イ	ウ	イ	エ	ア	オ

3

設問1			設問2	
①	②	③	④	⑤
イ	エ	オ	ウ	オ

設問 2		設問 3		
⑥	⑦	⑧	⑨	⑩
エ	ク	エ	ア	ウ

4

設問1		設問2	設問3					
A	B		A	B	C	D	E	F
ア	イ	イ	ク	ウ	コ	ア	キ	オ

5

①	②	③	④	⑤
ウ	オ	ク	ケ	エ

6

設問 1	設問 2	設問 3		
		① 内径が最大の写真	② 内径が最大の写真の内径値	③ 最大値と最小値の差
ノギス	2	B (写真 B も可)	50.15 mm	0.20 mm

令和３年度　１級　実技試験（計画立案等作業試験）正解表
金属熱処理（一般熱処理作業）

問題番号	正解

1

設問 1	設問 2	設問 3	設問 4	設問 5	設問 6
ロ	ハ	イ	ハ	ロ	ロ

2

設問 1	設問 2	設問 3				設問 4
		A	B	C	D	
イ	ニ	ヘ	イ	チ	ホ	ロ

3

設問 1	設問 2			設問 3	設問 4
	A	B	C		
ロ	リ	ハ	ヘ	イ	ロ

4

設問1	設問2		設問3							
	A	B	A	B	C	D	E	F	G	H
ハ	チ	ハ	タ	ヲ	ロ	ワ	ニ	ト	ホ	カ

5

①	②	③	④	⑤
チ	ヌ	ニ	ル	ロ

6

設問 1	設問 2	設問 3			
		1	2	3	4
イ	真円度、又は 真円度公差	ヘ	チ	イ	ホ

設問 4				設問 5
写真 A	写真 B	写真 C	写真 D	
70.020mm	70.000mm	69.970mm	69.985mm	0.025mm

令和５年度　２級　実技試験（計画立案等作業試験）正解表
金属熱処理（浸炭・浸炭窒化・窒化処理作業）

<table>
<tr><th>問題番号</th><th>正　解</th></tr>
<tr><td>1</td><td>
<table>
<tr><th rowspan="2">設問 1</th><th colspan="5">設問 2</th></tr>
<tr><th>(A)</th><th>(B)</th><th>(C)</th><th>(D)</th><th>(E)</th></tr>
<tr><td>ウ</td><td>エ</td><td>イ</td><td>オ</td><td>イ</td><td>ア</td></tr>
</table>
<table>
<tr><th colspan="4">設問 3</th></tr>
<tr><th>(A)</th><th>(B)</th><th>(C)</th><th>(D)</th></tr>
<tr><td>ア</td><td>イ</td><td>ウ</td><td>ウ</td></tr>
</table>
</td></tr>
<tr><td>2</td><td>
<table>
<tr><th rowspan="2">設問 1</th><th rowspan="2">設問 2</th><th colspan="2">設問 3</th><th rowspan="2">設問 4</th></tr>
<tr><th>(A)</th><th>(B)</th></tr>
<tr><td>ウ</td><td>イ</td><td>イ</td><td>ウ</td><td>ウ</td></tr>
</table>
</td></tr>
<tr><td>3</td><td>
<table>
<tr><th colspan="4">設問 1</th></tr>
<tr><th>(A)</th><th>(B)</th><th>(C)</th><th>(D)</th></tr>
<tr><td>ウ</td><td>イ</td><td>イ</td><td>ア</td></tr>
</table>
<table>
<tr><th colspan="4">設問 2</th><th rowspan="2">設問 3</th></tr>
<tr><th>(A)</th><th>(B)</th><th>(C)</th><th>(D)</th></tr>
<tr><td>ウ</td><td>エ</td><td>カ</td><td>ケ</td><td>ウ</td></tr>
</table>
</td></tr>
<tr><td>4</td><td>
<table>
<tr><th colspan="4">設問 1</th></tr>
<tr><th>A</th><th>B</th><th>C</th><th>D</th></tr>
<tr><td>オ</td><td>イ</td><td>エ</td><td>ク</td></tr>
</table>
<table>
<tr><th>設問 2</th><th>設問 3</th><th>設問 4</th></tr>
<tr><td>ウ</td><td>ウ</td><td>イ</td></tr>
</table>
</td></tr>
</table>

令和４年度　２級　実技試験（計画立案等作業試験）正解表
金属熱処理（浸炭・浸炭窒化・窒化処理作業）

問題番号	正　　解

1

設問1				設問2					
①	②	③	④	(A)	(B)	(C)	(D)	(E)	(F)
ア	ウ	イ	エ	エ	イ	オ	イ	ア	イ

設問 3			設問 4
	測定位置①	測定位置②	
硬さ分布曲線	A	B	エ
有効硬化層深さ	ウ	ア	

2

設問 1	設問 2	設問 3	設問 4	設問 5
ア	ウ	ウ	ア	ウ

3

設問 1		設問 2	設問 3	設問 4	
焼入温度	焼戻温度			(A)	(B)
イ	ウ	イ	イ	イ	ウ

4

設問 1				設問 2	設問 3			
A	B	C	D		(a)	(b)	(c)	(d)
カ	イ	エ	オ	ウ	ウ	エ	カ	ケ

令和３年度　２級　実技試験（計画立案等作業試験）正解表
金属熱処理（浸炭・浸炭窒化・窒化処理作業）

問題番号	設問1	設問2						設問3		
		(a)	(b)	(c)	(d)	(e)	(f)	(a)	(b)	(c)
1	ロ	ロ	ニ	ハ	ロ	ニ	ホ	ホ	ニ	イ

問題番号	設問 1	設問 2	設問 3	設問 4	設問 5
2	ハ	ハ	イ	ハ	ハ

問題番号	設問 1		設問 2				設問 3	設問 4	
	焼入温度	焼戻温度	(a)	(b)	(c)	(d)		(a)	(b)
3	ロ	イ	ハ	ロ	ハ	イ	ロ	ホ	ハ

問題番号	①	②	③	④	⑤	⑥	⑦	⑧
4	ル	カ	ホ	チ	イ	ニ	ヨ	ワ

令和５年度　１級　実技試験（計画立案等作業試験）正解表
金属熱処理（浸炭・浸炭窒化・窒化処理作業）

問題番号	正解

1

設問1				
[A]	[B]	[C]	[D]	[E]
ク	オ	ウ	エ	ア

設問2						設問3	設問4
(A)	(B)	(C)	(D)	(E)	(F)		
ク	カ	イ	イ	ウ	イ	ウ	ウ

2

設問 1					設問 2	設問 3	設問 4
(A)	(B)	(C)	(D)	(E)			
イ	ウ	イ	オ	ウ	ウ	イ	エ

3

①	②	③	④	⑤	⑥	⑦	⑧	⑨
ケ	オ	カ	エ	サ	ト	タ	セ	ア

4

設問 1							
A	B	C	D	E	F	G	H
サ	ウ	ア	ケ	コ	イ	オ	カ

設問 2	設問 3				設問 4	設問 5
	(A)	(B)	(C)	(D)		
ウ	ク	ウ	エ	キ	イ	エ

5

①	②	③	④	⑤
オ	カ	ウ	コ	ク

6

設問 1	設問 2		設問 3	設問 4
	①	②		
イ	イ	エ	ダイヤル	0.72 mm

令和４年度　１級　実技試験（計画立案等作業試験）正解表
金属熱処理（浸炭・浸炭窒化・窒化処理作業）

問題番号	正　　　解

1

設問 1	設問 2					設問 3	設問 4	設問 5
	A	B	C	D	E			
ウ	ス	コ	キ	オ	ア	イ	ウ	エ

2

設問1		設問2		設問3	設問4
焼入加熱温度	焼戻加熱温度	加熱温度	保持時間		
ウ	ウ	イ	イ	イ	エ

3

設問1				
A	B	C	D	E
エ	ア	ウ	オ	イ

設問2								
①	②	③	④	⑤	⑥	⑦	⑧	⑨
ア	エ	ア	イ	イ	エ	ウ	ウ	イ

4

A	B	C	D	E	F	G	H	I	J
イ	エ	ア	イ	エ	ア	イ	ウ	イ	エ

A及びB、D及びE、F及びGは順不同可

5

①	②	③	④	⑤
ウ	オ	ク	ケ	エ

6

設問 1	設問 2	設問 3		
		① 内径が最大の写真	② 内径が最大の写真の内径値	③ 最大値と最小値の差
ノギス	2	B (写真Bも可)	50.15 mm	0.20 mm

令和３年度　１級　実技試験（計画立案等作業試験）正解表
金属熱処理（浸炭・浸炭窒化・窒化処理作業）

問題番号　正　解

1

設問1	設問2				
	[A]	[B]	[C]	[D]	[E]
ハ	チ	ハ	ホ	イ	リ

設問3							設問4
(A)	(B)	(C)	(D)	(E)	(F)	(G)	
チ	ヘ	ロ	ロ	ハ	ハ	イ	イ

2

設問 1			設問 2	設問 3	設問 4	設問 5
(A)	(B)	(C)				
ハ	ロ	イ	イ	ハ	ロ	ロ

3

設問1		設問2	設問3	設問4
焼入加熱温度	焼戻加熱温度			
イ	ハ	ハ	ロ	イ

4

設問 1							
A	B	C	D	E	F	G	H
ハ	ト	ル	ニ	ホ	ヌ	ヲ	リ

設問 2	設問 3				設問 4	設問 5
	(A)	(B)	(C)	(D)		
ハ	ヘ	ロ	ハ	ホ	ロ	ハ

5

①	②	③	④	⑤
チ	ヌ	ニ	ル	ロ

6

設問 1	設問 2	設問 3			
		1	2	3	4
イ	真円度、又は 真円度公差	ヘ	チ	イ	ホ

設問 4				設問 5
写真 A	写真 B	写真 C	写真 D	
70.020mm	70.000mm	69.970mm	69.985mm	0.025mm

令和５年度　２級　実技試験（計画立案等作業試験）正解表
金属熱処理（高周波・炎熱処理作業）

問題番号	正　　解

1

設問 1	設問 2	設問 3	設問 4	設問 5
イ	イ	ウ	イ	ウ

2

設問1	設問2	設問3	設問4
ア	イ	ウ	エ

3

設問1	設問2	設問3	設問4
エ	イ	ウ	イ

4

設問1			
	① 還元炎	② 中性炎	③ 酸化炎
酸素の割合	ア	イ	ウ
表面状態	イ	ウ	ア

設問 2		
(1)	(2)	(3)
イ	ウ	ア

令和４年度　２級　実技試験（計画立案等作業試験）正解表
金属熱処理（高周波・炎熱処理作業）

<table>
<tr><th>問題
番号</th><th>正　　解</th></tr>
<tr><td>1</td><td>
<table>
<tr><th>設問 1</th><th>設問 2</th><th>設問 3</th><th>設問 4</th></tr>
<tr><td>イ</td><td>ウ</td><td>イ</td><td>ア</td></tr>
</table>
</td></tr>
<tr><td>2</td><td>
<table>
<tr><th>設問1</th><th>設問2</th><th>設問3</th><th>設問4</th></tr>
<tr><td>ウ</td><td>イ</td><td>ア</td><td>イ</td></tr>
</table>
</td></tr>
<tr><td>3</td><td>
<table>
<tr><th rowspan="2">設問1</th><th colspan="3">設問2</th><th rowspan="2">設問3</th><th rowspan="2">設問4</th></tr>
<tr><th>A部</th><th>B部</th><th>C部</th></tr>
<tr><td>エ</td><td>イ</td><td>ア</td><td>イ</td><td>エ</td><td>ウ</td></tr>
</table>
</td></tr>
<tr><td>4</td><td>
<table>
<tr><th rowspan="2">設問 1</th><th rowspan="2">設問 2</th><th colspan="2">設問 3</th><th rowspan="2">設問 4</th></tr>
<tr><th>(1) 焼入温度</th><th>(2) 冷却剤</th></tr>
<tr><td>ウ</td><td>ア</td><td>イ</td><td>イ</td><td>ア</td></tr>
</table>
</td></tr>
</table>

令和３年度　２級　実技試験（計画立案等作業試験）正解表
金属熱処理（高周波・炎熱処理作業）

問題番号	正　　解

1

設問 1	設問 2	設問 3	設問 4		
			①	②	③
ロ	ハ	ロ	イ	ハ	ロ

2

設問 1	設問 2	設問 3		設問 4
		（1）	（2）	
イ	ハ	ハ	ハ	ロ

3

設問 1	設問 2	設問 3	設問 4
ニ	ロ	ハ	ハ

4

設問 1	設問 2	設問 3
イ	ロ	ハ

令和５年度　１級　実技試験（計画立案等作業試験）正解表
金属熱処理（高周波・炎熱処理作業）

問題番号	正　解

1

設問1		
ア:酸化炎	イ:中性炎	ウ:還元炎
B	C	A

設問2			
	① 還元炎	② 中性炎	③ 酸化炎
酸素の割合	イ	ウ	ア
表面状態	エ	オ	カ

設問3	設問4			
	(A)	(B)	(C)	(D)
エ	イ	ク	オ	キ

2

(A)	(B)	(C)	(D)	(E)
ウ	ア	ウ	ウ	イ

3

設問 1	設問 2	設問 3	設問 4
ア	イ	90 kW	エ

4

設問 1	設問 2	設問 3		設問 4
		①	②	
イ	イ	焼戻し	焼戻割れ	ア

5

①	②	③	④	⑤
オ	カ	ウ	コ	ク

6

設問 1	設問 2		設問 3	設問 4
	①	②		
イ	イ	エ	ダイヤル	0.72 mm

令和４年度　１級　実技試験（計画立案等作業試験）正解表
金属熱処理（高周波・炎熱処理作業）

問題番号	正　　解

1

設問1	設問2	設問3	設問4
ア	ウ	ウ	イ

2

設問1		設問 2			設問 3	設問 4
焼入れ	焼戻し	A	B	C		
イ	ア	イ	カ	エ	ウ	ウ

3

設問1			設問 2		設問 3		設問 4		
A	B	C	A	B	A	B	A	B	C
カ	ア	ウ	ウ	イ	イ	ア	エ	イ	イ

4

設問1		設問2	設問3			
1	2		A	B	C	D
ウ	ウ	エ	ア	ウ	エ	カ

5

①	②	③	④	⑤
ウ	オ	ク	ケ	エ

6

設問 1	設問 2	設問 3		
		① 内径が最大の写真	② 内径が最大の写真の内径値	③ 最大値と最小値の差
ノギス	2	B (写真 B も可)	50.15 mm	0.20 mm

令和３年度　１級　実技試験（計画立案等作業試験）正解表
金属熱処理（高周波・炎熱処理作業）

問題番号	正解					
1	設問 1					
	①	②	③	④	⑤	⑥
	ロ	リ	チ	ニ	イ	ヘ

問題番号	設問 2				設問 3	設問 4
	A	B	C	D		
1	ヘ	ハ	ホ	ト	ロ	ハ

問題番号	設問 1			設問 2			
	イ	ロ	ハ		①	②	③
2	B	C	A	酸素の割合	ロ	ハ	イ
				表面状態	ニ	ホ	ヘ

問題番号	設問 3	設問 4			
		A	B	C	D
2	ニ	ロ	ヘ	ホ	ト

問題番号	設問 1			設問 2	設問 3	設問 4
	A	B	C			
3	ロ	イ	ハ	ハ	ロ	ロ

問題番号	設問1	設問2	設問3	設問4
4	ハ	ロ	ハ	ハ

問題番号	①	②	③	④	⑤
5	チ	ヌ	ニ	ル	ロ

問題番号	設問 1	設問 2	設問 3			
			1	2	3	4
6	イ	真円度、又は 真円度公差	ヘ	チ	イ	ホ

問題番号	設問 4				設問 5
	写真 A	写真 B	写真 C	写真 D	
6	70.020mm	70.000mm	69.970mm	69.985mm	0.025mm

令和５年度　２級　学科試験正解表
金属熱処理（一般熱処理作業）

真偽法

番号	1	2	3	4	5
正解	○	×	○	×	○

番号	6	7	8	9	10
正解	○	×	×	○	×

番号	11	12	13	14	15
正解	○	○	×	○	×

番号	16	17	18	19	20
正解	×	○	○	×	×

番号	21	22	23	24	25
正解	×	○	×	○	○

択一法

番号	1	2	3	4	5
正解	ニ	ハ	ニ	ハ	ニ

番号	6	7	8	9	10
正解	ロ	ハ	ニ	ハ	ニ

番号	11	12	13	14	15
正解	イ	ニ	イ	ハ	ロ

番号	16	17	18	19	20
正解	ロ	イ	イ	ニ	ロ

番号	21	22	23	24	25
正解	ニ	イ	ハ	イ	ハ

令和４年度　２級　学科試験正解表
金属熱処理（一般熱処理作業）

真偽法

番号	1	2	3	4	5
正解	○	×	×	×	×

番号	6	7	8	9	10
正解	○	×	×	○	○

番号	11	12	13	14	15
正解	×	×	×	○	○

番号	16	17	18	19	20
正解	×	○	×	×	○

番号	21	22	23	24	25
正解	○	×	○	○	×

択一法

番号	1	2	3	4	5
正解	ハ	イ	ハ	イ	ハ

番号	6	7	8	9	10
正解	ロ	ロ	ニ	ニ	ニ

番号	11	12	13	14	15
正解	ハ	ハ	ハ	イ	イ

番号	16	17	18	19	20
正解	ハ	ニ	イ	ハ	ハ

番号	21	22	23	24	25
正解	ロ	ニ	ニ	イ	ハ

令和３年度　２級　学科試験正解表
金属熱処理（一般熱処理作業）

真偽法

番号	1	2	3	4	5
正解	○	○	×	×	×

番号	6	7	8	9	10
正解	○	×	×	○	○

番号	11	12	13	14	15
正解	×	○	○	×	○

番号	16	17	18	19	20
正解	○	×	×	×	○

番号	21	22	23	24	25
正解	○	○	×	×	○

択一法

番号	1	2	3	4	5
正解	ハ	イ	イ	ニ	ニ

番号	6	7	8	9	10
正解	ロ	ロ	ニ	ハ	ロ

番号	11	12	13	14	15
正解	イ	ロ	ハ	ハ	イ

番号	16	17	18	19	20
正解	イ	イ	イ	イ	ハ

番号	21	22	23	24	25
正解	ニ	ニ	ハ	ニ	ハ

令和５年度　１級　学科試験正解表
金属熱処理（一般熱処理作業）

真偽法

番号	１	２	３	４	５
正解	X	○	X	○	○

番号	６	７	８	９	１０
正解	X	○	○	X	○

番号	１１	１２	１３	１４	１５
正解	X	X	X	X	○

番号	１６	１７	１８	１９	２０
正解	X	X	○	X	X

番号	２１	２２	２３	２４	２５
正解	X	○	○	○	X

択一法

番号	１	２	３	４	５
正解	ロ	イ	ロ	ハ	ロ

番号	６	７	８	９	１０
正解	ハ	ニ	ニ	ロ	ハ

番号	１１	１２	１３	１４	１５
正解	ハ	ニ	イ	ハ	ニ

番号	１６	１７	１８	１９	２０
正解	ロ	ニ	ニ	ハ	ニ

番号	２１	２２	２３	２４	２５
正解	ハ	ニ	ロ	ロ	イ

令和４年度　１級　学科試験正解表
金属熱処理（一般熱処理作業）

真偽法

番号	１	２	３	４	５
正解	X	○	○	○	○

番号	６	７	８	９	１０
正解	X	○	○	○	X

番号	１１	１２	１３	１４	１５
正解	○	○	○	X	X

番号	１６	１７	１８	１９	２０
正解	X	○	○	X	X

番号	２１	２２	２３	２４	２５
正解	X	○	○	X	X

択一法

番号	１	２	３	４	５
正解	ハ	イ	ハ	ロ	イ

番号	６	７	８	９	１０
正解	ニ	イ	ニ	ハ	ニ

番号	１１	１２	１３	１４	１５
正解	イ	ロ	ニ	ロ	ハ

番号	１６	１７	１８	１９	２０
正解	イ	イ	ニ	イ	ロ

番号	２１	２２	２３	２４	２５
正解	ハ	イ	ニ	ニ	ハ

令和３年度　１級　学科試験正解表
金属熱処理（一般熱処理作業）

真偽法

番号	１	２	３	４	５
正解	×	×	×	×	○

番号	６	７	８	９	１０
正解	○	○	×	×	○

番号	１１	１２	１３	１４	１５
正解	×	○	×	○	×

番号	１６	１７	１８	１９	２０
正解	×	○	○	○	×

番号	２１	２２	２３	２４	２５
正解	×	○	○	○	○

択一法

番号	１	２	３	４	５
正解	ハ	ハ	ハ	ハ	ニ

番号	６	７	８	９	１０
正解	ニ	ニ	ハ	ロ	ロ

番号	１１	１２	１３	１４	１５
正解	イ	ハ	ハ	ニ	ハ

番号	１６	１７	１８	１９	２０
正解	ニ	ニ	ロ	ロ	ハ

番号	２１	２２	２３	２４	２５
正解	ニ	ハ	ロ	ロ	ニ

令和５年度　２級　学科試験正解表
金属熱処理（浸炭・浸炭窒化・窒化処理作業）

真偽法

番号	１	２	３	４	５
正解	○	X	○	X	○

番号	６	７	８	９	１０
正解	○	X	X	○	X

番号	１１	１２	１３	１４	１５
正解	○	○	X	○	X

番号	１６	１７	１８	１９	２０
正解	X	○	○	X	○

番号	２１	２２	２３	２４	２５
正解	X	○	○	X	○

択一法

番号	１	２	３	４	５
正解	ニ	ハ	ニ	ハ	ニ

番号	６	７	８	９	１０
正解	ロ	ハ	ニ	ハ	ニ

番号	１１	１２	１３	１４	１５
正解	イ	ニ	イ	ハ	ロ

番号	１６	１７	１８	１９	２０
正解	ロ	イ	イ	ロ	ハ

番号	２１	２２	２３	２４	２５
正解	ハ	ハ	ニ	ハ	イ

令和４年度　２級　学科試験正解表
金属熱処理（浸炭・浸炭窒化・窒化処理作業）

真偽法

番号	１	２	３	４	５
正解	○	X	X	X	X

番号	６	７	８	９	１０
正解	○	X	X	○	○

番号	１１	１２	１３	１４	１５
正解	X	X	X	○	○

番号	１６	１７	１８	１９	２０
正解	X	○	X	○	○

番号	２１	２２	２３	２４	２５
正解	X	X	○	○	X

択一法

番号	１	２	３	４	５
正解	ハ	イ	ハ	イ	ハ

番号	６	７	８	９	１０
正解	ロ	ロ	ニ	ニ	ニ

番号	１１	１２	１３	１４	１５
正解	ハ	ハ	ハ	イ	イ

番号	１６	１７	１８	１９	２０
正解	ハ	ニ	イ	ニ	イ

番号	２１	２２	２３	２４	２５
正解	ロ	ロ	ハ	イ	ニ

令和３年度　２級　学科試験正解表
金属熱処理（浸炭・浸炭窒化・窒化処理作業）

真偽法

番号	1	2	3	4	5
正解	○	○	X	X	X

番号	6	7	8	9	10
正解	○	X	X	○	○

番号	11	12	13	14	15
正解	X	○	○	X	○

番号	16	17	18	19	20
正解	○	X	X	X	○

番号	21	22	23	24	25
正解	X	○	○	X	○

択一法

番号	1	2	3	4	5
正解	ハ	イ	イ	ニ	ニ

番号	6	7	8	9	10
正解	ロ	ロ	ニ	ハ	ロ

番号	11	12	13	14	15
正解	イ	ロ	ハ	ハ	イ

番号	16	17	18	19	20
正解	イ	イ	イ	ロ	ロ

番号	21	22	23	24	25
正解	ハ	ニ	ニ	ニ	ニ

令和５年度　１級　学科試験正解表
金属熱処理（浸炭・浸炭窒化・窒化処理作業）

真偽法

番号	１	２	３	４	５
正解	×	○	×	○	○

番号	６	７	８	９	１０
正解	×	○	○	×	○

番号	１１	１２	１３	１４	１５
正解	×	×	×	×	○

番号	１６	１７	１８	１９	２０
正解	×	×	○	×	○

番号	２１	２２	２３	２４	２５
正解	○	○	○	○	×

択一法

番号	１	２	３	４	５
正解	ロ	イ	ロ	ハ	ロ

番号	６	７	８	９	１０
正解	ハ	ニ	ニ	ロ	ハ

番号	１１	１２	１３	１４	１５
正解	ハ	ニ	イ	ハ	ニ

番号	１６	１７	１８	１９	２０
正解	ロ	ニ	ニ	ロ	ロ

番号	２１	２２	２３	２４	２５
正解	イ	ロ	ロ	ハ	イ

令和４年度　１級　学科試験正解表
金属熱処理（浸炭・浸炭窒化・窒化処理作業）

真偽法

番号	１	２	３	４	５
正解	×	○	○	○	○

番号	６	７	８	９	１０
正解	×	○	○	○	×

番号	１１	１２	１３	１４	１５
正解	○	○	○	×	×

番号	１６	１７	１８	１９	２０
正解	×	○	○	×	○

番号	２１	２２	２３	２４	２５
正解	×	×	○	○	○

択一法

番号	１	２	３	４	５
正解	ハ	イ	ハ	ロ	イ

番号	６	７	８	９	１０
正解	ニ	イ	ニ	ハ	ニ

番号	１１	１２	１３	１４	１５
正解	イ	ロ	ニ	ロ	ハ

番号	１６	１７	１８	１９	２０
正解	イ	イ	ニ	ハ	イ

番号	２１	２２	２３	２４	２５
正解	ハ	ロ	ニ	ロ	イ

令和３年度　１級　学科試験正解表
金属熱処理（浸炭・浸炭窒化・窒化処理作業）

真偽法

番号	1	2	3	4	5
正解	×	×	×	×	○

番号	6	7	8	9	10
正解	○	○	×	×	○

番号	11	12	13	14	15
正解	×	○	×	○	×

番号	16	17	18	19	20
正解	×	○	○	○	○

番号	21	22	23	24	25
正解	○	×	×	○	×

択一法

番号	1	2	3	4	5
正解	ハ	ハ	ハ	ハ	ニ

番号	6	7	8	9	10
正解	ニ	ニ	ハ	ロ	ロ

番号	11	12	13	14	15
正解	イ	ハ	ハ	ニ	ハ

番号	16	17	18	19	20
正解	ニ	ニ	ロ	ニ	ニ

番号	21	22	23	24	25
正解	ロ	イ	ニ	ロ	ロ

令和５年度　２級　学科試験正解表
金属熱処理（高周波・炎熱処理作業）

真偽法

番号	1	2	3	4	5
正解	○	×	○	×	○

番号	6	7	8	9	10
正解	○	×	×	○	×

番号	11	12	13	14	15
正解	○	○	×	○	×

番号	16	17	18	19	20
正解	×	○	○	○	×

番号	21	22	23	24	25
正解	○	○	○	○	×

択一法

番号	1	2	3	4	5
正解	ニ	ハ	ニ	ハ	ニ

番号	6	7	8	9	10
正解	ロ	ハ	ニ	ハ	ニ

番号	11	12	13	14	15
正解	イ	ニ	イ	ハ	ロ

番号	16	17	18	19	20
正解	ロ	イ	イ	ロ	ロ

番号	21	22	23	24	25
正解	ハ	ロ	ニ	ハ	ロ

令和４年度　２級　学科試験正解表
金属熱処理（高周波・炎熱処理作業）

真偽法

番号	1	2	3	4	5
正解	○	×	×	×	×

番号	6	7	8	9	10
正解	○	×	×	○	○

番号	11	12	13	14	15
正解	×	×	×	○	○

番号	16	17	18	19	20
正解	×	○	×	×	○

番号	21	22	23	24	25
正解	×	○	×	○	○

択一法

番号	1	2	3	4	5
正解	ハ	イ	ハ	イ	ハ

番号	6	7	8	9	10
正解	ロ	ロ	ニ	ニ	ニ

番号	11	12	13	14	15
正解	ハ	ハ	ハ	イ	イ

番号	16	17	18	19	20
正解	ハ	ニ	イ	ハ	イ

番号	21	22	23	24	25
正解	ロ	ニ	ロ	ニ	イ

令和３年度　２級　学科試験正解表
金属熱処理（高周波・炎熱処理作業）

真偽法

番号	1	2	3	4	5
正解	○	○	×	×	×

番号	6	7	8	9	10
正解	○	×	×	○	○

番号	11	12	13	14	15
正解	×	○	○	×	○

番号	16	17	18	19	20
正解	○	×	×	×	×

番号	21	22	23	24	25
正解	○	×	○	×	×

択一法

番号	1	2	3	4	5
正解	ハ	イ	イ	ニ	ニ

番号	6	7	8	9	10
正解	ロ	ロ	ニ	ハ	ロ

番号	11	12	13	14	15
正解	イ	ロ	ハ	ハ	イ

番号	16	17	18	19	20
正解	イ	イ	イ	ハ	ロ

番号	21	22	23	24	25
正解	ニ	ハ	ニ	ロ	ロ

令和５年度　１級　学科試験正解表
金属熱処理（高周波・炎熱処理作業）

真偽法

番号	1	2	3	4	5
正解	×	○	×	○	○

番号	6	7	8	9	10
正解	×	○	○	×	○

番号	11	12	13	14	15
正解	×	×	×	×	○

番号	16	17	18	19	20
正解	×	×	○	×	○

番号	21	22	23	24	25
正解	×	○	○	○	○

択一法

番号	1	2	3	4	5
正解	ロ	イ	ロ	ハ	ロ

番号	6	7	8	9	10
正解	ハ	ニ	ニ	ロ	ハ

番号	11	12	13	14	15
正解	ハ	ニ	イ	ハ	ニ

番号	16	17	18	19	20
正解	ロ	ニ	ニ	ハ	ニ

番号	21	22	23	24	25
正解	ニ	ロ	ニ	ロ	ロ

令和４年度　１級　学科試験正解表
金属熱処理（高周波・炎熱処理作業）

真偽法

番号	1	2	3	4	5
正解	×	○	○	○	○

番号	6	7	8	9	10
正解	×	○	○	○	×

番号	11	12	13	14	15
正解	○	○	○	×	×

番号	16	17	18	19	20
正解	×	○	○	○	○

番号	21	22	23	24	25
正解	×	○	×	○	×

択一法

番号	1	2	3	4	5
正解	ハ	イ	ハ	ロ	イ

番号	6	7	8	9	10
正解	ニ	イ	ニ	ハ	ニ

番号	11	12	13	14	15
正解	イ	ロ	ニ	ロ	ハ

番号	16	17	18	19	20
正解	イ	イ	ニ	ニ	ハ

番号	21	22	23	24	25
正解	イ	ニ	ニ	ロ	ハ

令和３年度　１級　学科試験正解表
金属熱処理（高周波・炎熱処理作業）

真偽法

番号	1	2	3	4	5
正解	X	X	X	X	○

番号	６	７	８	９	１０
正解	○	○	X	X	○

番号	１１	１２	１３	１４	１５
正解	X	○	X	○	X

番号	１６	１７	１８	１９	２０
正解	X	○	○	X	X

番号	２１	２２	２３	２４	２５
正解	X	X	○	○	○

択一法

番号	1	2	3	4	5
正解	ハ	ハ	ハ	ハ	ニ

番号	６	７	８	９	１０
正解	ニ	ニ	ハ	ロ	ロ

番号	１１	１２	１３	１４	１５
正解	イ	ハ	ハ	ニ	ハ

番号	１６	１７	１８	１９	２０
正解	ニ	ニ	ロ	ハ	イ

番号	２１	２２	２３	２４	２５
正解	ニ	イ	ハ	ロ	ニ

・本書掲載の試験問題及び解答の内容についてのお問い合わせには、応じられませんのでご了承ください。
・その他についてのお問い合わせは、電話ではお受けしておりません。お問い合わせの場合は、内容、住所、氏名、電話番号、メールアドレス等を明記のうえ、郵送、FAX、メール又はWebフォームにてお送りください。
・試験問題について、都合により一部、編集しているものがあります。

令和3・4・5年度

1・2級 技能検定　試験問題集　92　金属熱処理

令和6年4月　初版発行

監　修　中央職業能力開発協会

発　行　一般社団法人 雇用問題研究会
〒103-0002　東京都中央区日本橋馬喰町1-14-5 日本橋Kビル2階
TEL　03-5651-7071(代)　FAX　03-5651-7077
URL　https://www.koyoerc.or.jp

印　刷　株式会社ワイズ

223092

ISBN978-4-87563-691-5 C3000